Ingrid Strobl, geboren 1952 in Innsbruck, lebt seit gut dreißig Jahren in Köln. Sie ist erfolgreiche Sachbuch-, Roman-, Hörfunk- und Fernsehautorin. Im Emons Verlag erschien bereits ihr Kriminalroman »Tödliches Karma«.

Dieses Buch ist ein Roman. Handlung, Personen und manche Orte sind frei erfunden. Ähnlichkeiten mit lebenden oder toten Personen sind rein zufällig.

INGRID STROBL

Endstation Nippes

KÖLN KRIMI

emons:

Umschlagmotiv: Heribert Stragholz
Umschlaggestaltung: Tobias Doetsch, Berlin
Druck und Bindung: CPI – Clausen & Bosse, Leck
Printed in Germany 2010
ISBN 978-3-89705-773-9
Köln Krimi
Originalausgabe

Für Charlotte, Nikola, James, Tobias, Jonas. Für Horst.
Und für Dorte, in memoriam.

EINS

»Na, komm, Süße«, flötete ich, »dir passiert schon nichts!« Ich stand vor dem Fenster in meinem Schlafzimmer, in der linken Hand ein Wasserglas, in der rechten ein Stück Pappe. Vor mir, auf dem Store, vier Motten. Am Vortag hatte ich zwei von den Monstern erschlagen, bevor sie sich in meinen Kleiderschrank einschleichen konnten. Und prompt ein schlechtes Gewissen bekommen. Als Bodhisattva-Azubi gelobe ich jeden Morgen, keinem fühlenden Wesen ein Leid zuzufügen. Und Motten zählen, zumindest nach buddhistischer Rechnung, auch zu den fühlenden Wesen. Ich sehe das anders, aber ein schlechtes Gewissen hatte ich trotzdem. Ich stupste das Exemplar, das sich am weitesten unten in den Store krallte, leicht mit der Pappe an und hielt das Glas darunter. Es fiel tatsächlich rein, ich konnte mein Glück kaum fassen. Dafür flogen die anderen drei auf und waren nicht mehr zu sehen. Vermutlich waren sie nonstop auf dem Weg zu meinen Pashmina-Schals.

Euch kriege ich auch noch, murmelte ich etwas verkniffen vor mich hin und trug das Glas an das Küchenfenster, das ich schon vorsorglich geöffnet hatte. Hielt es eine Armlänge raus und nahm die Pappe ab. Die Motte stieg hoch wie eine Rakete von der Abschussbasis, breitete die Flügel aus, schwebte zurück in meine Küche und landete schließlich auf der Arbeitsplatte. Wo sie dummerweise (für sie) sitzen blieb. Mein Instinkt war schneller als mein buddhistisches Gewissen. Ich klatschte ihr die Pappe drüber – und hatte mal wieder grauenhaft schlechtes Karma angehäuft.

Ich steckte mir eine Zigarette an und riskierte einen kleinen Disput zwischen meinem Ego-Ego und meinem Besseren Ich. (Den Zustand der Ichlosigkeit habe ich trotz jahrelanger Bemühungen leider noch nicht erreicht. Aber was nicht ist, kann ja noch werden.)

»Okay«, sagte Ego-Ego, »ich habe ein fühlendes Wesen getötet. Das ist schrecklich. Das sollte ich nicht tun. Aber was ist mit meinen Wollsachen? Mit meinen nepalesischen Pashmina-Schals zum Beispiel? Was ist mit den Frauen, die sie so kunstvoll gewebt haben? Was ist mit den süßen kleinen Schäfchen, die ihre Wolle dafür gegeben haben? Und das alles, nur damit diese gierigen Hungergeister von Motten sie jetzt auffressen?«

»Schon mal was von Anhaftung gehört?«, fragte Besseres Ich zurück.

»Ich hafte nicht an meinen Schals«, schnaubte Ego-Ego, »ich empfinde Wertschätzung für sie!«

Besseres Ich seufzte.

»Außerdem«, verstieg sich jetzt Ego-Ego, »was ist denn das für eine armselige Existenz, so ein Mottenleben? Jetzt hat sie vielleicht eine bessere Wiedergeburt.«

Besseres Ich sagte gar nichts. Was sollte es darauf auch erwidern? Ich schämte mich für Ego-Ego in Grund und Boden.

Während ich also schamvoll zu Boden blickte, sah ich Motte Nummer zwei auf selbigem herumkriechen.

Und jetzt?

Bevor ich eine Entscheidung treffen konnte, klingelte es an der Tür. Ich öffnete und ließ Nele herein, meine Freundin und Nachbarin. Wenn ich jetzt ganz, ganz ehrlich sein soll: Ich hoffte insgeheim, dass Nele versehentlich auf die Motte trat. Aber sie blieb stocksteif im Flur stehen.

»Hörma«, sagte sie und sah mich finster an, »ich sag's dir besser direkt. Meine UK is positiv.«

»Schore oder Benzos?«, fragte ich zurück.

»Schore.«

Nele ist seit einem guten halben Jahr im Methadon-Programm. Und seit exakt ebenso langer Zeit beikonsumfrei. Ihre Urinkontrollen waren jedes Mal negativ, worauf sie gebührend stolz war. Und jetzt hatte sie Heroin genommen. Scheiße!

»Scheiße«, sagte ich.

»Hörma«, gab sie zurück, »das war 'n Ausrutscher, echt. Da müsst ihr jetzt nicht gleich so 'n Wind drum machen!«

Ich konnte mich nicht erinnern, Wind gemacht zu haben.

»Und wieso?«, fragte ich.

»Keine Ahnung.«

»Willst du nicht reinkommen?«

Sie setzte sich an den Küchentisch. »Du hast Motten«, verkündete sie und schlug zu. Das gemeuchelte Tier lag in Form von Matsche auf meinem Esstisch. Ich entsorgte es mit einem Tempotuch und warf es in den Mülleimer.

Ich musste in spätestens einer halben Stunde los, zu einem Interview, von dem ich ahnte, es würde ziemlich schwierig werden, und auf das ich mich eigentlich noch vorbereiten wollte. Eigentlich. Ich warf die Espressomaschine an. Die Dame bevorzugt Kaffee, aber dafür war keine Zeit. Ich lehnte mich gegen die Spüle und sah Nele fragend an.

»Ich hab die Bea getroffen. Zufällig. Dann sind wir zu ihr. Und der ihr neuer Freund, der war grade am Blowen. Die Bea wollte mir eh nix geben, aber die war schon so zu … na ja.«

Wäre ich jetzt Drogentherapeutin oder wäre Nele bei mir im ambulant betreuten Wohnen, dann hätte ich vermutlich gefragt: »Was stimmt nicht bei dir, dass du einen Rückfall bauen musstest?« Oder so die Richtung. Aber Nele ist meine Freundin. Also beschränkte ich mich erst mal auf: »Hat das jetzt irgendwelche Folgen?«

»Nö, kann ja nich, wegen einem Mal!«

»Und? Bleibt's dabei? Bei einem Mal?«

Nele verdrehte genervt die Augen. »Katja, ich ärger mich doch selber am meisten über mich. Ich hab's jetzt so lange geschafft, und ich will in die Therapie. Das weißte doch!«

Ich stellte die Espressotassen und den Zucker auf den Tisch.

»Außerdem«, ließ sich Nele wieder vernehmen, »bringt das Blowen sowieso nix, wenn du auf Metha bist. Da musste dir schon 'n Druck machen, wenn du was spüren willst.«

Nele hatte bereits einen Termin für die Entgiftung. Und einen für die Langzeittherapie direkt im Anschluss. Hertha, meiner alten Nachbarin, bei der Nele zur Untermiete wohnt, graute schon jetzt davor. Die beiden hatten sich mehr oder weniger aus dem Stand angefreundet, und Nele hilft Hertha bei allem, was sie nicht mehr so gut kann. Schwere Einkäufe schleppen zum Beispiel oder Gardinen abnehmen und wieder aufhängen. Und den ganzen Tag allein vor der Glotze sitzen.

Wir tranken schweigend unseren Espresso.

»Nach der Therapie isses bestimmt leichter«, murmelte Nele und steckte sich eine von meinen Zigaretten an. »Da such ich mir 'n Job und hab was zu tun. Wenn man den ganzen Tag bloß rumhängt …«

Ganz so stimmte das nicht. Nele hatte mir zum Beispiel meine Interviews abgetippt, als ich eine ziemlich gemeine Sehnenscheidenentzündung gehabt hatte. Und die Interviews, die ich mache, sind nicht gerade kurz.

»Süße, ich muss jetzt los«, sagte ich und stand auf. »Ich muss zu 'nem Interview.«

ZWEI

Die Frau wollte sich am Bahnhof mit mir treffen. Warum auch immer. Ich hatte ihr gesagt, dass ich da keine Aufnahmen machen kann wegen der Nebengeräusche, aber sie hatte darauf bestanden. Insgeheim hoffte ich, ich könnte sie überreden, mit in den Sender zu kommen. Und meine Redakteurin überreden, dass sie mir einen ruhigen Raum organisierte. Manchmal muss man in meinem Beruf improvisieren. Ich stand mir vor dem Info-Point die Beine in den Hintern, in der Hand ein Stück Pappe, auf das ich WDR gemalt hatte. Kam mir so blöd vor wie schon lange nicht mehr.

Nach einer halben Stunde gab ich auf. Bog in die Fressmeile ein und stellte mich an einem der Brötchenstände in die Schlange. Ein Junge stellte sich neben mich. Höchstens zehn, einen Schmutzfleck auf der Wange, ungewaschenes Haar und etwas Verstörtes an sich. Er blieb an meiner Seite, während ich langsam aufrückte. Als ich dran war, sagte er so leise, dass ich ihn kaum verstand: »Kaufst du mir was zu essen?«

Ich sah in graugrüne Augen. Tote Augen. Ich hatte ein Gefühl, als würden sich meine Haare alle einzeln aufstellen.

»Was willste denn?«

Er deutete auf die belegten Ciabattas.

»Käse oder Wurst?«

»Wurst.« Und nach einem Moment des Schweigens: »Kann ich zwei haben?«

Ich kaufte ihm zwei und mir eines mit Käse. »Cola?«

Er nickte stumm. Ich reichte ihm die Brote und die Dose.

»Danke.«

Er verschwand, ohne mich noch einmal anzusehen.

Ich bezahlte und ging zurück in die Haupthalle. Schaute mich in alle Richtungen um. Konnte ihn nirgends entdecken. War mir aber hundertprozentig sicher: Mit dem Jungen stimmte etwas nicht. Und zwar ganz und gar nicht.

Zu Hause verschlang ich erst einmal das Ciabatta, dann fragte ich den Anrufbeantworter ab. Nichts. Rief meine Mails auf: Eine von

Amazon, eine von Ryanair und sieben von der WDR-Freien-Mailingliste. Kein Wunder, es war Sommer. Sogar der Spam-Ordner war halb leer. Bis auf ein paar Workaholics und uns freie Journalisten, die wir uns keinen Urlaub leisten konnten, lag *tout le monde* an irgendeinem Strand oder wanderte über Almwiesen oder weiß der Geier was. Ich löschte alle Mails ungelesen und schrieb eine kleine unanständige Message an meinen Liebsten. Der muss nämlich auch im Sommer arbeiten. Die Junkies beziehungsweise Methadon-Substituierten, die er betreut, verreisen nicht in die Sommerfrische. Noch nicht mal nach Malle.

Ich machte mir einen Tee, schnitt Rosa frische Leber auf und schwor mir, das im Sommer nie, nie, nie mehr wieder zu tun. Den Geruch von Eingeweiden ertrage ich schon an sich nicht, geschweige denn bei dreißig Grad im Schatten. Rosa wusste es wenigstens zu schätzen und drehte schnurrend drei Runden um meine Beine, bevor sie sich auf den Teller stürzte. Ich legte Amy Winehouse auf, schloss die Augen und versuchte nachzudenken. Warum war die Frau nicht gekommen? Ich kannte sie nur vom Telefon, sie war überaus freundlich gewesen, sofort bereit, mit mir zu reden, und hatte dann diesen unmöglichen Treff am Info-Point vorgeschlagen.

Rosa sprang auf meine Brust und hauchte mir ihren Blutige-Leber-Atem ins Gesicht. Ich schubste sie runter. Sie drehte mir ihren Allerwertesten zu und stolzierte aus dem Zimmer. Schon seltsam, überlegte ich. Da recherchiere ich gerade für eine Sendung über Pflegekinder, will eine Pflegemutter treffen, die kommt nicht, aber dafür bettelt mich ein Trebekid an.

Mein Rechner machte pling – eine neue Mail. Ich stand auf und sah nach. »Ich konnte mir bisher nie so recht vorstellen, was mit *dirty talking* gemeint ist«, schrieb mein Liebster. »Aber jetzt ahne ich, was *dirty writing* bedeutet.« Ich klickte auf »Antworten«: »Das mit dem *dirty talking* bringe ich dir auch noch bei.«

Wir sind noch nicht so lange zusammen, dass er schon all meine Abgründe ausloten kann.

Meine Gedanken wanderten zurück zu dem Jungen. Ich werde ständig angebettelt, irgendwie merken sämtliche Schnorrer, dass bei mir etwas zu holen ist. Und ich habe ja auch immer meine Bettler-Groschen in der Jackentasche. Schließlich bin ich Bodhisattva-Azubi. Und ein Bodhisattva zeichnet sich durch vollkommene Weisheit und grenzenloses Mitgefühl aus. Das mit der Weisheit klappt bei mir noch nicht so wahnsinnig gut, das mit dem Mitgefühl schon eher. Zumindest für die Outcasts, Outlaws und Loser dieser Welt. Und ganz besonders für Penner, Junkies und Co. Bei meiner Schwägerin und anderen, die sich für etwas Besseres halten, versagt es allerdings. Da arbeite ich noch dran. Was mich irritierte, war, dass der Junge mich gebeten hatte, ihm etwas zu essen zu kaufen. Ich beschloss, nach nebenan zu gehen und meine Nachbarinnen zu konsultieren. Die kennen sich mit Trebekids besser aus als ich.

Sie saßen in der Küche und spielten Poker. Hertha hat Nele inzwischen beigebracht, perfekt zu bluffen, mit dem Effekt, dass sie seither auch mal ein Spiel verliert. Nele legte gerade ein Full House ab. Hertha schüttelte den Kopf.

»Die spielt mit gezinkten Karten«, sagte sie in meine Richtung, »anders kann ich mir das nicht erklären.«

Nele grinste zufrieden. Vor ihr auf dem Tisch lag eine rote Karte. Erst wunderte ich mich, was die zu bedeuten hatte, dann fiel es mir ein, und ich gab mir alle Mühe, nicht loszuprusten. Als Nele bei Hertha einzog, hatten wir eine Hausordnung erstellt: »Keine Drogen, keine Besucher, die Drogen dabeihaben, bei Beikonsum rote Karte. Bei wiederholtem Beikonsum Rausschmiss.« Damals hatten wir das durchaus ernst gemeint. Inzwischen war ich mir nicht mehr so sicher, ob Hertha Nele wirklich rauswerfen würde.

Ich setzte mich mit an den Tisch und erzählte ihnen von dem Jungen.

»Komisch«, sagte Nele. Hertha nickte.

»Also 'n Junge, der auf Trebe ist, der würd nicht auf die Tour schnorren«, erklärte mir Nele. »Der würd vielleicht sagen, keine Ahnung, so: ›Ich hab das Fahrgeld verloren und muss zu meiner Omi‹, oder so. Halt irgendwie tricksen. Aber der würd nicht zugeben, dass er Hunger hat. Weil, du könntest ja die Bullen rufen.«

Das leuchtete mir ein. »Aber warum hat er's dann gemacht?«

»Keine Ahnung.« Nele mischte die Karten neu. Sie war offenbar nicht zu Gesprächen aufgelegt.

Hertha warf mir einen langen Blick zu. »Wir kochen heut Abend.«

Das war eine Einladung. Ich lehnte sie ab. Ich war schon mit meinem Liebsten verabredet, und eine Konfrontation zwischen Mister Drogentherapeut und Miss Beikonsum war das Letzte, was ich jetzt gebrauchen konnte.

»Ich geh mal wieder rüber«, verkündete ich. »Einer muss ja die Brötchen verdienen.«

Hertha und Nele stöhnten im Duett.

Ich rief die Website von »Auf Achse« auf und schrieb ihnen eine Mail. Von wegen: Könnt ihr mir ein paar Infos über Trebekids geben? Dann rief ich Frau Lanzing im Jugendamt an. Sie hatte mir einmal – anonym – ein gutes Interview gegeben, für eine Sendung über misshandelte Kinder. Das war kurz nach dem Tod des kleinen Kevin in Bremen gewesen, das Jugendamt hatte allen Mitarbeitern einen Maulkorb verpasst, aber die Frau hatte trotzdem mit mir geredet. Ganz schön mutig. Und letztens hatte sie mir die Pflegemutter vermittelt, die grade nicht am Bahnhof erschienen war. Sie ging nicht dran, und es sprang auch kein AB an, also ließ ich es gut sein. Suchte bei Google nach Links zum Thema Pflegeeltern und Pflegekinder. Las ein paar PDF-Dateien durch, eine langweiliger als die andere. Ich könnte die Pflegemutter von Jessica fragen, überlegte ich. Falls Nele mich an die ranlässt.

Nele hat eine zehnjährige Tochter. Als sie mit ihr schwanger war, wurde sie clean. Dem Kind zuliebe. Das Baby war ihr Schatz, ihr Traummädchen, ihre Hoffnung. Aber dann schrie es die Nächte durch. Bis Nele es nicht mehr aushielt. Und wieder draufkam. Woraufhin das Jugendamt ihr die Kleine wegnahm und sie in eine Pflegefamilie gab. Seither hatte Nele Jessica nicht mehr gesehen. Bis vor einem Monat. Da hatte sie den Kontakt zu ihr aufgenommen. War hingefahren und hatte das Mädchen besucht. War heulend zurückgekommen. Die Kleine hatte kein Wort mit ihr gesprochen. Aber, hatte Nele schließlich erzählt, die Leute, bei denen Jessica lebte, waren nett zu ihr gewesen. Hatten ihr angeboten, wiederzukommen, und gemeint, das brauche einfach Zeit, sie solle nicht aufgeben. »Die sind echt cool«, hatte Nele erstaunt festgestellt. »Der Typ hat lange Haare, ‘n grauen Pferdeschwanz, und sie sieht aus wie so 'n Hippie. 'n Althippie.« An der Stelle hatte sie endlich wieder gelächelt. Und hinzugefügt: »Die sind, glaub ich, auch Buddhisten.« Gegen Buddhisten hat Nele nichts, ganz im Gegenteil. Wir haben uns schließlich kennengelernt, weil sie meditieren lernen wollte.

Ich surfte noch eine Weile herum, dann gab ich auf. Goss mir ein großes Glas O-Saft ein, machte mir einen Teller mit Crackern, Oliven und Schafskäse, legte mich aufs Sofa und starrte auf die Birke vor meinem Fenster. Der Junge ging mir nicht aus dem Kopf. Dieser Gesichtsausdruck, den ich nicht deuten konnte. Da war etwas Verstörtes, aber auch etwas – ja, was? Seine seltsame Art zu fragen. Und warum wollte er zwei Ciabattas? Er hatte nur eines sofort gegessen. Wollte er sich das andere aufheben? Oder es jemand anderem geben?

Ich steckte mir eine Olive und ein Stück Käse in den Mund. Kaute darauf herum. Und plötzlich wusste ich es: Er wirkte wie ein gequältes Tier, das sich nicht wehren kann. Der Junge sah aus wie das geborene Opfer.

Rosa sprang auf meinen Schoß, der Teller kippte herunter, Oliven und Co verteilten sich auf dem Teppich.

»Liebchen«, seufzte ich, »musste das jetzt sein?« Aber Rosa konzentrierte sich auf die Oliven. Sprang wieder runter von meinem Schoß und spielte mit den fetttriefenden Dingern Fangen. *I was not amused*. Ich erhob mich widerwillig und sammelte das Essen ein. Meine Mitbewohnerin maunzte beleidigt. »Du hast Nerven!«, beschied ich sie, aber die Hitze macht mich zu träge, um ernsthaft zu protestieren. Es war der heißeste Tag seit Wochen, und jetzt stöhnte janz Kölle, das sei ja nicht auszuhalten. Nachdem vorher alle gejammert hatten, das sei ja kein Sommer. Und das mit der Klimaerwärmung würde sich ja wohl woanders abspielen.

Nachdem ich die Schweinerei halbwegs aufgewischt hatte, drehte ich mir eine kleine Tüte. Studierte mein CD-Regal und entschied mich schließlich für Nirvana, »Unplugged in New York«. Legte mich wieder aufs Sofa und machte mir den Joint an. Sah plötzlich Walter vor mir. Ich setzte mich mit einem Ruck auf. An den hatte ich seit mehr als zwanzig Jahren nicht mehr gedacht. Der kleine Walter! Ich holte mir das Telefon und rief meine Mutter an. Fragte erst mal, wie es ihr und Papa ging. So weit ganz gut. Papa musste noch dreimal zur Bestrahlung, dann hatte er es hinter sich. Schließlich fragte ich: »Mama, weißt du, was aus dem kleinen Walter geworden ist?«

»Och, Schätzchen«, erwiderte meine Mutter und seufzte. »Das is was lange her, ne? Die Hackenbroichs sind dann ja auch weggezogen. Der Erwin, weißte, der Große, der war ja im Klingelpütz. Und wie der wieder rausgekommen ist, da war der mal bei uns. Meinte, ob der Papa ihm 'n Job in der Werkstatt besorgen könnte. Hat aber nich geklappt. Der konnt ja nix, der Jung. Der hatte noch nich mal 'n Schulabschluss. Aber der Kleine? Keine Ahnung.« Sie seufzte erneut. »Das war 'n Lieber, ne?«

War er.

»Wie kommste jetzt auf den?«

Ich erzählte ihr von dem Jungen am Bahnhof.

»Ach Mensch, dat Herzchen«, meinte sie. »Wennde den noch mal siehst, musste ihm direkt was zu essen kaufen.«

Meine Mutter ist eine alte Gewerkschafterin. Sie hat uns mit einer reichlichen Portion Klassenbewusstsein erzogen. Und mit dem Grundsatz: Wenn einer noch weniger hat als du, dann musst du ihm etwas abgeben. Wir lästerten noch ein Weilchen über meine Schwägerin, dann hängte ich ein.

Der kleine Walter war unser Nachbarsjunge in der Glasstraße. Er lebte bei seiner Tante, seine Mutter war tot, der Vater unbekannt, die Tante ein Monster, der Onkel auch nicht viel besser. Erwin, sein Cousin, triezte den Kleinen, wenn er mal wieder schlecht drauf war, steckte ihm aber auch manchmal etwas zu, damit er sich ein Eis oder sonst was Süßes kaufen konnte. Von seiner lieben Tante bekam Walter nämlich nichts. Außer Prügel und Beschimpfungen. Meine Mutter lud ihn immer mal wieder zum Essen ein oder auf ein Stück Kuchen, und ich sollte mit ihm spielen. Was mir gar nicht in den Kram passte. Ich las lieber oder spielte mit den anderen Jungs Fußball. Walter hatte etwas an sich, das mich zu Grausamkeit reizte. Aber einmal, da war ich sieben oder acht, kam er am ersten Weihnachtsfeiertag zu uns. Meine Mutter machte ihm eine heiße Schokolade und setzte ihm einen Teller Weihnachtskekse vor. Dann schleppte sie mich ins Kinderzimmer und sagte: »Guck mal, welches von deinen Geschenken du dem Walter abgeben möchtest.« Ich starrte sie fassungslos an. So viel hatte ich nun auch wieder nicht bekommen.

»Hörma, Katja«, flüsterte meine Mutter und legte mir den Arm um die Schulter, »der Walter hat nix gekriegt. Gar nix. Der kriegt auch zum Geburtstag nix. Dem Erwin haben die 'n Rad gekauft, überleg mal. Und der Kleine is mal wieder leer ausgegangen.«

Das haute mich dann doch um. Nichts zu Weihnachten! Ich sah mich um und überlegte. Griff schließlich nach dem Stofflöwen, den mir Erna geschenkt hatte. Ich hatte schon einen Tiger, also konnte ich zur Not auf ein zweites Raubtier verzichten. Ich ging zurück in die Küche, hielt Walter den Löwen hin und murmelte: »Schöne Weihachten.« Den Blick, mit dem er mich ansah, habe ich bis heute nicht vergessen. Und dann sagte er: »Aber ich hab doch gar nix für dich!«

DREI

Ich nahm all meinen Mut zusammen und schaltete das Licht über dem Vergrößerungsspiegel an. Sagte mir: »Alles ist vergänglich. Vor allem Jugend und Schönheit.« Dabei bin ich nicht gerade hässlich. Aber vierzigeinhalb. Mit zwanzig war ich mir absolut sicher gewesen, dass ich ein derartiges Gruftialter gar nicht erst erreichen würde. Ich hatte auch einiges angestellt, um vorher abzudanken. Die die Götter lieben, sterben bekanntlich jung. Aber offenbar hatte ich mich nicht genügend angestrengt. Denn ich lebe immer noch und muss mich nun mit den grauen Haaren konfrontieren, die sich in meine roten Locken geschmuggelt haben. Heimlich, still und leise. Aber unübersehbar. Was soll's, sagte ich mir, steh dazu! Altern ist eben nichts für Feiglinge.

Ich malte mir die Lippen an und pappte ein Pseudo-Piercing an meinen rechten Nasenflügel. Die Löcher meiner alten (echten!) Punk-Piercings waren längst wieder zugewachsen. Und da ich als Buddhistin nicht nur keine Motten, sondern auch mich selbst nicht verletzen darf, muss es jetzt halt ein Glasstein zum Ankleben tun. »Alles vergeht«, murmelte ich erneut mein Mantra. Man muss die Dinge nehmen, wie sie kommen. Ganz nach der alten buddhistischen Kölner Weisheit: »Et is, wie et is, und et kütt, wie et kütt.« Bloß gut gegangen ist es nicht immer. Zumindest bei mir nicht.

Ich hatte Stefan angerufen und ihm vorgeschlagen, zu Franco zu gehen. Mit dem Lockruf: Vielleicht kriegen wir ja noch einen Tisch draußen. Ich wollte noch nicht mal, dass er und Nele sich zufällig auf dem Flur trafen. Mein Liebster ist, was Beikonsum betrifft, ziemlich straight drauf. Ich seh das etwas lockerer. Schließlich ist man auf Methadon sowieso nicht clean. Aber da ist der Mann meiner Träume anderer Ansicht. Und ich hatte keine Lust, mit ihm zu streiten.

Franco stand vor der Tür und rauchte eine Zigarette. »Da werd ich mich nie dran gewöhnen!«, stöhnte er.

»Ich auch nicht«, seufzte Stefan.

»Irgendwann werden sie das Rauchen ganz verbieten«, mutmaßte ich. »Dann müssen wir uns die Kippen illegal auf der Szene besorgen.«

Franco lachte.

»Also ich bin froh«, meldete sich eine Frau zu Wort, die an einem der wenigen Außentische saß, »dass in den Restaurants nicht mehr gequalmt wird!«

»Deshalb nehmen Sie uns die paar Raucherplätze weg?«, fragte ich patzig.

»Ich habe das Recht zu sitzen, wo ich will«, gab sie zurück. »Und bei diesem Wetter setze ich mich nicht rein, schon gar nicht wegen Ihnen.«

»Die Nichtraucher regieren die Welt«, lästerte ich und warf ihr einen grantigen Blick zu. Dann ärgerte ich mich über mich selber. Wenn mir jemand blöd kommt, muss ich ja nicht selber auch noch bösartig werden. Ich schenkte ihr ein Lächeln. Das nicht erwidert wurde.

Wir gingen rein und hatten gleich fünf Tische zur Auswahl. Kein Wunder, bei den Temperaturen.

»Setzt euch erst mal dahin«, begrüßte uns Anita und wies auf einen der Tische neben dem Eingang, »draußen wird gleich was frei, die haben schon die Rechnung bestellt.« Mein Lächeln für die Dame von der Schafft-die-Raucher-ab-Front wurde offenbar belohnt. Ich glaube fest an so etwas wie Instant-Karma. Wir setzten uns und packten schon mal die Zigarettenschachteln aus. Was uns einen bösen Blick vom Tisch gegenüber einbrachte.

»Was ist bloß los mit den Leuten?«, fragte ich Stefan. »Was sind die denn alle so fanatisch!«

Aber mein Liebster ging auf diese hochpolitische Frage nicht ein. Stattdessen sah er mich an, als wollte er mir auch gleich das Rauchen verbieten.

»Deine Nele ist wieder drauf.«

Meine Nele. Immer wenn Nele etwas tut, das jemand anderem nicht passt, ist sie plötzlich »meine Nele«.

»Was heißt drauf?«, fragte ich, so neutral ich konnte.

»Sie hat Beikonsum.«

»Und woher weißt du das? Sie ist ja schließlich nicht deine Klientin.«

»Darum kann es ja wohl nicht gehen, woher ich es weiß. Fakt ist, sie nimmt wieder Heroin.« Wütender Blick. Dann herausfordernd: »Und du bist offenbar eingeweiht.«

Eingeweiht. Wenn er so geschwollen daherredet, ist er richtig wütend. Mein ganzes Manöver, zu Franco zu gehen, hatte nichts gebracht. Die Szene-Buschtrommel war schneller gewesen.

»Was biste denn jetzt auf mich sauer?«, schnappte ich. »Von mir hat sie die Schore nicht.«

»Das will ich hoffen!«

Jetzt reichte es mir.

»So, ihr könnt raus.« Anita drückte uns die Speisekarten in die Hand. »Zwei Bleifrei wie immer?«

Wir nickten. Unser Tisch stand direkt neben dem von Frau Saubermann. Wir zündeten uns unsere Kippen an und zogen gleichermaßen gierig daran. Frau Saubermann wedelte ostentativ mit der Hand.

Lass dich jetzt nicht aus der Fassung bringen, Leichter!, ermahnte ich mich. Um mich abzulenken, studierte ich die Speisekarte. Es gab Spaghetti mit Pfifferlingen. Der Abend war gerettet. Zumindest vorläufig. »Nimmst du auch die Pfifferlinge?«, fragte ich Stefan.

Er erkannte das Versöhnungsangebot. Entschied sich aber für die Penne al Merluzzo. Die nimmt er immer, wenn sie auf der Karte stehen. Wir schwiegen, bis Anita kam, um die Bestellung aufzunehmen. Unsere freundliche Nachbarin verlangte nach der Rechnung. Na bitte, geht doch.

»Soweit ich weiß, will Nele in zwei Wochen in die Entgiftung«, fing Stefan wieder mit dem leidigen Thema an.

»Ja eben«, erwiderte ich. »Und dann in die Therapie. Die Frau hat ernsthaft vor, clean zu werden. Das heißt, die darf dann nie wieder etwas nehmen, ihr ganzes Leben lang. Da ist es doch verständlich, dass sie sich jetzt noch mal ordentlich zuknallt, oder?«

Stefan stöhnte. »Katja Leichter, die Anwältin der Junkies!«

Ich seufzte. Anita kam mit unseren alkoholfreien Kölsch. Ich hob mein Glas und prostete meinem Liebsten zu: »Auf Stefan, den Retter der Ausstiegswilligen!«

Er schwankte zwischen erneutem Ärger und seinem Sinn für Humor. Zum Glück siegte Letzterer.

»Lass uns von etwas anderem reden«, schlug ich vor. Erzählte ihm von dem Jungen.

»Lange läuft der da nicht rum«, sagte Stefan, als ich mit meiner Geschichte fertig war. »Die Polizei und das Ordnungsamt haben die Kids scharf im Auge. Und wenn das Kinder sind, also keine Jugendlichen, dann sammeln sie die sofort ein.«

»Und wo bringen sie die hin?«

»Ich nehme an, erst mal in ein Heim. Oder direkt zu den Eltern? Das weiß ich nicht, da müsstest du die Kollegen vom B.O.J.E.-Bus fragen oder die von der Treberhilfe. Aber wozu willst du das wissen?«

Darauf hatte ich eigentlich keine Antwort.

Stefan begann, von einem neuen Klienten zu erzählen, aber ich hörte nur mit halbem Ohr zu. Ich grübelte darüber nach, wie ich jetzt an eine andere Pflegemutter für das Interview kam. Die Sendung lief in zwei Wochen, ich musste also voranmachen. Vielleicht sollte ich Nele fragen, ob ich die von Jessica …?

»Wie findest du das?«

Ich schrak hoch.

»Wo warst du denn grade?« Stefan sah mich verärgert an.

Zum Glück kam Franco und stellte unser Essen auf den Tisch.

Ich pickte mir einen dicken Pfifferling heraus und fragte: »Kennst du jemanden, der mir eine Pflegemutter für meine Sendung vermitteln könnte?«

Stefan dachte einen Moment lang nach, dann schüttelte er den Kopf. Wir konzentrierten uns schweigend auf das Essen.

»Schmeckt's?«, fragte Anita im Vorbeigehen.

»Und wie!«, seufzte ich.

Stefan musste seinen Standardsatz anbringen: »Ja, aber die Portionen werden immer kleiner!«

Anita verdrehte lachend die Augen und nahm am Nebentisch die Bestellung auf.

Mr. Unersättlich wischte mit dem letzten Stückchen Brot seinen Teller aus und nahm mit einem unverhüllt gierigen Blick den meinen ins Visier. Ich zog ihn näher an mich ran. Ich bin, was Essen-von-meinem-Teller-Klauen betrifft, traumatisiert. Das war der Lieblingssport meines Bruders. Was heißt war. Nur leidet jetzt meine Schwägerin darunter.

Stefan seufzte und sagte unvermittelt: »Du könntest im Kinderschutzzentrum nachfragen.«

Da hätte ich selber draufkommen können. Schließlich hatte mir die Leiterin ein wunderbares Interview für meine Sendung über misshandelte Kinder gegeben.

Wir rauchten noch unser Verdauungszigarettchen, bezahlten und standen mal wieder vor der üblichen Frage. Bevor ich sie stellen konnte, erklärte Stefan, er müsse nach Hause. Nuschelte etwas von »morgen ganz früh raus«. Sofort war ich misstrauisch. Und verletzt. Dabei bin ich nun wirklich nicht der Typ Frau, der klammert. Und außerdem hatte ich ihm letzte Woche genau den gleichen Korb gegeben. Trotzdem rutschte mir ein beleidigtes »Is was?« raus. Ich hätte mich ohrfeigen können.

»Nein!«, rief Stefan erschrocken und sah mich verwundert an. »Ich muss um acht in Düren sein, einen Klienten abholen. Und da muss ich um sechs aufstehen. Und wenn ich erst noch von Nippes in die Südstadt fahren muss, um das Auto abzuholen, dann muss ich noch früher ...«

Ich unterbrach ihn reumütig. Versicherte ihm, dass er mir nichts, aber auch wirklich gar nichts erklären müsse, dass ich außerdem vollstes Verständnis hätte und ihn einfach nur schrecklich liebte.

»Ich liebe dich auch«, sagte er ernst. »Und wir sollten vielleicht mal drüber nachdenken, ob eine gemeinsame Wohnung nicht praktischer wäre.«

Damit brachte er mich voll in die Bredouille. Denn zum einen lebe ich schon so lange allein respektive mit Rosa, dass ich mir etwas anderes gar nicht mehr vorstellen kann. Und zum andern würde ich auch nicht gern wohin ziehen, wo Hertha nicht gleich nebenan wohnt. Also gab ich meinem Liebsten ohne weiteren Kommentar einen ziemlich innigen Kuss und begleitete ihn zur Lohsestraße. Als er in die Bahn stieg, wurde mir schwer ums Herz. So eine Fernbeziehung Nippes–Südstadt ist schon was Schwieriges. Aber in unserem Haus gibt es keine größeren Wohnungen. Und von Hertha und meinem Solotrip mal abgesehen: Ich in die Südstadt? Niemals!

VIER

»Hast du die Telefonitis?«

Meine liebste Freundin Gitta kann manchmal etwas schroff sein.

»Ich arbeite«, verkündete ich hoheitsvoll, »und arbeiten als Journalistin bedeutet recherchieren. Und das wiederum bedeutet: telefonieren, telefonieren, telefonieren. Und außerdem wünsche ich dir auch einen wunderschönen Tag!«

»Ach Katja, tut mir leid. Ich versuche bloß seit einer guten Stunde, bei dir durchzukommen.«

»Tut mir auch leid«, erwiderte ich reumütig. »Ich bin bloß genervt, weil ich irgendwie nicht vorankomme.«

Jetzt wollte Gitta natürlich wissen, woran ich arbeitete. Gitta macht gerade Heimaturlaub, obwohl es mitten in der Saison ist. Sie hat eine kleine Ferienanlage auf Mallorca und ist deshalb für mich normalerweise nur in der »toten Zeit«, wie sie das nennt, zu haben. Jetzt verhandelte sie aber mit einem großen Reiseunternehmer über eine eventuelle Übernahme, und dafür war sie eigens angereist. Gitta hat in ihrem Leben schon viel gemacht, von Öko-Bäuerin bis Heilpraktikerin und Hobbyarchitektin. Sie ist meine älteste Freundin und darf mich deshalb auch mitten in einer Recherche stören. Ich erzählte ihr von meinem Pflegemutter-Problem.

»So jemanden kenne ich leider auch nicht«, meinte sie nachdenklich. »Aber das müssen schon tolle Frauen sein.«

»Kommt drauf an«, erwiderte ich trocken. Ich hatte gerade mit einem Fachmann gesprochen und war nun ziemlich desillusioniert. Oft, hatte er mir gesagt, sind Pflegeeltern Leute, die eigentlich lieber ein Kind adoptiert hätten. Und die nehmen dann nur Kinder, die, aller Voraussicht nach, keine größeren Probleme machen. Die schwierigen Kids, schon gar die traumatisierten, die will kaum jemand.

»Aber das ist doch verständlich«, wandte Gitta ein, als ich ihr von dem Gespräch berichtete. »Traumatisierte Kinder, die sind in einem Ausmaß verstört und eben oft auch verhaltensgestört, da ist jemand, der nicht fachlich dafür ausgebildet ist, einfach überfordert. Und dann wäre er oder sie dem Kind ja auch keine Hilfe.«

Da konnte ich nicht widersprechen. Trotzdem war ich enttäuscht. Ich hatte gedacht, dass es mehr so Frauen wie Jessicas Pflegemutter gab.

»Katja?«

»Ja, entschuldige, ich bin noch dran.«

»Was hältst du davon, wenn ich morgen Abend bei dir vorbeikomme? Dann hab ich das schwierige Gespräch in Düsseldorf hinter mir, und wir können entweder auf einen Erfolg anstoßen, oder ich heule mich bei dir aus.«

»Ja, gerne, aber ich hab vermutlich keinen Nerv zu kochen. Tun's auch Schnittchen? Ich hab nämlich den ganzen Tag Produktion, da krieg ich abends nix mehr gebacken.«

»Nö«, erwiderte Gitta lachend, »Schnittchen tun's auf gar keinen Fall! Ich lade dich ein. Und keine Widerrede! Ich hab mehr Geld als du. Möchtest du lieber zu deinem Italiener oder zum Kornbrenner?«

Wir vereinbarten, dass sie mich zu Hause abholte. Dann könnten wir uns immer noch entscheiden.

Ich hatte kaum eingehängt, da läutete das Telefon schon wieder. Ich wollte es eigentlich läuten lassen, ich brauchte dringend eine Zigarette, und mein Ohr hätte sich gern abgekühlt. Zum Glück ging ich doch dran. Es war die Pflegemutter. Sie entschuldigte sich, sagte, sie habe in einer schwierigen Situation gesteckt, die sei aber so bald ohnehin nicht zu lösen, und sie würde zu mir kommen, wenn ich das wollte. Ich war völlig überrumpelt. Fragte, wann sie denn könnte, und als sie sagte, es ginge auch jetzt gleich, schlug ich vor, sie im Campi zu treffen. Für ein Vorgespräch. Fakt war, dass ich keine Lust mehr auf sie hatte. Fakt war aber auch, dass ich mir das nicht leisten konnte. Sie war einverstanden.

Ich steckte mir eine Kippe an und setzte mich mit einem Glas O-Saft ans Küchenfenster. Der Blick auf den Garten beruhigt mich – sofern es mir gelingt, mich auf die Bäume, Blumen und Kräuter zu konzentrieren, die da wild durcheinander wachsen, ohne Plan und Absicht, bis auf die Kräuter. Die haben die Nachbarn vom Parterre gepflanzt, aber wir dürfen uns alle davon bedienen. Als die Zigarette zu Ende war, wurde mir bewusst, dass ich genauso gut auf eine Müllkippe hätte gucken können. Ich hatte rein gar nichts gesehen, stattdessen hatte ich Bilder von der Frau entworfen, die ich gleich treffen würde.

Sie stand am Eingang und entsprach keinem meiner fiktiven Porträts. »Frau Leichter?«, fragte sie mit einer angenehmen Altstimme.

»Tag, Frau Grimme«, erwiderte ich artig und streckte die Hand aus.

Sie hatte ein rundes Gesicht und einen noch etwas runderen Körper, wirkte aber nicht dick. Die langen rotbraunen Haare hatte sie zu einem Zopf geflochten, der ihr über die Schulter hing, sie trug kein Make-up und sah in dem goldbraunen Leinenrock und schilfgrünen T-Shirt so aus, wie ich mir eine Lindenthaler Professorengattin vorstelle.

Wir setzten uns an einen freien Tisch und bestellten Cappuccino. Vor dem Schuhladen stand ein blasser junger Mann mit einer Geige und spielte etwas, das wie Neue Musik klang. Ein paar Schritte von ihm entfernt versuchte einer der Kölner Uraltjunkies mit der »Von Unge« sein Glück. Die Touristen wichen ihm aus, warfen aber auch dem jungen Virtuosen nichts in den Kaffeebecher. Vermutlich hörten sie lieber Mozart oder »I do it my way«. Oder sie hatten einfach das Urlaubsbudget schon aufgebraucht.

Sie würde so gern einmal das Funkhaus von innen sehen, sagte gerade meine Pflegemutter, sie höre viel Radio und wollte immer schon wissen, wie eine Sendung entsteht. Sie sprach ein gepflegtes Kölsch, und ich fragte mich erneut, warum ich sie nicht mochte. Als der Kellner die Cappuccinos brachte und sie sich mit so einem reizenden Lächeln bei ihm bedankte, wusste ich plötzlich, warum: Sie erinnerte mich an eine Galeristin, bei der ich mal einen Aushilfsjob angenommen hatte, und ihre Freundinnen, die schon mal »auf ein Schwätzchen, Liebes« vorbeikamen. Und erwarteten, dass ich ihnen den Kaffee servierte. Höhere Töchter, die das ererbte Geld in Kunst und Antiquitäten investierten. Gepflegt, gebildet, feine Klamotten und ebensolche Manieren, aber immer einen Hauch von oben herab. Wenn ich seither etwas ums Verrecken nicht verknusen kann, dann sind es höhere Töchter.

»Sie haben sich sicher gewundert«, meldete sich Frau Grimme zu Wort, nachdem sie einen Schluck von ihrem Kaffee genommen hatte, »warum ich Sie ausgerechnet zum Bahnhof bestellt habe.«

Wohl wahr.

»Ich will es Ihnen erklären. Und vielleicht werden Sie dann feststellen, dass ich gar nicht die geeignete Gesprächspartnerin für Sie bin.«

Sie klang traurig, was mich irritierte. Es machte sie mir einen Moment lang sympathisch.

Sie nahm noch einen Schluck Kaffee. Ich fragte, ob es ihr was ausmachen würde, wenn ich rauchte. Sie winkte lächelnd ab. Meinte, sie habe selbst mal geraucht und rieche es noch gerne. Noch ein Pluspunkt für sie.

»Ich habe einen Jungen aufgenommen«, fing sie nun mit ihrer Geschichte an, »der schwer traumatisiert ist. Er wurde zu Hause vernachlässigt, misshandelt und ... Nun ja. Ich hatte bereits ein Mädchen zur Pflege, dem es ähnlich ergangen ist, und die Kleine hat sich bei uns gut entwickelt. Wir mussten sie nur leider wieder abgeben.« Sie hielt inne und wischte mit der Hand über den Tisch. Schließlich sah sie mich an und fuhr fort. »Ihre Mutter hat sich von dem Mann getrennt. Sie hat eine Therapie gemacht und eine Fortbildung im Kinderschutzbund und was weiß ich noch alles, auf jeden Fall hat das Jugendamt beschlossen, sie kann das Kind zurückhaben.« Sie schüttelte missbilligend den Kopf. »Ich glaube nicht, dass das der Kleinen guttut.« Und dann sehr leise: »Sie war glücklich bei mir. Und ich habe sie geliebt wie meine eigene Tochter.«

Ihre Augen schimmerten verdächtig. Ich schwieg. Was sollte ich schon sagen? Sie kramte ein Tempotuch aus ihrer riesigen Handtasche und schnäuzte sich. Warf mir einen entschuldigenden Blick zu. Ich lächelte beschwichtigend.

»Meine Tochter«, sagte sie schließlich, »ist gestorben, als sie neun Jahre alt war. Leukämie.«

»Oh Gott, das tut mir leid«, murmelte ich. Und meinte es auch so.

Der junge Russe, ich nahm jedenfalls an, dass er Russe war, spielte jetzt ein herzzerreißendes Largo.

»Ist das nicht verrückt?«, flüsterte Frau Grimme. »Als ob er es für mich spielt. Und für mein Kathrinchen.« Sie stand auf. Ging zu dem Violinisten hinüber und warf ihm einen Schein in den Becher. Ich leistete ihr innerlich Abbitte.

Als sie sich wieder an den Tisch setzte, gab sie sich erkennbar einen Ruck. Sie beugte sich etwas zu mir vor und legte los:

»Mein kleines Mädchen«, sie sah mich forschend an, »das Pflegekind, von dem ich Ihnen gerade erzählt habe …« Sie brach ab. »Könnte ich eine von Ihren Zigaretten haben?«

»Sind Sie sicher, dass Sie wirklich wieder anfangen wollen?« Ich hatte schon ein paarmal aufgehört und dann in kritischen Situationen Zuflucht bei den Scheißglimmstängeln gesucht. Mit dem Effekt, dass ich wieder bei mindestens zwanzig täglich gelandet war.

Sie lächelte. »Nein. Sie haben recht. Danke.«

Ich lächelte zurück.

»Sie hat mich angerufen. Sie hat gesagt, sie will nicht bei ihrer Mama bleiben. Die hat sie nicht lieb.« Sie griff nach dem Tempotuch. »Sie will wieder zu mir. Ich habe ihr gesagt, dass das so leider, leider nicht geht, dass sie sich an das Jugendamt wenden muss, aber sie wollte mich wenigstens sehen. Sie sagte, sie würde nach der Schule häufig mit ihren Freundinnen zum Bahnhof gehen. Stellen Sie sich vor, so ein kleines Mädchen läuft auf dem Bahnhof herum! Ich darf gar nicht dran denken, was ihr da alles zustoßen kann. Aber deshalb wollte ich Sie dort treffen. Ich war in den letzten Tagen ständig am Bahnhof und hinten am Breslauer Platz unterwegs, immer in der Hoffnung, dass sie mir über den Weg läuft.«

Wieder glänzten ihre Augen.

»Jetzt überlege ich, ob ich das Jugendamt einschalten soll.« Sie sah mich fragend an. Aus der Tür zum Funkhaus kam ein Kollege und winkte mir zu. Ich schaute erschrocken auf die Uhr. In zwanzig Minuten musste ich im Schnitt sein.

»Sie haben es eilig, nicht wahr?«

Ich nickte, sagte aber, sie solle die Geschichte zu Ende erzählen.

»Viel mehr gibt es nicht«, meinte sie. »Ich bin bloß so unsicher. Soll ich mich tatsächlich an das Jugendamt wenden? Meine Sachbearbeiterin ist in Urlaub, ihre Vertretung kenne ich nicht, und die denkt vielleicht, ich kann mich von dem Kind nicht lösen. Und das wäre sozusagen ein Minuspunkt für eine Pflegemutter.« Sie lächelte etwas kläglich. »Wissen Sie, wir müssen uns immer lösen können. Von den Kindern. Egal, wie sehr sie uns ans Herz gewachsen sind. Egal, wie schlecht es ihnen bei den leiblichen Eltern geht.« Sie senkte die Stimme. »Das ist manchmal nicht leicht.«

Ich schwieg. Wünschte mir, Gitta wäre bei diesem Gespräch dabei. Sie hat so etwas Mütterliches. Sie hätte gewusst, was man der Frau sagen könnte. Wäre ich schon ein richtiger Bodhisattva, hätte ich das natürlich auch gewusst. Aber ich bin eben nur ein Bodhisattva-Azubi. Und das vermutlich noch lange. Außerdem bin ich ein Arbeiterkind und ehemaliger Punk, und Frauen wie diese Grimme verunsichern mich total. Selbst wenn sie mir leidtun. Ich gab dem Kellner ein Zeichen, dass ich zahlen wollte.

»Für ein Interview brauchen Sie mich jetzt wohl nicht mehr?« Das klang fast erleichtert. Klar, wer erzählt schon gern vor dem Mikrophon von seinen Schwächen. Ich fand aber gerade das interessant. Glatte Geschichten haben mich noch nie interessiert. Ich sagte ihr das, wenn auch in etwas gewählteren Worten.

»Aber was könnte ich Ihnen denn erzählen?«

»Genau das. Warum es so schwierig ist, diese Balance hinzubekommen zwischen der Liebe, die man zu einem Pflegekind entwickelt, und der Bereitschaft, es wieder gehen zu lassen.«

Sie zögerte. Der Kellner kam, ich bezahlte für uns beide, Frau Grimme protestierte schwach, ließ es aber zu.

»Nun gut«, sagte sie im Aufstehen. »Vielleicht ist es wirklich wichtig, diesen Konflikt auch einmal öffentlich darzustellen. Aber ich möchte das nicht mit meinem eigenen Namen machen.«

Ich versicherte ihr, das sei kein Problem. Wir vereinbarten einen Interviewtermin, und ich raste ins Studio.

Der Schnitt lief gut, obwohl ich mich kaum konzentrieren konnte. Ich grübelte die ganze Zeit darüber nach, ob Jessicas Pflegeeltern vor genau so einem Konflikt mit Nele standen. Angenommen, Nele packte die Therapie und blieb clean. Und wollte Jessie zurückhaben. Aber, überlegte ich weiter, die Kinder müssen da doch auch ein Wörtchen mitzureden haben! Und Jessie würde sich weigern, zu Nele zu gehen. Vielleicht hatte die Kleine von der

Grimme wirklich zu ihrer richtigen Mama gewollt. Und merkte erst jetzt, dass sie es bei der Pflegemutter besser hatte. Vermutlich kam es ja auch darauf an, wie alt die Kids waren, wenn sie den Eltern weggenommen wurden.

»Stopp!«, rief ich mich zur Ordnung. »Du machst jetzt diese Sendung hier, Leichter. Die über die Pflegekids machst du danach.« Das mit der Achtsamkeit muss ich noch trainieren. Zum Glück hatte ich einen von den superfitten Tontechnikern, die uns Autoren eigentlich gar nicht brauchen. Als wir fertig waren, fragte ich ihn, ob er den Regisseur kenne, mit dem ich am nächsten Tag arbeiten würde. Meine Redakteurin hatte mir nur gesagt, der sei neu beim WDR, habe aber viel Erfahrung und ich solle mal gucken, wie ich mit ihm klarkäme. Ich machte mich also auf das Schlimmste gefasst. Wenn eines meiner Stücke mit Regie gemacht wird, bin ich normalerweise bei der Produktion nicht dabei, denn Regisseure mögen es nicht, wenn wir Autoren ihnen über die Schulter gucken. Aber der Typ hatte bei der Vorbesprechung am Telefon so was von arrogant und desinteressiert geklungen, dass ich beschlossen hatte: Diesmal gucke ich mir an, was gemacht wird. Ich hatte es ihm mitgeteilt, als wäre das die selbstverständlichste Sache der Welt. Er hatte ziemlich befremdet reagiert, aber davon hatte ich mich nicht beeindrucken lassen. Das Stück ging schließlich als meines auf Sendung, und so sollte es dann auch klingen.

Der Techniker wusste auch nur, dass der Mann neu war und, soweit er gehört hatte, vorher beim Deutschlandradio in Berlin gearbeitet hatte. Als ich nachbohrte, meinte er, er habe gehört, der sei gut, aber auch ziemlich arrogant. Na, klasse. Ich freute mich schon auf die Produktion.

Ich schob das Rad durch den Bahnhof und verrenkte mir den Hals in alle Richtungen. Ein paar Kids sahen verdammt nach Trebe aus, aber sie waren älter und warteten vermutlich auf Freier. Von »meinem Kleinen« keine Spur. Mir fiel ein, dass sich die Sozialarbeiter von »Auf Achse« noch nicht gemeldet hatten, und nahm mir vor, sie anzurufen. Ich fühlte mich müde und ausgelaugt, und dass mich auf dem Breslauer Platz ein Taxi schnitt und beinahe umfuhr, hob meine Laune auch nicht gerade.

Zu Hause rief ich Stefan an. Ich wollte ihm von Frau Grimme erzählen, aber er wimmelte mich ab, er musste zur Supervision und schlug vor, danach zu telefonieren. Da wollte ich aber schon im Bett sein. »Dann sehen wir uns morgen Abend?«, fragte er. Erst sagte ich automatisch ja, dann fiel mir ein, dass ich mit Gitta verabredet war. Ich hätte heulen können. Irgendwie klappte gerade gar nichts.

Ich klingelte bei Hertha, und als sie öffnete, duftete es verführerisch nach Sauerkraut.

»Komm rein«, sagte sie, »wir sind gerade am Essen.« Es geht nichts über eine Nachbarin, die auch noch eine Freundin ist. Hertha holte mir Besteck und einen Teller, Nele häufte mir eine Riesenportion Kraut drauf. Da ich kein Fleisch esse, bekomme ich grundsätzlich mehr von den Beilagen. Hertha hielt mir den Brotkorb hin. »Bierchen?« Ich nickte dankbar. Stellte erleichtert fest, dass Nele so klar wirkte, wie man es auf Methadon nur sein kann. Sie hatte also nichts anderes intus. Dafür gönnte sie sich ein Kölsch. Warum nicht, dachte ich, nach der Therapie ist auch damit erst mal Sense.

Ich berichtete den beiden von Frau Grimme. Plötzlich bemerkte ich, dass ich ihren Oberschichttonfall nachäffte und schämte mich. Die Ladys schien es nicht zu stören, ganz im Gegenteil. Nele nickte, und Hertha zwinkerte mir zu.

»Nö«, wehrte ich ab, »das war jetzt echt fies. Die macht sich wirklich Sorgen um das Mädchen, und sie kann ja nichts dafür, dass sie so ist, wie sie ist.«

»Tja, fragt sich bloß, ob so Kids sich echt wohl fühlen bei so 'ner Dame«, konterte Hertha.

»Na ja, dieses Mädchen scheinbar schon«, erwiderte ich.

»Sagt sie!«, konterte Nele.

»Man weiß ja nich, wo die Pänz herkommen, die die hat«, meldete sich jetzt Hertha wieder, »aber garantiert nich aus Marienburg. Was die da mit ihren Blagen anstellen, das kriegt ja keiner mit. Da musste nich meinen, dass da so 'n Jugendamtsheini vor der Tür steht.« Sie stach so heftig mit der Gabel in das Kraut, dass sie über den Teller schrappte. »Und dann kommt der Panz in so 'ne Villa. Und die reden alle so komisch. Und dann wollen die, dass der anfängt, auch so komisch zu reden.« Sie selbst redete sich gerade in Rage.

»Ich weiß doch gar nicht, ob die in 'ner Villa wohnt«, versuchte ich zu beschwichtigen. Vergebliche Liebesmüh. Hertha hatte einen Sohn. Den hatte ihr die Fürsorge, wie das damals noch hieß, weggenommen. Weil ein Kind nicht bei einer Prostituierten aufwachsen durfte. Der Junge war zu einer Pflegefamilie gekommen. Und seither hatte Hertha ihn nur noch einmal gesehen: An dem Tag, als er auftauchte, um ihr – in lupenreinem Hochdeutsch – zu sagen: »Ich wollte bloß mal sehen, wer die Frau ist, die mich im Stich gelassen hat.« Es ist also nicht weiter erstaunlich, dass Hertha zu Pflegeeltern kein sonderlich positives Verhältnis hat.

Aber jetzt gab plötzlich Nele zu bedenken, dass Leute, die in Marienburg wohnten, wohl eher keine Pflegekinder aufnahmen. Und dass die Pflegeeltern von Jessica schließlich echt klasse seien. Daraufhin nahm ich mir ein Herz und stellte endlich die Frage, vor der ich mich die ganze Zeit gedrückt hatte:

»Sag mal, Nele, meinste, ich könnte die Pflegemutter von der Jessie interviewen? Ich brauch noch eine, die da Erfahrung hat und gut mit den Kids umgeht.«

Nele wich meinem Blick aus. »Ich weiß nicht, ob ich die das fragen kann.«

»Wenn das Stress für dich ist, dann tu's nicht. Ich find schon jemanden«, beteuerte ich und bereute bereits, dass ich das Thema angeschnitten hatte.

»Nö, lass ma. Ich muss die eh anrufen. Ich mein, ich muss da ja noch mal hin vor der Therapie. Die Jessie sehen.« Sie nahm einen langen Schluck aus der Flasche und zündete sich eine von meinen Kippen an. »Dann mach ich das. Also, ich frag die. Ich sag der, das is für 'n WDR, oder?«

FÜNF

Nach der Sprachaufnahme flüchtete ich runter auf den Hof, um eine Zigarette zu rauchen. Am liebsten wäre ich nicht mehr zurück in das Studio gegangen. Der Typ war noch schlimmer, als ich befürchtet hatte. Mein Alter oder vielleicht ein bisschen jünger, hübsch und verlebt und einen Ton drauf, als wäre ich die Praktikantin. Wobei ich keine Praktikantin so behandeln würde. Ich werde immer hilflos, wenn jemand sich arrogant verhält. Das war schon auf dem Gymnasium so. Da half auch nicht, dass meine Eltern immer sagten: »Wenn dir einer so kommt, dann hat der das nötig. Da musste nix drauf geben!« Als Punk hatte ich dann zurückgeschlagen. Meistens nur verbal, dafür aber heftig. Seit ich Buddhistin bin, kann beziehungsweise sollte ich das nicht mehr. Wenn ich jemandem wie diesem Regisseur begegne, sage ich mir: Wo kein Ego ist, kann kein Ego verletzt werden. Das Problem ist nur: In mir ist noch jede Menge Ego. Und damit jede Menge Angriffsfläche.

»Komm, Leichter«, ermahnte ich mich, »geh jetzt rauf und sei ganz souverän. Du bist völlig gelassen und durch nichts aus der Ruhe zu bringen.«

Meistens habe ich wirklich gute Regisseure. Die nichts dagegen haben, wenn ich ihnen zum Beispiel Musikvorschläge mache. Und dann gibt es ein paar wenige andere, die alles als Einmischung betrachten. Mein jetziger gehört zu letzteren. Ich beschloss, dass ich den Mann ablehnen würde, wenn ich ihn als Regisseur für die Pflegekinder bekäme.

Oben angekommen, fand ich die Technikerin allein vor.

»Er holt sich was zu trinken«, sagte sie in einem Ton, der mich zum Grinsen brachte.

»Tja«, erwiderte ich, »wenn man keine Assistentin hat, muss man selber gehen.«

Tontechniker überleben nur, wenn sie neutral bleiben, aber sie erlaubte sich trotzdem einen Hauch von Lächeln.

In der Mittagspause zog es mich auf den Bahnhof. Aber »mein Junge« ließ sich nicht blicken. Ich ging in die Budengasse und fragte auf dem PC meiner Lieblingsredakteurin meine Mails ab. Hatte endlich eine Antwort von »Auf Achse«. Die Leiterin des B.O.J.E.-Busses schrieb, ich könne vorbeikommen. Eine Mitarbeiterin sei heute schon um dreizehn Uhr da, um vierzehn Uhr müsste ich wieder gehen, denn da öffneten sie für die Besucher.

Ich raste zurück zum Breslauer Platz. Rüber zum Bus. Eine junge Frau öffnete mir die Tür. Zumindest sah sie jung aus. Wenn sie in diesem Projekt für Trebekids arbeitete, musste sie allerdings schon Berufserfahrung haben. Was sie auch hatte. Wir klärten das Wer-bin-ich-und-was-will-ich-warum-wissen, und ich bestand die Prüfung. Ich sagte ihr, was ich der Leitung schon geschrieben hatte, dass ich gern eine Sendung über ihr Projekt machen würde. Was durchaus stimmte. Wenn es auch im Moment nicht mein vorrangiges Anliegen war. Dann schilderte ich ihr »meinen Jungen«. Fragte, wie man dem helfen könne. Erst mal sagte sie das Gleiche wie schon alle anderen: Ein Zehn-, Elfjähriger könne sich nicht lange auf Trebe halten. Da würde eine Großfahndung eingeleitet, Kinder lasse man nicht einfach verschwinden. Bei Vierzehnjährigen sei das schon etwas anderes, vor allem, wenn sie schon öfter ausgerissen seien. Aber so ein Kleiner …

»Was wäre denn, wenn der bei Ihnen auftauchen würde?«

Sie musterte mich noch einmal eindringlich. Sie würden, meinte sie schließlich, ihn erst mal in Ruhe lassen. »Er kann sich hierhin setzen, was zu essen und zu trinken bekommen, sich ausruhen.«

»Und dann?«

»Dann würden wir ihm Hilfe anbieten. Einen Platz in einer Übergangseinrichtung zum Beispiel, wenn klar ist, der geht auf keinen Fall wieder nach Hause. Die Kids haben ja oft gute Gründe, warum sie nicht mehr nach Hause wollen.«

»Oder ins Heim«, wandte ich ein. Nele war zigmal aus Heimen ausgebüxt.

»Oder ins Heim.«

Da kam mir eine Idee. »Gibt es auch Kinder, die aus Pflegefamilien weglaufen?«

»Mir ist das noch nicht untergekommen«, sagte sie nachdenklich, »da müssten Sie eine ältere Kollegin fragen. Ich arbeite noch nicht so lange hier.«

Ich nickte.

»Aber warum nicht«, fügte sie hinzu. »Da ist auch nicht immer alles Gold, was glänzt. Obwohl die heutzutage viel mehr und besser kontrolliert werden als früher.«

»Würden Sie den Jungen denn festhalten?«, kam ich wieder auf mein Thema zurück.

»Nein!« Sie schüttelte den Kopf. »Wir würden nicht die Polizei rufen oder so etwas. Dann wäre es mit jeglichem Vertrauen vorbei. Unsere Besucherinnen und Besucher kommen zu uns, weil sie wissen, dass wir sie in Ruhe lassen. Dass wir ihnen wohl helfen, aber nur, wenn sie das wollen.« Sie sah mich sehr ernst an. »Wir respektieren die Leute. Wir lassen sie sein, wie sie sind. Wir drängen ihnen nichts auf. Deshalb ist der Bus hier jeden Tag voll. Wenn wir den Leuten was aufschwatzen würden oder die zu irgendwas überreden wollten, dann wäre der leer.«

Völlig klar. Wenn ich Platte gemacht hätte, mit vierzehn, fünfzehn, und es so etwas wie den B.O.J.E.-Bus gegeben hätte, dann wäre ich da garantiert aufgekreuzt. Und wenn die mir gute Ratschläge gegeben hätten, dann wäre ich ratzfatz wieder weg gewesen.

»Aber, wie gesagt«, riss mich die B.O.J.E.-Frau aus meinen Überlegungen, »so Kleine kommen kaum je zu uns. Die werden vorher abgegriffen, von der Polizei oder dem Ordnungsamt. Oder«, fügte sie traurig hinzu, »von Freiern. Die wissen genau, wo sie die Kids finden. Die gehen ganz gezielt in die Kaufhäuser, wo die an den Spielkonsolen stehen.«

»Scheiße!« war alles, was mir einfiel.

Sie nickte.

Draußen stand schon ein Pulk Jungs und Mädels und wartete auf Einlass. Ich überquerte den Platz und stellte mich an eine der normalen Bushaltestellen. Ich hatte noch circa zehn Minuten, bis wir weitermachten, und selbst wenn ich zu spät kam, würde das meinem geschätzten Regisseur sicher nichts ausmachen. Die Kids, die in den Bus einstiegen, sahen zum Teil ziemlich kaputt aus, man sah ihnen an, dass sie nichts und niemanden hatten. Einige Jungs wirkten rausgeputzt und supercool, das waren wohl die erfolgreicheren Stricher. Die Mädchen trugen bauchfreie Tops, Minis, Jeans, Stiefelchen, Turnschuhe, sie hätten genauso gut vor einer Hauptschule oder einer Disco rumstehen können. Eine war dabei, die sah aus wie ein Junge, schwarze Jeans, Piercings in Nase, Ohren und Unterlippe, Baseballmütze und, obwohl es auch heute wieder tropisch heiß war, ein Kapuzenshirt um die Schultern. Ich musste über mich selber lacjen, als ich merkte, dass ich mich mit ihr identifizierte. So würde ich auch aussehen, wenn ich heute dreizehn wäre, dachte ich. Und plötzlich wurde mir bewusst: Das Mädchen war höchstens dreizehn.

Meine Mittagspause war rum, der Bus nach Belgrad abgefahren, der Bahnsteig wieder leer, und ich starrte immer noch auf den B.O.J.E.-Bus. Warum, das war mir selber nicht ganz klar. Irgendetwas nagelte mich hier fest. Und plötzlich sah ich ihn. Er stand in der Unterführung, im Schatten des Bahnbogens, hinter dem Radweg. Ich konnte ihn kaum erkennen, wusste aber trotzdem mit tausendprozentiger Sicherheit, dass er es war: »mein Junge«. Ich schlenderte, unauffällig, wie ich hoffte, über die Bahnsteige in Richtung Unterführung. In dem Moment kam das Mädchen aus dem Bus und ging auf den Jungen zu. Sie standen eng beieinander und sahen sich um. Ich tat es ihnen gleich, konnte aber weder Polizisten noch Ordnungsamtler entdecken. Dafür kam ein junger Mann auf mich zu und schnorrte mich um eine Kippe an. Ich gab ihm zwei und Feuer, und als ich wieder rüber zur Unterführung sah, waren das Mädchen und der Junge verschwunden.

Ich fluchte vor mich hin und machte mich auf den Weg zurück ins Funkhaus. Mr. Regisseur empfing mich mit dem Satz: »Da müssen Sie jetzt aber einiges kürzen. Können Sie kürzen?«

»Ich machen kurz, alles. Ich schneiden Seite ab. Okay?« Ich konnte es mir nicht verkneifen.

Er starrte mich an, als wollte er mich gleich zwangseinweisen lassen.

»Um wie viel sind wir zu lang?«, fragte ich, nun doch wieder sachlich. Dafür aber sehr kühl.

»So um die zweieinhalb Minuten«, antwortete die Technikerin, obwohl das nicht in ihren Kompetenzbereich gehörte. Ich ahnte, dass sie den Herrn ungefähr genauso schätzte wie ich.

Er warf ihr einen bösen Blick zu und knurrte: »Es darf auch etwas mehr sein.«

Ich bin eine große Kürzerin vor dem Herrn. Wobei ich meistens genau auf Zeit schreibe. Aber wenn ich doch mal zu lang geworden bin, dann weiß ich sofort, was ich rauschmeißen kann.

»Gucken Sie mal«, sprach ich also Richtung Regiesessel. Ich hatte mich weiter hinten an den Tisch gesetzt, da konnte ich mein Manuskript besser ausbreiten. Er drehte den Kopf in meine Richtung. »Die Kürzungen«, sagte ich.

Er rührte sich nicht vom Fleck. Ich mich auch nicht.

»Na, dann lassen Sie mal sehen.« Meister erlaubt Lehrling, ihm sein Probestück zu zeigen. Aber mit mir nicht.

Ich lächelte ihm zu und deutete auf mein Manuskript. »Hier.«

Es war ein kleiner, aber heftiger Machtkampf. Aus irgendwelchen Gründen gab er nach. Kam zu mir nach hinten. Ich zeigte ihm die betreffenden Stellen. Er notierte sie in seinem Manuskript, ging wieder zu seinem Sessel am Schnittplatz und gab der Technikerin die entsprechenden Anweisungen. Danach erlaubte er mir huldvoll, ihm die zwei CDs zu geben, die ich mitgebracht hatte. Vorher hatte er erklärt, er habe ein fertiges Musikkonzept. Ich fand das Ganze inzwischen nur noch komisch. Und war erleichtert, dass die Luft raus war. Man konnte in dem Raum langsam wieder atmen.

Um fünf waren wir so gut wie fertig, und ich verabschiedete mich. Wenn man nicht selbst produziert, muss man nicht bis zum Schluss bleiben, sprich bis alles sauber abgemischt und in den Redaktionsspeicher überspielt ist. Das durfte der Jung nun selbst machen.

Ich konnte es nicht lassen und schob das Rad über den Bahnhofsvorplatz. Fragte mich, wieso ich so erpicht darauf war, diesen Jungen wiederzusehen. Was sollte ich denn mit ihm machen? Selbst wenn er es zuließ, wie konnte ich ihm helfen? Ich war mir allerdings hundertprozentig sicher, dass er Hilfe brauchte. Und zwar dringend. Obwohl, überlegte ich weiter, vielleicht phantasiere ich mir doch nur etwas zusammen? Weil ich immer noch Schuldgefühle habe?

Und schon war er wieder da, auferstanden aus den Tiefen der verdrängten Erinnerung: der kleine Walter. Der offenbar für all die Kids, die ich auf den diversen Straßen dieser Welt hatte rumlungern sehen, die Einflugschneise direktemang in mein Herz war. Ich setzte mich an einen der Tische des Zeit-Cafés und zündete mir eine Zigarette an.

Walter hatte mich gefragt, ob ich ihm Geld leihen könnte. Da war er dreizehn und wollte weg. Kein Opfer mehr sein. Sich nicht mehr misshandeln lassen. Ich war einerseits froh, dass er sich endlich aufgerafft hatte. Aber ich traute es ihm nicht zu. Ich war mir sicher, dass er das nicht packte. Dass sie ihn wieder einfangen würden. Ich nahm ihn nicht ernst. Heute ist »Du Opfer!« eine üble Beschimpfung. Damals taten einem Opfer leid. Aber ernst nahm man sie nicht. Und ich schon gar nicht. Ich sagte Walter, ich hätte kein Geld. Was auch stimmte, bloß, ich hätte meinen großen Bruder um etwas bitten können. Eine Ausrede, wofür ich das Geld brauchte, wäre mir schon eingefallen. Aber ich tat es nicht. Und ich schäme mich heute noch dafür.

Ich gab es auf. Fuhr nach Hause und hielt bei REWE, um einzukaufen. Im rechten Augenwinkel nahm ich den Titel des Express wahr. Drehte mich um und sah ihn mir genauer an: »HORROR!«, prangte oben drüber als Schlagzeile und darunter: »Verkohlte Kinderleiche im Rhein!« Ich nahm mir ein Exemplar aus dem Ständer und las den Rest. Gestern am späten Abend hatte die Polizei im Niehler Hafen eine circa einen Meter zwanzig kleine Leiche aus dem Rhein geborgen. Über die Identität des oder der Toten war noch nichts bekannt, und es würde auch, so der Polizeisprecher, schwierig werden, sie festzustellen. Das Mädchen, das Frau Grimme in Pflege gehabt hatte und das sich nicht bei ihr meldete, fiel mir ein. Ich hoffte inständig, dass sie das nicht war. Aber irgendein Kind *war* es. Ich nahm den Express mit und machte mich endgültig auf den Heimweg.

Eigentlich wollte ich mich etwas hinlegen und dann in Ruhe mein Qigong machen, bevor Gitta hier eintrudelte. Daraus wurde aber nichts, denn Nele stand plötzlich in der Tür und sah hundeelend aus. Ich machte uns Tee, und nach einer Weile rückte sie mit der Sprache heraus. Sie hatte grauenhafte Angst vor der Therapie. Wollte da nicht mehr hin. Wollte lieber auf Methadon bleiben. Oder noch lieber zurück zum Heroin, ins gute alte Junkieleben. War doch gar nicht so schlecht, oder? Ja, schon Stress, aber auch schön. Und sie war nun mal nicht zur Spießerin geboren.

Ich ließ sie reden. Versuchte einzuschätzen, wie nah am Absprung sie war.

Als sie alle ihre Argumente vorgebracht hatte und schließlich schwieg, legte ich los: »Ja, war bestimmt 'n superschönes Leben. Vor allem, wenn die Freier sich den Schwanz schon ein paar Tage nicht gewaschen haben, hat lecker geschmeckt, ne? Und der Duft! Da konntste gar nicht genug von kriegen, das kann ich mir gut vorstellen. Und dann immer der Kick, geh ich jetzt auf Turkey oder raff ich doch noch die Kohle zusammen? Cool. Und am coolsten war's immer, wenn du auf Turkey am Anschaffen warst. Nö, wenn ich so 'n aufregendes Leben gehabt hätte, ich würd das auch nicht aufgeben wollen.«

Sie sah mich bitterböse an. »Ich find's echt nicht gut, dass du dich über mich lustig machst.«

»Ich mach mich nicht über dich lustig. Ganz im Gegenteil. Ich find's überhaupt nicht komisch, dass du plötzlich dein Scheißjunkieleben idealisierst. Du weißt genau, wie's war. Und klar tut die Therapie weh. Aber weiter aufn Strich gehen tut noch mehr weh. So kannst du dich gar nicht zudröhnen, dass das nicht wehtut.«

Sie steckte sich eine neue Kippe an der alten an und starrte die Wand an.

»Hör mal, Süße«, fing ich wieder an, »ich besuch dich in Düren, und ich besuch dich in der Therapie, sobald ich darf. Und irgendwann kriegst du dann auch die Telefonerlaubnis, und dann ruf ich regelmäßig an. Okay? Du schaffst das. Du hast das Zeug dazu. Und es ist überhaupt nicht spießig, wenn man nicht drauf ist. Guck mich an! Bin ich spießig?«

Mein Versuch, sie zum Lachen zu bringen, ging voll daneben. »Ja, du!«, fauchte sie. »Du hast 'nen supercoolen Beruf. Wenn ich Radiosendungen machen könnte, dann wüsste ich auch, für was ich lebe. Und du hast den Stefan. Ich hab niemanden.«

»Du hast Hertha und mich«, wandte ich ein. »Und eine Berufsausbildung kannst du noch machen.«

»Ja, klar, und dann krieg ich die super Stelle mit meinen Vorstrafen und als Ex-Junkie. Da will mich jeder haben, keine Frage.«

»Gut«, sagte ich, »dann lass es. Sag den Therapieplatz ab. 'ne andere ist bestimmt froh, wenn sie ihn kriegt.«

Ich war erschöpft und genervt von der Produktion, und wir

hatten dieses Thema schon zum Erbrechen durchgekaut. Ihre Ängste und Einwände waren durchaus berechtigt, aber ich konnte sie nicht mehr hören. Und es brachte sie nicht weiter. Es *gibt* Ex-Junkies, die jetzt einen interessanten Job haben. Und eine – cleane – Beziehung. Und wenn Nele besser drauf war, wusste sie das auch und gab sich selbst eine Chance. Nur, je näher der Entgiftungstermin rückte, desto schwärzer sah sie ihre Zukunft in einem nüchternen Leben.

»Wenn du clean bist, kommen die ganzen Gefühle wieder«, sagte sie leise. »Das geht schon in der Entgiftung los.«

Ich konnte bloß nicken. Das ist das Schlimmste, wenn man aufhört, sich zu betäuben. Das Schmerzhafteste. Und da geht kein Weg dran vorbei. Ich stand auf und nahm sie in den Arm.

»Du kriegst das hin, Süße«, flüsterte ich ihr in die Haare, »ich weiß das.«

Rosa sprang auf Neles Schoß und fing an zu schnurren. Und schaffte, was mir nicht gelungen war: Sie brachte sie zum Lächeln. Nele kraulte Rosa hinter den Ohren und erzählte ihr, wie doof die Katja doch sei, die gebe ja einen solchen Scheiß von sich, das könne sich keiner anhören. Rosa rülpste.

»Hör auf, meine Katze aufzuhetzen!«, schimpfte ich, »die glaubt das noch!«

»Soll sie auch!«, gab Nele zurück. Und machte dann den sensationellen Vorschlag, spazieren zu gehen. Nele bewegt sich möglichst wenig, und Spaziergänge hält sie für eine meiner abgedrehtesten Macken. Ich ließ mich nicht bitten. Ein bisschen Bewegung würde mir guttun, ich hatte schließlich den ganzen Tag nur rumgesessen.

Wir überquerten den Schillplatz, liefen die Mauenheimer hoch bis zum Nippeser Tälchen und gingen in den Park. Wenn man das als Park bezeichnen kann. Auf dem Kinderspielplatz tobte das Leben, Spaziergänger waren unterwegs, und auf einer der Bänke saßen drei türkische Jungs und verbreiteten einen wohltuenden Duft nach Gras. Auf der nächsten Bank saßen zwei Kids, ein Junge und ein Mädchen, die miteinander tuschelten. Das Mädchen kam mir irgendwie bekannt vor. Und dann machte es klick: Es war die Kleine, die aus dem B.O.J.E.-Bus gekommen und zu »meinem Jungen« gegangen war! Ich blieb ich abrupt stehen. Nele ging weiter und rief: »Ey, Chantal!«

Das Mädchen sah erschrocken hoch, sprungbereit. Dann entspannte es sich. »Hi, Nele!«

Ich starrte mit offenem Mund von der einen zur anderen. Der Junge hatte mich inzwischen erkannt und verstand genauso wenig. Das Mädchen stand auf und kam auf uns zu. Nele umarmte es und drückte ihm einen Kuss auf die Wange. Der Junge blieb sitzen und hielt sich mit beiden Händen an der Bank fest.

»Das ist die Katja«, sagte Nele zu dem Mädchen und wies auf mich, »meine Freundin.« Dann wandte sie sich an den Jungen. »Mensch, Marco, du bist ja richtig groß geworden!«

Chantal musterte mich misstrauisch.

Ich sagte höflich: »Hi, Chantal.«

»Bist du auch ‘n Junkie?«, erwiderte sie.

»Nö«, antwortete Nele an meiner Stelle. »Und ich geh übernächste Woche in die Entgiftung. Nach Düren.«

»Die Mama war auch in Düren.« Wieder diese Stimme und der Blick, die mir das Herz zerrissen.

»Hallo, Marco«, sagte ich.

»Hi.«

»Wolltest du das Brötchen für die Chantal?«, fragte ich.

»Mhm.«

»War *die* das?«, mischte sich das Mädchen ein.

»Mhm.«

»Ey, war das der Marco, der Junge aufm Bahnhof?«, ging nun Nele dazwischen. Sie sah Chantal aufmerksam an. »Bist du wieder abgehauen?«

»Und wenn?«

»Und er auch?«

»Und wenn?«

»Wo pennt ihr denn?«

»Geht dich das was an?«

»Ey, zick nich rum. Ist doch scheiße auf Platte.«

»Wir machen nicht Platte.«

»Sondern?«

»Wir sind bei ‘nem Bekannten.«

»Was für ‘nem Bekannten?«, blaffte Nele. Voll alarmiert. Ich war es auch.

»Geht dich nix an.«

»Hörma«, Nele beugte sich vor und packte Chantals Arm, »wenn ihr bei ‘nem Freier pennt ...«

»Ich geh nicht anschaffen!« Aus Chantals Augen blitzten Wut und verletzter Stolz.

»Hotte-Opa«, ließ Marco sich plötzlich vernehmen.

»Das geht die nix an!«, zischte Chantal.

»Ich dachte, der is im Knast.« Nele wieder.

Ich stand stumm daneben und wartete geduldig, dass irgendjemand mir irgendetwas erklärte.

»Der is doch ewig wieder raus!« Chantal sah Nele empört an. Was die nicht weiter beeindruckte.

»Und bei dem wohnt ihr?«

»Nö.«

»Ja, was jetzt?«

»Wir dürfen bei dem schlafen«, flüsterte Marco. »Aber wir dürfen da nur nachts hin, damit die andern im Haus das nicht mitbekommen.« Er wirkte plötzlich lebendig, seine Augen strahlten, er sah aus wie ein ganz normaler Junge, der sich über ein Abenteuer freut.

»Und was macht ihr tagsüber?«, mischte ich mich nun ein, ermutigt durch sein Vertrauen.

Chantal sah mich böse an. »Wieso will die das wissen?«, fragte sie in Richtung Nele.

»Ich will das auch wissen.«

»Wieso?«

»Mensch, Chantal, du nervst, echt! Wenn so zwei Picos sich auf der Straße rumtreiben, da macht man sich Sorgen. Verstehste das nicht?«

»Um uns macht sich keiner Sorgen.«

»Ja, hätteste gern. Ich mach mir aber welche und die Katja auch.« Sie holte ihren Tabak raus und fing an, sich eine Zigarette zu drehen.

Chantal streckte die Hand aus. »Krieg ich auch eine?«

»Nö.«

»Fick dich!«

Nele wandte sich theatralisch zu mir um und stöhnte: »Nö, was is der Panz missraten! Hast du das gehört!«

Ich musste lachen. Marco kicherte. Chantal guckte noch böser.

»Wennde weiter so vor dich hin stierst, kriegste jetzt schon Falten.«

Marco gluckste. Chantal warf ihm einen wütenden Blick zu.

Nele zündete ihre Zigarette an, nahm einen Zug und reichte sie dann an Chantal weiter. »Hör mir mal zu«, sagte sie, um einiges sanfter. »Wie ich von zu Hause weggelaufen bin, da hat sich kein Schwein drum gekümmert. Und wie ich ausm Heim abgehauen bin, da haben die bloß nach mir gesucht, weil die das mussten. Weil ich minderjährig war. Aber deine Mama war 'ne Freundin von mir. Und dich kenn ich, seit's dich gibt. Und dem Marco hab ich schon den Po abgewischt. Und jetzt mach ich mir Sorgen um euch. Capito?«

Chantal nahm noch einen Zug von der Zigarette und gab sie Nele dann zurück. »Der Marco musste weg. Da, wo er war. Und ich kann den ja nich alleine lassen, oder? Also bin ich auch weg.«

»Ausm Heim?«

»Mhm.«

»Und er?«

»Keine Ahnung.«

»Wie, keine Ahnung?«

»Ja, frag du ihn. Mir sagt er nix.«

Marcos Gesicht hatte sich wieder verschlossen. Die Augen wie blind. Er biss sich auf die Unterlippe.

Nele ging in die Hocke und war nun auf Augenhöhe mit ihm. »Warste in Pflege?«

Schweigen.

»Oder in 'nem Heim?«

Das Kind wirkte so gestresst und panisch, dass es mich erbarmte. Ich ging gleichfalls in die Hocke und nahm Marco in den Arm. Er ließ es geschehen, machte sich aber noch steifer.

»Hör mal«, sagte ich und streichelte ihm vorsichtig die Wange, »du musst uns nichts erzählen. Wir möchten dir nur helfen. Ich geb euch jetzt die Adresse, wo wir wohnen, die Nele und ich, ja? Und meine Telefonnummer, weil die Nele ja bald nach Düren und dann in Therapie geht. Und wenn ihr was braucht, wenn ihr Hilfe braucht, dann meldet ihr euch. Okay? Und wenn dir jemand wehgetan hat, dann musst du nicht zurück. Ich kenne Leute, die können dich woanders unterbringen. Wo du es gut hast.«

Marcos Körper, der sich in meinen Armen ein wenig entspannt hatte, verkrampfte sich wieder vollständig. Ich musste rauskriegen, was mit dem Kind passiert war.

Ich ließ ihn los und richtete mich auf. Nele hatte ihre Handtasche dabei, ohne die sie sich keinen Schritt weit bewegt, und darin fand sie schließlich einen Bierdeckel. Sie brach ihn in der Mitte durch und schrieb auf beide Hälften unsere Adresse und meine Mobilnummer. Eine Hälfte gab sie Marco, die andere Chantal. Ich inspizierte meine Geldbörse, verdrängte meinen Kontostand und drückte Chantal zwanzig Euro in die Hand. Man sah ihr an, dass sie sich nicht entscheiden konnte zwischen Misstrauen und Erleichterung. Ich wusste, sie durfte ich nicht in den Arm nehmen, aber ich musste mich ziemlich beherrschen, um es nicht doch zu tun.

»So«, sagte Nele, »und jetzt brauch ich noch die Nummer vom Hotte.«

Schon hatte das Misstrauen wieder Oberwasser.

»Für was?«

»Damit ich dich erreichen kann, junge Frau. Wenn's recht ist?«

Darüber musste Chantal erst mal nachdenken.

Nele hibbelte ungeduldig mit den Füßen. »Hörma, ich hab noch was zu tun!«

»Haste was zu schreiben?«

Nele kramte ihren Stift wieder aus der Handtasche und hielt Chantal ihren Arm hin. Das Mädchen kritzelte ihr die Nummer in die Handfläche.

Ich lächelte Marco zu und fragte: »Wo ist denn das Haus, wo ihr wohnt?«

»Da!« Er zeigte mit dem Finger stolz Richtung Merheimer. Oder Mauenheimer, das war so nicht auszumachen.

»Scheiße!«, rief Chantal, »bist du bescheuert?«

»Hörma«, sagte ich, »jetzt isses gut, ja? Wir sind nicht von den Bullen, wir sind nicht vom Ordnungsamt, und wir sind auch nicht vom Jugendamt. Also behandel uns hier nicht wie Scheiße, okay?«

Ich bekam einen interessierten Blick. Noch einen. Dann grinste sie. Ich grinste fett und breit und unendlich erleichtert zurück.

Nele drehte Chantal noch eine Kippe und ließ sich versprechen, dass die beiden von sich hören ließen. Wir sahen ihnen hinterher, und ich fragte mich, ob wir uns richtig verhielten. Aber wir konnten sie schließlich nicht fesseln und wegtragen. Der Junge war fast katatonisch vor Angst und traute niemandem. Chantal war eine Art Wiedergeburt der Roten Zora und vermutlich in der Lage, eine Zeit lang halbwegs klarzukommen. Und wir mussten versuchen, so schnell wie möglich ihr Vertrauen zu gewinnen. Was heißt »wir«, fiel mir ein. Ich.

Wir setzten uns in den Garten des Altenberger Hofs. Ich bestellte mir eine Ingwer-Bionade, Nele nahm ihre übliche Cola.

»Erzähl!«, forderte ich sie auf.

»Tja.« Sie drehte sich erst mal eine Kippe. Da ich gerade versuchte, meinen Zigarettenkonsum etwas zu reduzieren, sah ich ihr neidisch dabei zu, verkniff mir aber den Griff nach meiner Packung. Sie nahm einen Zug, legte die Stirn in Falten und machte dann endlich den Mund auf.

»Die zwei sind die Kiddies von der Nicole. Die Nicole war 'ne Freundin von mir. Vom Strich. Vom Reichenspergerplatz damals noch, weißte? Die war zwar viel jünger als ich, aber ich hab mich mit der gut verstanden. Das war 'ne Liebe. Wie die mit der Chantal schwanger war, ist sie direkt clean geworden. Genau wie ich.« Sie sah mich herausfordernd an. »Und die hat die Kleine auch behalten können. Sie ist zwar wieder rückfällig geworden, aber die hat bloß geblowed und nicht so viel, da hat keiner was gemerkt. Und dann hat die ab und an mal in 'nem Club gearbeitet, wenn die Chantal im Kindergarten war.«

Die Kellnerin brachte unsere Getränke, und Nele schwieg, bis ich bezahlt hatte.

»Dann ist der Marco gekommen. Das war ihr dann 'n bisschen viel mit den beiden Kiddies. Aber irgendwie hat die das hingekriegt. Ich hab ihr ab und an mal geholfen, hab auf die Pänz aufgepasst, wenn sie auf die Brühler ist. Weil im Club, da wollten die die nicht mehr. Die Nicole hat dann Tagesschicht gemacht, und ich bin am Abend auf die Geeste. Die gab's da schon, aber die Nicole, die ist da nicht hin, weil die Angst hatte, die machen da Ärger wegen der Picos, die Sozialarbeiterinnen. Weil, die Nicole, die ist dann wieder richtig draufgekommen.«

Nele seufzte, und ich steckte mir jetzt doch eine an.

»Dabei hat die die geliebt, ehrlich, kannste mir glauben. Ich hab das selber gesehen. Denen ging's gut. Denen hat nix gefehlt.«

Ich ahnte, was jetzt kam. Ich konnte es aus Neles wütendem Tonfall heraushören. Und weil es ohnehin die übliche Geschichte war.

»Dann kam so 'ne Kuh vom Jugendamt. Die sind krank, weißte das? Die sind echt krank. Sagt die, sie muss ihr die Kinder wegnehmen. Wenn sie in die Entgiftung geht und Therapie macht, kann sie sie vielleicht zurückkriegen. Sonst nicht. Genau wie bei mir.«

»Aber da muss doch schon vorher was gelaufen sein? Die holen die Kinder nicht gleich beim ersten Besuch.« Mir war klar, dieser Einwand kam jetzt gar nicht gut an, aber ich wollte so genau wie möglich wissen, was mit Chantal und Marco passiert war.

»Ah ja, das weißt du, ja? Da bist du die Expertin, ja?«

»Nele, ich will doch bloß wissen, wie es abgelaufen ist. Für die Kids.«

Sie trommelte mit den Fingern auf der Tischplatte herum. Sah auf die Uhr.

»Nele!«

Ein tief verletzter Blick. »Die Trulla von Lehrerin, die hat die Nicole beim Jugendamt angeschwärzt. Weil die Chantal da 'n paarmal nicht aufgetaucht ist, in der Schule, und keine Entschuldigung hatte. Ja, und weil die halt schon mal was anhatte, was jetzt nicht frisch gewaschen war. Echt, was geht die das an!«

Sie verkroch sich immer mehr in ihre Wut, ihren Schmerz, ihre Schuldgefühle. Also ließ ich das Thema sein. Sah nun auch auf die Uhr. Ich musste los, sonst stand Gitta vor der verschlossenen Tür. »Nele, erzählste mir noch kurz, was dann mit den Kids …«

»Ja was wohl!«, fiel sie mir ins Wort. »Ins Heim haben die sie gebracht. Und die Nicole wollte in die Entgiftung. Und am Abend, bevor sie in Düren antanzen sollte, hat sie die Scheißschore erwischt, die damals rum war, wo schon vier Leute dran gestorben sind. Und sie war dann die Fünfte.«

Es war plötzlich vollkommen still. Niemand sprach, kein Auto fuhr auf der Straße vorbei, nicht einmal die Tauben gurrten. Ich konnte das leise Rascheln hören, als der Mann am Nebentisch eine Seite seiner Zeitung umblätterte. Dann heulte auf der Mauenheimer eine Sirene los, dann noch eine und noch eine. Alle wandten die Köpfe Richtung Straße. Ich sah Nele an. Sie schenkte dem Lärm keine Beachtung, starrte auf die alte Mauer und hatte die rechte Hand zur Faust geballt. Ich berührte sie leicht, sie zog sie zurück.

»Ich muss nach Hause«, sagte ich.

»Dann lass uns gehen.«

Auf dem Weg zurück entlockte ich ihr den Rest der Geschichte. »Der Hotte-Opa« war der Vater von Chantals Vater Ricki. Der wiederum hatte sich nach der letzten Langzeittherapie verabschiedet. Auf Nimmerwiedersehen. Hotte hatte sich für seinen Sohn geschämt und Nicole ab und zu mal Geld für Chantal gegeben. Und sie und die Kids an Sonntagen zu McDonald's eingeladen. Das Problem war bloß: Hotte ist von Beruf Einbrecher, und er ist offenbar nicht der Obercrack in seiner Branche, jedenfalls sitzt er immer mal wieder in Ossendorf. Wer Marcos Vater war, wusste Nele nicht, meinte aber, möglicherweise ein Freier: »Das kann passieren. Wennde auf Turkey bist, machste schon mal ohne Gummi. Und die Nicole hat nie da drüber geredet, von wem sie den Marco hat. Die hätt den wohl auch abgetrieben, aber sie hat's erst zu spät gemerkt, dass sie wieder schwanger war.« Während Marcos Schwangerschaft war sie auch nicht clean geworden. Der Kleine hatte nach der Geburt vier Wochen lang in der Kinderklinik Entzug machen müssen. Das alles klang in meinen Ohren nicht so, als hätte Nicole den Jungen wahnsinnig geliebt. Wie auch, wenn er wirklich von einem Freier stammte.

Nele hatte die beiden Kinder, nachdem sie ins Heim gekommen waren, gelegentlich von der Schule abgeholt und ihnen ein Eis spendiert. »Die hatten ja keinen mehr«, meinte sie trocken. »Aber wie das so ist …«

Irgendwann war es ihr zu viel geworden. So ein Junkieleben ist schließlich anstrengend. Sie stierte den Rest des Weges böse vor sich hin. Böse auf sich selbst. Und vermutlich auch auf mich, weil ich sie gerade ständig mit der Nase auf das Thema Kinder stieß.

SECHS

Die verkohlte Kinderleiche ging mir nicht aus dem Kopf. Leichter, schalt ich mich, du siehst Gespenster. Aber das komische Gefühl blieb. Also googelte ich mir die neuesten Nachrichten, aber die brachten nicht viel. Mehr Spekulationen als Fakten. Ich gab es auf. Gitta hatte mir »Lady sings the Blues« mitgebracht. Als meine älteste Freundin weiß sie, was mir guttut. Ich legte die Füße hoch und hörte mir die CD an. Volle Lautstärke, Tränen in den Augen. Als Punk hatte ich Jazz, einschließlich Billie Holiday, ignoriert. Ich hatte nichts dagegen, aber es war auch nichts für mich. Dann hörte ich, schon etwas älter und reifer sozusagen, zufällig auf einer Party »Strange Fruit« und bekam keine Luft mehr. Seither bin ich Billie-Holiday-Fan, auch wenn ich sie selten höre, denn dafür muss ich auf dem Sofa liegen, einen guten Tee oder auch eine gute Tüte bei der Hand haben und ganz viel Zeit. Im Moment hatte ich von alldem nur den Tee, aber man kann nicht den ersten Track von »Lady sings the Blues« hören und dann einfach aufhören.

Rosa sprang auf meinen Schoß und knabberte an meinen Fingern. Ich kraulte sie hinter dem linken Ohr. Sie schnurrte so laut, dass sie wie ein Begleitinstrument zu Wynton Kellys Piano klang. Das Telefon riss mich aus den Träumereien. Meine Lieblingsredakteurin wollte wissen, wann sie das Manuskript des Pflegemütter-Features haben könnte. Gute Frage. Ehrlicherweise hätte ich antworten müssen: Ich bin mir gar nicht sicher, ob das überhaupt etwas wird. Stattdessen behauptete ich, ich bräuchte noch zwei Wochen. Das war verdammt knapp kalkuliert, aber andererseits war ich jetzt gezwungen, endlich voranzumachen. Also rief ich Frau Grimme an. Sie klang seltsam, irgendwie verlangsamt, und wäre sie nicht diese spezielle Lady gewesen, hätte ich gesagt, die ist am Abkacken. Sie meinte, wir könnten das Interview auch gleich machen, sie habe gerade Zeit. Ich fragte, wo sie wohne, aber sie wollte lieber zu mir kommen.

Ich inspizierte Flur, Küche und Bad. Das Licht im Flur ist so spärlich, dass sie den Teppich nicht wirklich würde sehen können.

Im Bad wischte ich eilig das Waschbecken aus und hängte ein neues Handtuch hin. Das Problem war die Küche. Als sie halbwegs so aussah, wie es bei zivilisierten Menschen wohl üblich ist, läutete es auch schon an der Tür. Etwas außer Atem öffnete ich, dabei fiel mir ein, dass ich es nicht mehr geschafft hatte, auch mich selbst noch auf Vordermann zu bringen. Respektive Vorderfrau. Ich war ungeschminkt, hatte die Haare hinten zusammengebunden und trug meinen ausgeleierten, löchrigen alten Trainingsanzug, sprich meine Arbeitskleidung, wenn ich nicht rausmuss. Und daran ließ sich jetzt nichts mehr ändern.

Frau Grimme hatte Schatten unter den Augen und wirkte nervös. Ich platzierte sie am Küchentisch, stellte Wasser für Tee auf und holte das Aufnahmegerät aus meinem Arbeitszimmer. Das ist gleichzeitig mein Wohnzimmer, und da dürfen nur meine allerengsten Freundinnen rein. Und mein Liebster natürlich. Aber selbst mit ihnen sitze ich meistens in der Küche. Rosa linste um die Ecke und verzog sich wieder.

Die Lady sah mir zu, wie ich das Gerät anwarf und das Mikro aufbaute. »Ach so, muss ich in ein Mikrophon sprechen?«, rief sie erschrocken.

Ich verkniff mir die Antwort »Ja, sonst kann man Sie im Radio nicht so gut hören«. Obwohl sie mir auf der Zunge lag. Stattdessen erklärte ich ihr auf das Freundlichste das ganze Prozedere. Und dass ich alle »Ähs« und »Ehems« rausschneiden würde. »Sprechen Sie ganz normal«, ermutigte ich sie, »ignorieren Sie das Mikrophon, und wenn Sie das Gefühl haben, Sie haben etwas auf eine Art formuliert, die Ihnen so nicht gefällt, dann sagen Sie es einfach noch mal. Wir haben Zeit, und, wie gesagt, ich muss ohnehin schneiden.«

Sie wirkte ganz und gar nicht beruhigt. Inzwischen hatte das Wasser gekocht, ich brühte den Tee auf, stellte die Tassen auf den Tisch und machte eine Sprechprobe mit Frau Grimme, solange der Tee zog. Dann tranken wir schweigend, während sie das Mikro anstarrte. Ihre Nagelhaut war so weit abgekaut, dass sie an einigen Stellen blutete. Die Frau sah aus, als hätte sie etwas völlig aus der Bahn geworfen. Nur der Oberschichtton war ihr geblieben und verhinderte trotz ihres elenden Zustands, dass echtes Mitgefühlt in mir keimte. Ich schämte mich mal wieder vor mir selbst und bemühte mich um einen ganz besonders herzlichen Tonfall.

»Sie wollten mir etwas darüber erzählen, wie schwer es ist, ein Kind bei sich aufzunehmen, es lieb zu gewinnen und dann wieder abgeben zu müssen?«

»Ja, und nicht nur das!« Sie richtete sich auf und sah mich vorwurfsvoll an. »Man muss das Kind an eine Mutter abgeben, die es genauso vernachlässigen und misshandeln wird wie vorher! Und man weiß das. Aber das Jugendamt ist anderer Ansicht. Wissen Sie, nur weil eine Frau ein Kind neun Monate lang ausgetragen hat, ist sie noch lange keine Mutter.«

Ich fuhr den Pegel herunter, aber jetzt sprach sie wieder leise und höflich. Offenbar hatte sie gemerkt, dass sie etwas entgleist war.

»Entschuldigen Sie. Ich bin so aufgeregt, weil ... Ich war jeden Tag am Bahnhof, aber ich habe meine Kleine nicht gesehen. Und dann diese Kinderleiche im Rhein ...«

»Haben Sie Angst, es könnte Ihr Mädchen sein?«, fragte ich, so sanft ich konnte.

Sie schrak hoch. »Tamara?« Schreckgeweitete Augen. »Warum fragen Sie das?«

Komisch, dachte ich, du hast doch mit der Kinderleiche angefangen. »Sie haben mir erzählt, dass das Mädchen zu Ihrer Verabredung nicht gekommen ist und Sie sich deshalb Sorgen machen«, sagte ich laut. »Deshalb dachte ich ...«

»Bitte sagen Sie so etwas nicht!« Zittrige Kleinmädchenstimme. Irgendetwas an ihrem Verhalten war nicht stimmig. Aber sie war auch ganz offensichtlich durch den Wind.

»Tut mir leid. Machen wir mit dem Interview weiter?«

Sie nickte. Rührte mit dem Löffel in der Teetasse herum. Ich hatte wieder den Fehler begangen, vor dem Interview nicht abzuräumen. Also musste ich ihr erklären, dass ich die Stellen, an denen sie mit dem Geschirr klapperte, nicht verwenden konnte. Sie entschuldigte sich schon wieder. Ich lächelte ihr ermutigend zu und räumte den Tisch ab.

»Die Kinder, die man als Pflegemutter bekommt, sind häufig traumatisiert. Und als Pflegemutter hat man es dann mit den Auswirkungen der Traumatisierung zu tun. Und das ist nicht immer leicht.«

Ich wünschte mir, sie würde nicht ständig »man« sagen, aber ich wagte es nicht, sie schon wieder zu unterbrechen. Stattdessen fragte ich: »Inwiefern?«

»Nun, diese Kinder kommen aus, äh, schwierigen Verhältnissen. Ihre Eltern sind meistens arbeitslos, wenn sie überhaupt Eltern haben. Oft gibt es da nur die Mutter. Manchmal weiß man noch nicht einmal, wer der Vater ist. Diese Mütter sind drogenabhängig oder alkoholkrank, oft sind sie völlig asozial und in jedem Fall mit den Kindern heillos überfordert. Im besten Fall vernachlässigen sie die Kleinen, das heißt, sie kümmern sich nicht um regelmäßige Mahlzeiten, um passende Kleidung, sie achten nicht darauf, ob die Kinder pünktlich aufstehen oder überhaupt zur Schule gehen. Sie haben keine Ahnung, wo die Kinder sich tagsüber und manchmal sogar nachts herumtreiben. Und es ist ihnen auch egal.«

Ihre Unsicherheit war jetzt verflogen. Sie hatte sich in Rage geredet.

»Wenn aber Vater und Mutter vorhanden sind, dann ist der Vater, meistens jedenfalls, der Hauptgrund für die Probleme. Diese Männer … Sie trinken. Oder nehmen Drogen. Sie schlagen die Kinder. Oder missbrauchen sie.« Ihre Stimme war plötzlich wieder leiser geworden. Ich stellte den Pegel höher. »Oder sie schlagen *und* missbrauchen sie. Und die Mütter« – ich fuhr den Pegel hastig herunter – »tun nichts, um ihre Kinder zu schützen. Weil sie genauso …« Sie brach abrupt ab. Offenbar wurde ihr bewusst, wie hasserfüllt sie sich anhörte.

Sie stand auf und ging ans Fenster. »In Ihren Ohren klinge ich vermutlich sehr herzlos, nicht wahr? Aber das bin ich nicht. Ich weiß, dass diese Frauen selbst in ihrer Kindheit Schweres durchgemacht haben. Zumindest viele von ihnen. Dass sie es nicht besser verstehen. Aber wenn man so hautnah miterlebt, wie die Kinder darunter leiden … welche Folgen das für sie hat …«

Ich bat sie, sich wieder hinzusetzen.

»Ach so, das Mikrophon«, sagte sie und lächelte etwas unbeholfen. Sie rückte den Stuhl an den Tisch und nahm einen Schluck Wasser.

»Meine Kleine …« Sie schüttete leicht den Kopf. »Mein Gott, ich nenne sie ständig ›meine Kleine‹. Aber meine Kleine, das ist doch mein kleines Mädchen!« In ihren Augen schimmerten Tränen. Sie gab sich einen Ruck, schnäuzte sich und setzte wieder dieses hilflose Lächeln auf. »Also, die kleine Tamara, so heißt das Kind, das ich in Obhut hatte, war, als sie zu mir kam, Bettnässerin. Sie hatte an beiden Armen Narben. Von Zigaretten.« Sie sah mich herausfordernd an. »Von Zigaretten, die ihr Vater an ihr ausgedrückt hatte.«

Ich nickte. Ich habe lange genug zu dem Thema gearbeitet. Ich kenne so ziemlich alle Varianten von Kindesmisshandlung und Kindesmissbrauch. Ich habe Fotos gesehen von einjährigen Babys, deren Unterleib eine einzige schwarze Wunde war, weil Männer versucht hatten, in sie einzudringen. Ich habe wochenlang für ein Feature über Kinderpornografie recherchiert. Dann habe ich alles hingeschmissen, weil ich es nicht mehr ertragen konnte. Ich konnte die Bilder nicht mehr sehen. Sie taten mir körperlich weh.

Ich riss mich aus den Gedanken. Frau Grimme sagte gerade: »Und sie war sehr, sehr aggressiv. Sie hat Sachen kaputt gemacht, von denen sie wusste, dass sie wertvoll waren. Dass sie mir wertvoll waren. Ich sah dieses Kind, das man so gequält hatte, ich war voller Mitleid, und dann nahm dieses Kind eine Wedgwood-Vase aus der Vitrine und warf sie auf den Boden. Und sah mich dabei an. Als wollte sie sagen: ›Na, los, schlag mich!‹«

Sie strich mit den Händen über die Tischplatte. Hin. Und her. Ich hoffte inständig, dass sie damit aufhörte, denn sonst konnte ich das Gesagte nicht gebrauchen. Kein Tontechniker würde mir das abnehmen. Vielleicht gibt es doch so etwas wie Gedankenübertragung, jedenfalls hielt sie die Hände wieder still. »Sie hat meine Gesichtscremes und mein Make-up aus den Tuben gedrückt und den Spiegel im Badezimmer damit verschmiert. Sie hat … sie hat ihren Kot … Ach, egal. Das ging vorüber. Es ist mir schlussendlich gelungen, ihr einerseits zu zeigen, wo für mich die Grenzen sind, und sie andererseits spüren zu lassen, dass ich sie mag. Dass ich ihr niemals wehtun werde.«

Sie biss sich ein Stücken Nagelhaut ab und betrachtete die kleine Wunde, die sie sich dadurch zugefügt hatte. Dann legte sie beide Hände in den Schoß und lehnte sich zurück.

»Und es ist mir gelungen, aus diesem wilden kleinen Tier einen kleinen Menschen zu machen.« Sie lachte auf. »Stellen Sie sich vor: Nachdem sie ein Jahr bei mir war, wünschte sie sich ein Kleidchen! Ein richtiges schönes helles Kleid!«

»Na, wenn das kein Zeichen für eine gelungene Resozialisierung ist«, dachte ich bösartig. Aber ich lächelte ihr freundlich zu und stellte endlich die Frage, die mir schon lange auf den Lippen lag: »Ich dachte immer, nur Ehepaare dürfen Pflegekinder aufnehmen. Ich wusste nicht, dass das auch Alleinerziehende können.«

Der Blick, den ich dafür erntete, war nicht gerade freundlich.

»Da haben Sie im Prinzip völlig recht, Frau Leichter.« Ihr Tonfall verlagerte sich aus Lindenthal in die Marienburg. »Als wir unser erstes Pflegekind annahmen, war mein Mann noch hier. Aber dann erhielt er das Angebot von Stanford. Die Gastprofessur läuft in einem Jahr aus, und bis dahin mache ich alleine weiter. Mit dem Einverständnis des Jugendamtes.«

»Ja natürlich«, versuchte ich zu beschwichtigen. »So habe ich das nicht gemeint, Frau Grimme. Ganz im Gegenteil. Ich bin zum Beispiel nicht verheiratet, und ich bin einfach davon ausgegangen, dass man mir deshalb kein Pflegkind anvertrauen würde. Selbst wenn ich bestens dafür geeignet wäre. Und das hätte ich schade gefunden.«

Sie glaubte mir. Gott sei Dank, denn ich war mit dem Interview noch nicht fertig.

»Was ist denn mit dem kleinen Jungen, den Sie jetzt in Pflege haben?«

Sie sah mich an, als hätte ich Chinesisch geredet. Dabei würde ich, wenn schon, Tibetisch sprechen.

»Sie sagten doch, der sei schwersttraumatisiert?«

»Sagte ich das?«

»Ja«, versuchte ich sie zu erinnern, »als wir bei Campi draußen saßen.«

»Ich wundere mich nur, dass ich das überhaupt angesprochen habe. Wenn ich zu einem Kind erst noch Vertrauen aufbauen muss, rede ich nicht darüber. Noch nicht einmal mit meinem Mann.« Kleines ironisches Lächeln. »Das lenkt mich ab. Es zerstreut meine Energien, ich … Ich kann es nicht besser ausdrücken.« Sie dachte eine Weile nach. »Ich muss dann ganz bei dem Kind sein, auch innerlich, all meine Energie in die Arbeit mit dem Kind bündeln. Wenn ich mit anderen darüber spreche, ist es so, als würde etwas von dieser Energie, dieser Konzentration abfließen. Ist das verständlich?« Sie sah mich fragend an.

Ich nickte.

»Es klingt so esoterisch. Aber es ist etwas ganz Handfestes. Der Junge wurde sexuell missbraucht. Er verfällt manchmal in Zustände, die nahe an einer Katatonie sind. Er weigert sich konsequent, mit dem Psychologen zu sprechen. Er weigert sich, überhaupt zu sprechen. Das Einzige, was er, jetzt, endlich, nach langen Anläufen, zulässt, ist, dass ich ihn ganz vorsichtig in den Arm nehme. Dass ich ihm, wenn er schon in seinem Bettchen liegt, eine Geschichte vorlese. Und dann ganz, ganz leicht und nur ganz kurz seine Hand berühre.« Sie fuhr sich durch das Haar. »Jetzt habe ich doch darüber gesprochen.«

»Aber braucht der Junge nicht auch eine fachliche Hilfe? Zusätzlich zu Ihrer Fürsorge und Zuwendung?«, fragte ich, bemüht, sie nicht wieder zu verletzen.

»Doch, natürlich. Aber die Sachbearbeiterin im Jugendamt und auch der Psychologe von ›Zartbitter‹ meinen, es wäre besser, ihm Zeit zu lassen. Man kann so einem Kind eine Therapie nicht aufzwingen.«

Ich war nicht ganz überzeugt. Wenn das ein guter Psychologe war, dachte ich, dann würde er doch sicher nichts überstürzen. Aber trotzdem den Jungen sehen wollen. Ich beschloss, bei »Zartbitter« nachzufragen, wie die das handhabten.

Sie stand auf.

»Darf ich ihnen noch eine letzte Frage stellen, zum Thema Pflegeeltern ganz allgemein?«, bat ich hastig.

»Wenn es wirklich sein muss?«

»Es dauert nicht lange«, versprach ich.

Sie setzte sich wieder hin und sah mich plötzlich an, als sei ihr endlich die lang ersehnte Idee zu was auch immer gekommen. Dann sah sie ertappt zu Boden und murmelte: »Hätten Sie noch ein Glas Wasser für mich? Ich muss eine Tablette nehmen, meine Kopfschmerzen kommen wieder.« Sie wühlte in ihrer Tasche herum. »Und dürfte ich Ihre Toilette benutzen?«

Wäre Frau Grimme nicht Frau Grimme gewesen, ich hätte nach dieser kleinen Nummer gedacht, die muss was einwerfen. Aber Drogen passten beim besten Willen nicht zu ihr. Schon eher, dass es ihr tatsächlich peinlich war, bei fremden Leuten aufs Klo zu gehen.

Ich drückte die Stopp-Taste auf dem Rekorder, zeigte ihr den Weg zur Toilette, ging zum Kühlschrank, holte die Wasserflasche heraus und rief ihr hinterher: »Ich habe nur noch kaltes. Oder möchten Sie Leitungswasser?«

»Oh, dann lieber Leitungswasser, danke.«

Ich ließ das Wasser anlaufen, füllte einen Krug, nahm mir auch selbst ein Glas und brachte alles an den Tisch. Schenkte ein und wartete darauf, dass sie zurückkam. Sie brauchte ganz schön lange, und ich hoffte inständig, dass sie danach das Fenster öffnete.

Als sie wieder auftauchte, wirkte sie noch verlegener als vorher und nuschelte: »Ich habe das Fenster geöffnet, ist das in Ordnung?«

Jetzt tat sie mir fast leid. Ich versicherte ihr, das sei genau richtig gewesen. Nachdem sie ihre Tablette runtergespült hatte, ging ich erneut auf Aufnahme.

»Welche Voraussetzungen mussten Sie denn mitbringen, oder welche Bedingungen mussten Sie erfüllen, um Pflegeeltern werden zu können?«

»Lassen Sie mich nachdenken, das ist ja nun schon ein paar Jahre her. Nun, wir mussten natürlich ein festes Einkommen haben, elterliche Erfahrung, wir durften nicht vorbestraft sein ...« Kleines Höhere-Tochter-Lächeln. »Wir mussten, wenn ich mich recht erinnere, nachweisen, dass wir genügend Wohnraum zur Verfügung hatten. Wir haben auch anfangs an einem Kurs teilgenommen. Ja. Das war es.«

»Werden Sie denn regelmäßig überprüft? Oder kommt jemand vorbei, um zu sehen, wie es den Kindern geht?«

»Ja, das war im ersten Jahr so, aber jetzt weiß das Jugendamt, was es von mir zu halten hat, nicht wahr?« Wieder dieses Oberschichtlächeln. Sie stand auf. »Ich müsste jetzt wirklich gehen.«

»Ja, natürlich, vielen Dank, dass Sie gekommen sind.«

»Ich hoffe, ich konnte Ihnen helfen?«

»Ja, absolut! Ich gebe Ihnen Bescheid, sobald ich den Sendetermin weiß.«

Sie nickte bloß. Die meisten Leute, die ich interviewe, möchten sich dann auch im Radio hören, deshalb ist es ihnen wichtig, den

Sendetermin zu erfahren. Frau Grimme aber machte eher den Eindruck, als habe sie schon vergessen, dass das, was sie mir gerade erzählt hatte, irgendwann im Radio laufen würde. Ich brachte sie zur Tür, und als ich sie die Treppen hinunterstöckeln hörte, seufzte ich laut. Die Frau gab sich sicher alle erdenkliche Mühe mit den Kids, und vermutlich mochte sie die Kleinen auch wirklich. Das Problem war: Ich mochte Frau Grimme nicht. Und auch nicht ihre Art, über die Kinder zu reden. Sie hatte etwas – ja was? Ich musste einen Moment überlegen, dann hatte ich's: Sie hatte etwas Unechtes, Gekünsteltes. Das war es, was mich so irritierte. Oder mehr noch: abstieß.

Rosa kam angeschlichen und peilte die Lage. Dann hockte sie sich wehklagend vor ihren leeren Fressteller. Ich schnitt gerade das übrige Rindergulasch für sie auf, als das Telefon klingelte. Paul, mein großer Bruder, schlug mir via Anrufbeantworter vor, am Samstag zu den Eltern in die Eifel zu fahren. Ich schaufelte das Gulasch auf Rosas Teller, wusch mir die Hände dreimal mit glühend heißem Wasser und einer halben Tonne Seife, denn ich hasse den Geruch von rohem Fleisch, und rief schließlich Paul zurück. Sagte ihm, dass ich sein Angebot sehr gern annahm. In das Kaff, in dem unsere Eltern seit der Verrentung wohnen, komme ich nämlich ohne Auto nur per Bahn und anschließender langer Taxifahrt, und das ist mir oft zu aufwendig und fast immer zu teuer. Dann fiel mir ein, dass ich meinen Liebsten kaum noch gesehen hatte, und ich fragte Paulemann, ob er bereit wäre, Stefan mitzunehmen. Es war eine rhetorische Frage, denn die beiden verstehen sich bestens. Mein Liebster ist, genau wie Paul, ein alter Linker, und wenn er und mein Bruderherz in den Erinnerungen an Hausbesetzungen, Demos und Schlachten mit der Polizei schwelgen, vergisst Stefan völlig, dass er schon vor Längerem Buddhist geworden ist.

Wie erwartet, war auch Stefan von der Idee begeistert. Er liebt meine Eltern, und sie mögen ihn so gern, dass sie ihm sogar das »Esojedöns« nachsehen. Womit sie den Dharma meinen. Ich beschloss, mich mit meinem MP3-Player und viel Amy Winehouse für die Hin- und Rückfahrt zu wappnen. Und mit einer Menge Geduld für das Zusammentreffen von zwei alten Gewerkschaftern mit zwei alternden Ex-Hausbesetzern.

SIEBEN

Ich wusste, irgendwo hatte ich das Pröbchen Fußsalbe gebunkert, das ich mal in der Apotheke bekommen hatte. Meine Mutter leidet zunehmend unter Hornhaut und Rissen an den Füßen, und ich wollte ihr die Salbe zum Testen mitbringen. Eigentlich hatte ich für diese Suchaktion überhaupt keine Zeit, und als ich sah, wie spät es war, wurde ich so hektisch, dass mir das Fläschchen mit dem Arnikaöl runterfiel. Und ausgerechnet hinter die Kloschüssel rollte. Na, super! Das ist eine der besonders dunklen Stellen in meiner Wohnung. Ich wusste also, wenn ich jetzt dahinten reinlange, muss ich mir anschließend nicht nur die Hände, sondern auch die Arme waschen. Ich kniete mich schräg vor die Kloschüssel und tastete mich durch etwas, das sich wie feuchte Spinnweben anfühlte. Vor Schreck stieß ich mir die Knöchel an der Wand. Und spürte etwas Hartes, kartonartiges, das da nicht hingehörte. Da es sich weder feucht noch sonst wie eklig anfühlte, zog ich daran. Es war festgeklebt, und das machte mich nun wirklich neugierig. *Ich* hatte da nämlich nichts hingeklebt. Schließlich bekam ich das Ding von der Wand gelöst und zog meinen Arm wieder nach vorn. Ich hielt ein kleines Buch in der Hand, eines dieser schicken Moleskine-Notizbücher. Ich wischte es mit Klopapier ab, wusch mich gründlich und ging in die Küche.

Mein erster Gedanke war: Nele hat da Stoff drin versteckt. Außer ihr, meinem Liebsten und vielleicht mal Hertha hatte seit Tagen niemand mein Klo benutzt. Und hätte das Buch schon länger an der Wand geklebt, wäre es so feucht gewesen wie die Spinnweben. Ich schlug es auf. Die Seiten waren alle heil, kein Stoff weit und breit. Aber weder Stefan noch Hertha hatten irgendeinen Grund, in meiner Wohnung etwas zu verstecken. Und wenn doch, hätten sie mich darum gebeten und es nicht hinter meinem Rücken getan.

Plötzlich sah ich die Szene wieder vor mir: Den verlegen-verlogenen Gesichtsausdruck, mit dem mich Frau Grimme gefragt hatte, ob sie meine Toilette benutzen dürfte. Wie lange sie drin geblieben war. »Scheiße«, sagte ich und schlug das Buch erneut auf.

Einen Moment lang zweifelte ich an meiner Grimme-Theorie, denn die Schrift war die eines kleinen Mädchens. Andererseits wirkte sie aber auch routiniert, eine seltsame Mischung, aus der ich nicht schlau wurde. Ich erinnerte mich, wie genervt ich von Frau Grimme anfangs gewesen war, weil sie so etwas Höhere-Tochter-Mädchenhaftes an sich hatte. Und wer sonst sollte das Büchlein bei mir versteckt haben?

Das Mädchen liegt in seinem Bette. Es hat große Angst. Es hört den Vater im Flur. Es weiß nicht, was der Vater tun wird. Manchmal kommt der Vater alleine und tut es mit dem Mädchen. Das ist, wenn der Bruder nicht da ist. Der Bruder verbringt die Ferien mit einem Freund und dessen Eltern. Der Bruder ist weit weg. Der Vater bringt einen fremden Jungen mit nach Hause. Der Vater tut es mit dem Jungen. Dann kommt der Vater mit dem Jungen in das Zimmer des Mädchens. Der Vater sagt dem Jungen, er muss es mit dem Mädchen tun. Der Junge tut es mit dem Mädchen, und der Vater sieht dabei zu. Dann tut der Vater es mit dem Jungen im Zimmer des Mädchens. Jetzt hört das Mädchen, wie der Vater die Tür öffnet und mit einem Jungen spricht. Jetzt hört das Mädchen, wie der Vater mit dem Jungen die Treppe heraufkommt. Jetzt kommen der Vater und der Junge in das Zimmer des Mädchens.

Ich schlug das Buch zu und holte tief Luft. Für einen literarischen Entwurf war das zu wenig literarisch. Und den hätte sie auch nicht auf meinem Klo verstecken müssen. Ich setzte Teewasser auf und steckte mir eine Zigarette an. Wie soll ich das Rauchen reduzieren, wenn mir ständig solche Sachen passieren? Ich stierte vor mich hin, bis das Wasser kochte. Nahm den indischen Tee, das ist der stärkste, den ich habe, und peppte ihn mit ein bisschen Ingwerpulver auf. Verkniff es mir, am Rest meiner Kippe eine neue anzuzünden. Stand auf, ging ans Fenster, starrte hinaus und sah nichts. Ich mochte nicht weiterlesen, wusste aber: Ich muss. Obwohl ich nicht wusste, warum. Ich bin schließlich nicht maso.

Das Mädchen ist schmutzig. Alle Mädchen sind schmutzig. Das Mädchen wird bald bluten. Dann ist es so schmutzig, dass der Vater es nicht mehr mit ihm machen wird. Dann macht der Vater es nur noch mit den Jungen. Der Vater hat gesagt, weil Mädchen schmutzig sind, kann er ein Mädchen nicht lieb haben. Der Vater liebt nur den Bruder und die anderen Jungen. Es tut weh, wenn der Vater es macht. Aber das Mädchen möchte, dass der Vater es liebt. Die Mutter liebt das Mädchen auch nicht. Die Mutter ist fortgegangen. Der Vater hat gesagt, sie geht ins Krankenhaus. Sie ist aber nicht mehr zurückgekommen. Der Vater hat gesagt, sie ist nicht tot. Der Vater hat gesagt, die Mutter ist eine böse Frau. Die Mutter hat mit dem Vater gestritten. Das Mädchen hat es gehört. Aber es hat nicht verstanden, was sie gesagt hat.

Mir war schlecht. Ich konnte diesen Ton nicht ertragen. Die Frau war verdammt noch mal erwachsen! Sie sollte schreiben wie eine gottverdammte Erwachsene! Ich knallte das Buch zu und warf es in die Ecke. Rosa hatte sich auf den Küchenschrank geflüchtet, sah aus schmalen Schlitzen zu mir herunter und fauchte. Das brachte mich zur Räson. Du leeve Jott, dachte ich, hast du sie noch alle, Leichter? Was bist du denn wegen der Frau aggressiv und nicht wegen ihrem Vater?

Gute Frage, gab ich mir selbst zur Antwort.

Etwas an dem Text reizte mich bis aufs Blut. Ich wusste bloß nicht, was. Dass dieser Vater ein mieses Arschloch war, das dringend in den Knast gehörte, stand ja außer Frage. Aber das war es nicht, was mir so gegen den Strich ging. »Weiterlesen«, befahl ich mir. Hob das Notizbuch wieder auf, goss mir Tee nach und setzte mich an den Tisch

Das Mädchen ist jetzt kein Mädchen mehr, hat die Großmutter gesagt. Das Mädchen ist jetzt eine junge Frau. Der Vater bringt jetzt die Jungen nicht mehr mit herauf. Er will nicht mehr, dass die Jungen es mit ihr tun. Beim letzten Mal hat sie geblutet, und der Vater hat sie geschlagen. Er hat gesagt: Du bist ekelhafter als ein Haufen Scheiße. Das Wort darf das Mädchen nicht sagen. Das Wort darf auch der Bruder nicht sagen. Das Wort darf nur der Vater sagen. Der Bruder ist wieder zu Hause. Der Vater ist abends mit dem Bruder und einem Jungen im Schlafzimmer. Der Vater hat eine Filmkamera gekauft.

Der Vater erklärt der jungen Frau, wie man eine Filmkamera

benutzt. Die junge Frau filmt es mit der Kamera, wenn der Vater es mit dem Bruder und den Jungen macht. Der Vater hat gesagt, so kann sich auch ein schmutziges Mädchen nützlich machen. Die junge Frau macht sich nützlich. Manchmal lädt der Vater andere Männer ein. Die wollen es manchmal mit der jungen Frau machen, obwohl sie schmutzig ist. Dann bedient der Vater die Filmkamera.

Hilfe! Ich sah Frau Grimme vor mir. Ihr Höhere-Tochter-Getue. Versuchte, mir das kleine Mädchen vorzustellen, das sie gewesen war. Das von diesem Monster-Vater missbraucht und dressiert wurde. Empfand endlich doch Mitgefühl für sie. Wurde aber meine Abneigung trotzdem nicht los.

Das Telefon läutete. Ich ließ es klingeln und ging dann doch dran.

»Also, Schwesterherz, ich komme euch um zehn abholen. Ist das für dich okay? Stefan meinte, er würde bei dir übernachten und ich kann euch in Nippes einsammeln.«

»Seit wann entscheidet Stefan über meine Abende?«, fauchte ich.

»Hey, was ist denn mit dir los?«, fragte Paul. »Habt ihr Krach? Stefan hat gar nicht so geklungen.«

Ich holte tief Luft. Sagte mir: Paul kann nichts dafür!

»Entschuldige, es hat nichts mit dir zu tun und mit Stefan auch nicht. Ich bin in eine grauenhafte Geschichte reingeraten, und ich bekomme grade keine Luft mehr vor …« Ich suchte nach einem passenden Wort. »Vor Abscheu.«

»Dann erzähl doch morgen, was passiert ist, ja?«

»Ja, mach ich«, hörte ich mich sagen. War mir aber gar nicht sicher, ob ich wirklich darüber reden wollte. Mir saß der Horror im Nacken, und ich verstand nicht, warum. Es ging mir, bei allem Mitgefühl, nicht wirklich um Frau Grimme, das spürte ich. Und ich war auch nicht fassungslos über ihre Geschichte. Ähnliches hatte ich schon in Gerichtsakten gelesen und bei meinen Recherchen zu Kinderpornos. Dass Männer so etwas tun, wusste ich. Dieses Wissen löste alles Mögliche in mir aus, aber nicht dieses undefinierbare Gefühl von Bedrohung, das ich jetzt empfand. Und auf einmal dämmerte mir: Ich hatte Angst um Marco und Chantal.

»Hey! Mach mal halblang«, mahnte ich mich zur Vernunft.

»Die Story von der Grimme spielt höchstwahrscheinlich in ihrer eigenen Kindheit, und die ist schon ‘ne ganze Weile her.«

Ich blätterte um. Der Text war bisher mit einem Tintenfüller geschrieben worden. Jetzt hatte Frau Grimme – ich war mir sehr sicher, dass sie es war – mit einem Kuli weitergemacht.

Der Junge ist böse. Der Junge muss bestraft werden. Der Junge ist unhöflich. Er kann nicht richtig sprechen. Seine Mutter ist eine schlechte Frau. Der Junge hat das Schlechte von seiner Mutter geerbt. Er kommt aus schlechten Verhältnissen. Ein Junge wie er kann nicht unterscheiden zwischen Gut und Böse. Einer wie er fühlt keinen Schmerz.

Ich sah Marco vor mir. Sein versteinertes Gesucht, den starren Körper, die panischen Augen. Hörte Frau Grimme sagen: »Der Junge, den ich jetzt in Pflege habe, ist schwersttraumatisiert. Er wurde missbraucht. Er ist Bettnässer. Er ist fast katatonisch.« Ich merkte, dass ich schon die ganze Zeit die Luft angehalten hatte. Atmete langsam aus. Sagte mir: »Das kann nicht sein. Das ist Quatsch!«

Er tut es mit dem Jungen. Er bringt andere Männer mit. Die anderen Männer bezahlen die Frau. Der Frau geht es nicht um Geld. Sie hat Geld. Sie ist wohlhabend. Sie kommt aus gutem Hause. Sie ist nicht schmutzig! Der Junge ist schmutzig! Wenn der Junge weint, lügt er. Jungen mögen es, wenn ein Mann es mit ihnen macht. Der Junge macht in die Hosen. Der Junge erbricht sich. Der Junge ist schmutzig. Die Frau muss den Jungen einsperren, denn er will vor den Männern weglaufen.

Der Junge kann nicht in die Schule gehen, bis alles wieder verheilt ist.

Weit entfernt klingelte etwas nervtötend. Ich begriff: Es war mein Handy. Ließ es läuten. Es waren nur noch drei beschriebene Seiten in dem Buch. Ich blätterte um.

Die Männer mögen es, wenn die Frau zusieht. Der Junge muss genäht werden, sagt er. Der Junge ist schmutzig, erwidert die Frau, er muss bestraft werden. Die Männer lachen. Sie machen es gleich noch einmal mit ihm. Da ist der Junge schon ohnmächtig. Die Frau weckt ihn. Er soll nicht flüchten, wenn er bestraft wird.

Die Lehrerin fragt, wo der Junge bleibt. Die Frau muss etwas unternehmen. Der Junge muss noch einmal zur Schule gehen. Bald sind Ferien. Dann stellt die Lehrerin keine Gefahr mehr da.

Die Schrift wurde immer kleiner und schwer zu lesen. An einer Stelle hatte sie den Kuli so stark auf das Papier gedrückt, dass es durchgerissen war. Ich zwang mich, weiterzulesen.

Die Frau weiß nicht mehr weiter. Er sagt: Man kann ihn bald nicht mehr zusammenflicken. Du musst ihn loswerden. Die Frau bringt den Jungen zur Schule. Die Lehrerin sagt: Der Junge muss zum Psychologen. Die Frau hat Angst. Die Frau weiß nicht mehr weiter. Er sagt: Du bist unfähig! Du bist abstoßend! Du bist zu nichts nütze. Er wird böse. Er wird sehr böse. Er schlägt die Frau.

Der Junge ist böse. Der Junge macht Schmutz. Die Frau sperrt den Jungen in den Keller. Die Frau sagt dem Jungen, dass er im Keller bleiben muss, wenn er sich in der Schule schmutzig macht. Der Junge weint. Die Frau kann den Jungen nicht mehr ertragen. Noch zwei Tage. Dann beginnen die Ferien. Die Frau wird ihm beweisen, dass sie zu etwas nütze ist.

Die letzten Zeilen waren kaum noch zu entziffern. Ich blätterte hastig um.

Der Junge ist fortgelaufen. Ich weiß nicht, wie ihm das gelingen konnte. Ich muss ihn finden, ich muss ihn finden! Gott, hilf mir, ihn zu finden!

Ich legte das Buch auf den Tisch, mein Kiefer schmerzte, ich nahm die Zähne auseinander. Stand auf, ging ans Fenster und steckte mir eine Kippe an. Starrte auf die Birke und versuchte, meinen klaren Verstand zu reaktivieren.

Warum hatte diese Frau das Notizbuch bei mir versteckt? Gut, ohne den Zufall, dass mir das Ölfläschchen runtergefallen war, hätte ich es vermutlich nie entdeckt. Und sie hätte es sich, unter dem

Vorwand, mir noch etwas erzählen zu müssen, jederzeit zurückholen können. Aber warum hatte sie es überhaupt aus der Hand gegeben? Wollte sie es nicht mehr in der Wohnung haben? Hatte sie Angst, jemand könnte es dort entdecken? Wer denn? Die Polizei? Der würde sie doch sicher die gleichen Schmonzetten erzählen wie mir. Und sie würde ihr glauben. Wer käme schon auf die Idee, dass diese reizende Dame einen kleinen Jungen als Sexsklaven hielt und an Männer verkaufte?

Ich kam nicht weiter. Das Dringlichkeitsgefühl und die Angst, die ich empfand, machten mich zusehends nervös.

»Aber warum«, schaltete sich mein Verstand wieder ein, »bist du dir so sicher, dass Marco dieser Junge ist? Steigerst du dich vielleicht gerade in etwas rein, das mit der Realität nichts zu tun hat, Katja Leichter? Nur weil sowohl dieser Junge als auch Marco aus einer Pflegefamilie abgehauen sind, müssen die beiden doch nicht identisch sein!«

Aber tief in meinen Eingeweiden wusste ich: Sie sind es!

»Okay«, sagte ich mir, »wenn das so ist, dann muss ich Marco auftreiben, bevor die Grimme ihn findet. Und am besten rufe ich direkt Tina Gruber an.«

Tina Gruber ist Polizeikommissarin. Wir hatten uns im Winter kennengelernt, und wenn es so etwas wie einen anständigen Bullen gibt, ist sie das. Sie ging nicht ans Handy. Ich suchte mir die Nummer des Polizeipräsidiums heraus und fragte mich durch bis zu einem ihrer direkten Kollegen. Erfuhr, dass sie Urlaub hatte. Am Montag wieder zurück sein würde. Ob er mir weiterhelfen könnte? Ich beschloss, bis Montag zu warten. Und in der Zwischenzeit die Kids zu finden und in Sicherheit zu bringen.

Nachdem ich schon aufgelegt hatte, dachte ich plötzlich: Wenn doch nicht Marco der Junge ist? Dann muss die Polizei die Frau sofort verhaften, damit sie nicht einen anderen Jungen weiterquälen kann! Aber mein Instinkt blieb dabei: Es ist Marco. Und meinem Instinkt kann ich meistens trauen.

ACHT

Ich ging rüber zu Hertha, holte Nele aus ihrem Zimmer, setzte mich an den Küchentisch und erzählte den beiden von dem Notizbuch. Hertha starrte mich mit offenem Mund an. Sie hat ihr Leben lang angeschafft, sie hat auch ziemlich üble Freier gehabt und überhaupt einiges erlebt, aber diese Dimensionen menschlichen Verhaltens waren ihr neu. Nele war kreidebleich, hatte beide Hände zu Fäusten geballt und zischte schließlich: »Ich bring sie um.«

»Wir müssen jetzt erst mal die Kiddies finden, und zwar sofort«, wandte ich ein. »Und mit sofort meine ich: jetzt. Wo wohnt dieser Hotte-Opa?«

»Ich hab keine Ahnung«, stöhnte Nele, »Ich weiß noch nicht mal, wie der in echt heißt. Scheiße!« Sie schlug mit der Faust auf den Tisch.

Hertha schob den Aschenbecher wieder zu sich herüber und zündete sich eine an. »Gib mir mal dein Handy.«

Ich hielt es ihr hin.

»Nö, mach du. Ich kann die Dinger nich leiden. Also: Wähl mal …«

Ich tippte die Nummer ein und reichte ihr das Handy.

»Kalle? Ja, ich bin's. Hörma, kennst du 'n Hotte?« – »Ja, keine Ahnung. Ausm Klingelpütz. Oder von der Arbeit.«

Sie wandte sich an uns. »Wie alt is der?«

»So um die fünfzig?«, riet Nele.

»So um die fünfzig«, beschied Hertha ihren alten Kumpel. Der, wie ich wusste, in derselben Branche wie Hotte tätig war.

Hertha hörte eine Weile schweigend zu, dann fragte sie Nele: »Hat der 'n Sohn, wo 'n Junkie war?«

»Ja!«, rief Nele und sprang vor Aufregung auf.

»Weil dem sein Enkelchen in Lebensgefahr is««, sagte Hertha ins Telefon. »Wir müssen den Jungen finden, sag den Jungs ma Bescheid, die sollen den Hotte auftreiben, aber dalli!«

Sie gab mir das Handy zurück. »Der Kalle kümmert sich.«

»Der Marco is aber nich der Enkel vom Hotte«, wandte Nele etwas kläglich ein, »der is …«

»Is doch drissegal jetzt.« Hertha stand auf, zog sich die Schuhe an, stellte die Handtasche auf den Tisch und setzte sich, startbereit, wieder hin.

Wir hibbelten auf unseren Stühlen und warteten auf den Anruf. Zehn Minuten später klingelte das Telefon.

»Merheimer«, verkündete Hertha und war schon auf dem Weg zur Tür. »Du bleibst hier und hältst die Stellung«, wies sie Nele an, die gleichfalls aufgestanden war.

»Kommt nicht infrage!«

»Und was is, wenn die Kinder grade jetzt vorbeikommen, und keiner ist da?«

»Hertha«, mischte ich mich ein, »vielleicht wäre es sinnvoller, wenn Nele mitkommt und du hierbleibst. Nele kann einfach schneller laufen.«

»Aber der Hotte kennt sie nicht.«

»Und ob der mich kennt! Der hat mich doch mit der Chantal schon mal gesehen, damals.« Nele stand bereits in Tür. »Komm, jetzt, Katja, wir haben's eilig!«

Auf der Straße fragte ich: »Kennst du diesen Hotte wirklich?«

»Nö. Aber die Kids werden ja jetzt nicht da sein, tagsüber. Und dann müssen wir rumlaufen, die suchen, und das schafft die Hertha mit ihrem Knie nicht!«

Wir marschierten die Neusser hoch, bogen an der Merheimer erst mal in die falsche Richtung ab, liefen zurück und fanden endlich die richtige Hausnummer. Es war einer dieser tristen Sechziger-Jahre-sozialer-Wohnungsbau-Blocks, deren Fassaden seither vor sich hin grauen. Wir läuteten Sturm. Nichts. Noch mal eine Minute Finger auf der Klingel. Eine schnarrende wütende Stimme: »Wat is?«

»Ich brauch mal die Chantal«, sagte Nele in die Gegensprechanlage.

»Isch kenn kein Chantal.«

»Hotte, mach auf! Ich war mal 'ne Freundin von der Nicole, und ich muss den Pänz was sagen.«

»Jetzt hör mer ma jut zu, ja? Isch kenn kein Nicole, hier is kein Chantal, und hier sin kein Pänz. Und jetzt mach dich vom Ack...«

»Wir haben Ihre Adresse vom Kalle«, fiel ich ihm ins Wort. »Der ist ein alter Freund von 'ner Freundin von mir. Wenn Sie so nett wären, den Kalle anzurufen, dann könnte der Ihnen sagen, dass er grade vor ein paar Minuten der Hertha, so heißt die Frau, Ihre Adresse gesagt hat. Und bitte: Es ist echt dringend.«

Schweigen. Wir warteten etwa fünf Minuten, die uns wie fünf Stunden vorkamen. Dann beschlossen wir zu gehen und am Abend wiederzukommen. In diesem Augenblick brummte der Türöffner, und aus der Gegensprechanlage kam die Anweisung: »Zweite Etage, rechts.«

Hotte empfing uns vor seiner Wohnungstür. Er war klein, stämmig, trug ein ärmelloses Unterhemd und stellte damit ordentlich Muckis und jede Menge Tattoos zur Schau. Ansonsten: Vokuhila. Zunehmende Stirnglatze und grauer dünner Zopf. Ein faltiges, etwas zu braunes, aber freundliches Gesicht. Ich schätzte ihn auf Anfang fünfzig. Er hatte etwas von einem alten Rocker. Ich konnte ihn mir gut auf einer frisierten Kawasaki vorstellen. Er musterte uns mit undurchdringlicher Miene. Erst mich, dann Nele. Fragte sie schließlich: »Bist du drauf?«

»Im Programm«, erwiderte Nele. »Lässte uns jetzt mal rein, oder spielste hier Türsteher?«

»Is die immer so freundlich?«, wandte sich Hotte an mich.

»Nö«, sagte ich lächelnd, »nur wenn sie Schiss hat.«

Er öffnete die Tür, und wir traten in einen engen dunklen Flur. Hotte wies mit der Hand in Richtung Wohnzimmer. Vor dem Fenster stand ein Tisch mit drei Stühlen, an der Längswand ein Sofa, dem Sofa gegenüber ein ziemlich teuer aussehender Flachbild-Fernseher. Daneben eine auch nicht eben billige Stereoanlage. Ich warf einen kurzen Blick auf die CDs, die auf dem Boden lagen. Metallica, Bruce Springsteen, Brings, Gerd Köster. Ganz schönes Cross-over, dachte ich und musste grinsen. Als ich wieder hochsah, blickte ich Hotte direkt in die Augen. Und musste erneut lächeln. Er verzog keine Miene.

Ich setzte mich neben Nele auf das Sofa, im Fernseher lief ein Autorennen. Ich nahm die Fernbedienung und drückte den Ton weg. Hotte verschwand in einem anderen Raum und kam mit einer Thermoskanne und zwei Tassen zurück. Unter den Arm hatte er sich eine Flasche Bier geklemmt.

»Ich hab noch was Kaffee, wenn ihr wollt.« Er hielt Nele die beiden Tassen hin. »Vor was haste Schiss, Mädchen?«

Nele sah mich an. Ich nahm umständlich einen Schluck von dem lauwarmen Kaffee. Ich musste Zeit schinden, denn ich hatte mir nicht überlegt, wie weit ich Hotte einweihen wollte. Ich sah ihn mir noch mal an. Er musterte mich ruhig, aber auch besorgt.

»Kann ich Sie erst mal was fragen?«

»Sin wer jetzt per Sie?«

»Nö, 'tschuldigung.« Ich nahm noch einen Schluck von dem Ekelgebräu. »Warum dürfen die Kids nur nachts hier sein und tagsüber nicht?«

»Geht dich das was an?«

»Ja.«

Er schüttete ärgerlich den Kopf. Die Stimmung drohte zu kippen.

Ich suchte Hottes Blick. Irgendetwas in dem meinen musste ihn besänftigt haben.

»Ich hab keine Ahnung«, sagte er, »was die ausgefressen haben. Wieso die ausgebüxt sind. Ich hab denen gesagt, da gibt es so Streetworker, die sind okay. Die zwingen euch zu nix. Die gehen nich zu den Bullen. Aber immer wenn ich so was sage, tickt der Kleine aus. Der kriegt Zustände. Keine Luft mehr und so. Wird stocksteif, läuft blau an und ... na ja.«

Er drehte sich eine Zigarette und hielt uns den Tabakbeutel hin. Nele bediente sich, ich holte meine Kippen raus und steckte mir eine an.

»Und ich hab hier so 'ne Tusse«, erzählte Hotte weiter, »genau gegenüber, die hat 'n Auge auf mich. Seit mich meine grünen Freunde mal hier in der in der Wohnung abgeholt haben. Das hat die mitbekommen. Und da draufhin hat die mich jetzt schon dreimal angezeigt. Wegen irgendwas, was die sich ausgedacht hat. Wenn die sieht, dass ich hier Kinder hab, die ruft die Grünen, so schnell kannste nich gucken.«

Okay, das war ein Argument. Ich beschloss, ihm die Wahrheit zu sagen.

»Marco war bei einer Pflegemutter. Die hat ihn an Männer verkauft. Er war irgendwann so schwer verletzt, dass sie ihn nicht mehr zur Schule schicken konnte.«

Hotte gab einen tierartigen Laut von sich.

»Chantal hat ihm geholfen, auszubüxen. Wie, weiß ich nicht,

das hat sie uns noch nicht erzählt. Die Frau, die ihm das angetan hat, sucht jetzt nach ihm. Und wenn die ihn findet …« Ich zog an meiner Kippe und überlegte, ob ich das, was mir auf der Zunge lag, aussprechen sollte. Ob ich das wirklich glaubte. Ich war mir nicht sicher, aber es konnte durchaus sein. Die Grimme war so durchgeknallt, dass ich ihr alles zutraute.

»Dann kann es sein«, fuhr ich also fort, »dass sie ihn umbringt. Sie weiß nicht, dass ich das alles herausgefunden habe. Deshalb denkt sie vermutlich, sie kann die verzweifelte Pflegemutter spielen, wenn der Kleine tot ist. Im Theaterspielen ist die ganz große Klasse.«

Der Schreck hatte Hotte noch immer die Stimme verschlagen. Aber schließlich drückte er seine Zigarette aus und baute sich vor mir auf: »Wo is die?« Er streckte die Hand aus: »Adresse!«

»Hab ich nicht. Die hat sie mir nie gegeben.«

»Und woher weißte das alles?«

Ich berichtete ihm kurz von der Sendung, an der ich arbeitete, von meiner Recherche, dem Notizbuch. »Und«, fügte ich hinzu, »ich kenne eine Polizistin, die ist okay.«

Hotte schnaubte.

»Doch«, mischte sich Nele ein, »echt.«

Hotte sah sie irritiert an.

»Die hat mir mal das Leben gerettet.«

»Dir?«

»Mir.«

Ich stand nun gleichfalls auf. »Die ist am Montag aus dem Urlaub zurück. Dann kann sie die Sache in die Hand nehmen. Sprich die Frau verhaften. Die macht das auch. Aber bis dahin müssen die Kinder in Sicherheit gebracht werden.«

»Hm.« Hotte kratzte sich nachdenklich am Kopf. »Die gehen aber mit keiner Polizistin mit, die Pänz.«

»Das ist das nächste Problem«, konzedierte ich. »Aber darüber können wir uns Gedanken machen, wenn die Frau erst mal aus dem Verkehr gezogen ist.«

Hotte war noch immer am Grübeln. »Und was is mit den Kerlen? Mit den Dreckswichsern, die den Kleinen …«

»Scheiße!«, entfuhr es Nele und mir im Duett. Daran hatten wir nicht gedacht. Es gab ja auch noch die Männer. Die Marco natürlich wiedererkennen würde. Was die sich wiederum nicht leisten konnten. Ich setzte mich wieder hin. Das Ganze wuchs mir über den Kopf. Ich hatte auch keine Ahnung, wie ich Marco beibringen sollte, dass ich wusste, was man ihm angetan hatte. Ich hatte nicht die geringste Erfahrung mit derart gequälten Kindern.

»Hörma«, ließ sich Nele wieder vernehmen, »wir müssen jetzt los, die Kiddies suchen!«

Sie hatte völlig recht. Ich versuchte, auf die Beine zu kommen.

»Was mach ich dann mit der Alten?«, fragte Hotte.

Ich wollte schon sagen, überlass das bitte der Polizistin, als ich begriff, er meinte seine Nachbarin. Und plötzlich war ich wieder klar im Kopf. Ich gab Hotte und Nele ein Zeichen, näher zu rücken, und schilderte ihnen flüsternd meine Idee. Hotte dachte kurz darüber nach und nickte dann. Nele war gleichfalls einverstanden.

Wir machten uns auf den Weg Richtung Nippeser Tälchen. »Guck!«, sagte Nele plötzlich und blieb abrupt vor dem Büdchen stehen. »Grausam verstümmelt! Lebte das Kind noch?« lautete die Headline der Bildzeitung. Wir gingen rein und kauften Express und Stadtanzeiger. Der Kinderleiche vom Niehler Hafen, erfuhren wir, hatte man alle Zähne herausgebrochen. Nun weiß jeder Krimileser, dass man anhand der Zähne die Identität von Toten feststellen kann. Und genau das wollte offenbar jemand verhindern. Wieder schoss mir Tamara durch den Kopf. Und die komische Reaktion von Grimme, als ich sie gefragt hatte, ob sie fürchte, »ihr« Mädchen könnte die Leiche sein.

Am Altenberger Hof bogen wir in den Niehler Kirchweg ab, liefen runter bis zur Wiese und dann nach rechts zum Spielplatz. Wir blieben stehen und sahen uns die Kiddies an. Unsere waren nicht dabei. Ein paar Mütter und ein, zwei Väter saßen auf den Bänken, lasen Zeitung, plauderten miteinander oder behielten einfach ihren Nachwuchs im Auge. Ein türkisches Mädchen setzte sich auf eine der Schaukeln, ihre Mutter, eine junge Frau mit Kopftuch, stieß sie an, die Kleine schwang jauchzend vor und zurück, die Mutter strahlte und sah aus, als würde sie sich selber am liebsten auf die andere Schaukel setzen. Ein nackter kleiner Junge vergnügte sich auf der Rutsche, kletterte immer wieder hoch, rutschte runter und verschluckte sich fast vor Lachen. Ein Mädchen und ein Junge bewarfen sich begeistert mit Dreck, bis ihr Vater einschritt. Ein etwas älteres Mädchen stand allein mitten auf dem Platz und weinte.

Ich wandte mich um und musterte den Parkplatz und das angrenzende Gelände. Ein paar Autos, die offenbar die Abwrackprämie verpasst hatten, gammelten vor sich hin. Ganz am Ende, zum Park hin, stand ein blauer Kleinbus mit verdunkelten Scheiben. Das machte mich stutzig. Ich konnte mir nicht vorstellen, dass die Bullen hier observierten. Was denn auch? Ich wollte gerade durch die Lücke im Zaun steigen, um das Nummernschild zu lesen. Da stieg mir von links Zigarettenrauch in die Nase. Er kam aus der kleinen Baumgruppe weiter unten. Wäre es der Geruch von Gras gewesen, hätte ich vermutlich gar nicht reagiert, ich wusste, dass die Jugendlichen zum Kiffen hierherkamen. Aber normale Zigaretten? Außerdem roch es nach Kot. Ich wusste instinktiv: Da war etwas im Busch. Im ganz wörtlichen Sinne. Neugierig, wie ich nun mal bin, trat ich näher und spähte zwischen die Äste. Chantal kniete auf dem Boden und beugte sich über Marco. Auf einem Stein lag eine angerauchte Zigarette. Bevor ich nachdenken konnte, drückte ich sie aus. Es hatte seit Tagen nicht geregnet, und das Gras war strohtrocken

Chantal sah mich erschrocken an, Marco saß da wie schockgefroren. Vollkommene Leere im Blick. Und nun erkannte ich, womit die Kinder beschäftigt waren. Chantal wischte Marcos Po ab, zu ihren Füßen lagen mehrere Blätter Klopapier voller Kot. Ich strich Chantal leicht mit dem Finger über die Schulter und sagte leise: »Kommt raus, wenn ihr fertig seid.«

Auf dem Weg stand Nele und hielt irritiert nach mir Ausschau. Ich zog sie ein Stück zur Seite und flüsterte ihr ins Ohr, was ich gesehen hatte. Sie biss sich auf die Lippen und kickte wütend eine leere Cola-Dose Richtung Parkplatz. Wir steckten uns beide eine Zigarette an und warteten. Mir fiel ein, dass ich eine Packung Tempotücher in der Tasche hatte. Schob sie zwischen den Büschen durch.

Nach einer Weile kamen die beiden heraus. Chantal hielt Marco an der Hand, die andere hatte sie zur Faust geballt. Marco, kreidebleich, hielt den Blick starr auf den Boden gerichtet. Auf seiner dunklen Jeans konnte man nichts sehen, nur der Geruch verriet, was passiert war.

Ich ging vor ihm in die Hocke und sagte: »Ich hab dich lieb, Marco. Die Nele hat dich lieb, der Hotte hat dich lieb, und die Chantal sowieso. Du musst dich nicht schämen. Schämen müssen sich die bösen Männer.« Er riss die Augen auf und wich zurück. Chantal hielt ihn fest und sah mich fragend an.

Nele hockte sich neben mich. »Wir waren beim Hotte. Grade vorhin. Ihr könnt jetzt bei ihm wohnen, also richtig da wohnen.«

Chantal schüttelte den Kopf. »Nö, das geht nicht, wegen der Kuh von gegenüber.«

»Für die liefern wir eine kleine Showeinlage«, meldete ich mich zu Wort. »Und dabei müsst ihr mitmachen, ja?«

»Was'n für 'ne Showeinlage?«

Ich erklärte es ihr. Sie grinste von einem Ohr zum anderen. Marco sah kurz hoch und gleich wieder zu Boden. Ich streckte vorsichtig die Hand nach ihm aus, er zuckte zurück. Ich musste es ihm trotzdem sagen. Schließlich nahm ich all meinen Mut zusammen.

»Marco«, begann ich leise. »Ich weiß, was mit dir passiert ist.«

Vollkommene Erstarrung.

»Ich werde dafür sorgen, dass Frau Grimme und die Männer in den Knast kommen. Und nie wieder rauskommen. Das verspreche ich dir. Und ich kann dieses Versprechen halten. Ich kenne eine Polizistin ...«

Ich merkte, dass er mir nicht zuhörte. Er begann, nach Luft zu ringen. Hyperventilierte. Geriet in heillose Panik. Chantal holte aus und schlug ihn links und rechts ins Gesicht. Ich starrte sie fassungslos an. Nele keuchte: »Ey!« Marcos Schultern fielen herunter, sein Atem beruhigte sich ein wenig. Eine Träne lief ihm über die rechte Wange.

»Das ist das Einzige, was hilft«, sagte Chantal. »Hey, Hörnchen«, flüsterte sie und strich dem Jungen sanft über die Wange. »Is gut, Hörnchen, is wieder gut.« Sie klang, als würde sie am liebsten selbst in Tränen ausbrechen. Stattdessen sah sie mich erneut fragend an. Ich nickte ihr zu. Sie verstand offenbar, was ich damit ausdrücken wollte: Dass ich ihr das später und allein erzählen würde.

»Jedenfalls«, nahm ich den Faden wieder auf, »müsst ihr euch jetzt nicht mehr draußen verstecken. Das ist auch zu gefährlich.« Ich sah Chantal intensiv in die Augen. »Lebensgefährlich.«

Sie nickte. Kluges Mädchen.

»Das heißt, wir gehen jetzt zum Hotte, und ihr bleibt da erst mal, bis diese Grimme verhaftet ist. Und ihr geht so lange bitte nicht raus. Ich meine damit: Ihr setzt keinen Fuß vor die Tür. Und wenn es läutet, macht ihr nicht auf. Okay?«

Chantal nickte erneut. Marco grub mit dem Fuß Linien in die Erde. Chantal nahm ihn an der Hand: »Komm, Hörnchen, wir gehen zum Hotte-Opa.«

Er ließ sich widerstandslos abführen. Nele hatte die ganze Zeit über kaum ein Wort gesprochen. Ich sah sie an. Sie hatte Tränen in den Augen. Tausend Fragen im Blick. Die ich auch nicht beantworten konnte.

Sie schnäuzte sich kurz und verlegen und fragte betont flapsig: »Habt ihr Picos denn keinen Hunger?«

»Doch!«, rief Chantal.

»Okay, auf was habt ihr Lust? Pizza? Sahnetorte?«

»Jaaaaa!« Chantal lachte, Marcos Augen leuchteten kurz auf.

»Gut.« Ich überlegte einen Moment, dann schlug ich vor, Nele und die Kiddies sollten im Altenberger Hof eine Cola trinken, und ich würde rasch etwas zu essen holen.

Ich marschierte los zur Neusser Straße. Auf dem Erzbergerplatz fiel mir plötzlich ein: Ich konnte die Sendung über Pflegefamilien jetzt ja gar nicht mehr machen, zumindest nicht so wie geplant. Ich rief meine Redakteurin an, bekam aber nur den AB dran. Bat sie, sich dringend bei mir zu melden, und warnte sie schon mal vor, dass ich den Sendetermin nicht einhalten konnte.

Als ich im REWE vor der Tiefkühltruhe stand, rief sie an. Ich ließ den Wagen stehen und ging raus vor die Tür. Harry, mein Lieblingsschnorrer, hielt mir den Kaffeebecher hin, ich schüttelte den Kopf, deutete auf das Handy und setzte mich auf die Bank.

»Ina«, fing ich an, »es gibt ein Riesenproblem, aber ich liefere dir zum guten Ende eine Wahnsinnsgeschichte.«

»Es ist ein bisschen schwierig, einen Sendetermin so kurzfristig zu kippen«, meinte sie ziemlich zurückhaltend.

»Ina, ich hab das in all den Jahren noch nie gemacht«, flehte ich.

»Stimmt. Entschuldige, dass ich so gereizt bin. Ich habe bloß drei Sendungen in einer Woche und weiß nicht mehr, wo mir der Kopf steht. Und grade weil du so zuverlässig bist, macht mir das jetzt erst mal Stress. Was ist denn passiert?«

Ich sagte, dass ich ihr das jetzt hier nicht erzählen könne. Dass ich aber Anfang der Woche bei ihr vorbeischauen würde.

Mein Wagen stand noch vor der Tiefkühltruhe. Ich versuchte, mich an meinen Kontostand zu erinnern, ließ es aber lieber wieder sein. Nahm zweimal Pizza Salami, zweimal Thunfisch und eine Packung TK-Asia-Wok mit Basmatireis. Für mich. Bei Merzenich holte ich Bienenstich, Erdbeertorte und ein Stück Marmorkuchen. Für den Fall, dass Hotte kein ganz so Süßer war. Anschließend lief ich noch schnell in den Schreibwarenladen, kaufte ein Klemmbrett, eine Aktenmappe, zwei Blatt loses Briefpapier, das ich in das Klemmbrett einlegte, und zwei Kölner Stadtanzeiger, die ich in die Mappe stopfte, damit sie richtig schön voll aussah.

Im Altenburger Hof ging ich erst mal auf die Toilette, kämmte mich und band mir die Haare zusammen. Inspizierte meine Kleidung und steckte schließlich das T-Shirt in die Hose, was grässlich aussah, aber für die Rolle sicher gut war.

Als wir zu viert bei Hotte einliefen, trug Nele die Plastiktüte mit dem Essen und plärrte Chantal an: »Der Opa hat kein Geld, der kann dir dat nit kaufen!«

Chantal kreischte: »Ich brauch das aber!«

Nele im schrillsten Ton: »Halt die Klappe oder ich vergess mich!«

Hotte riss die Tür auf: »Wat brüllste schon wieder mit den Pänz rum!«

Nele: »Misch du dich da nich ein!«

Hotte: »Wenn ich die haben soll ...«

Jetzt, fand ich, war ich an der Reihe: »Wenn ich mal um Ruhe bitten dürfte!« Eisig-schneidender Fürsorgetonfall. Übertreib's nicht, Leichter, sagte ich mir stumm, so sind die heute nicht mehr! In dem Moment ging die Wohnungstür gegenüber auf. Eine monumental dicke Frau um die vierzig in violetten XXL-Caprihosen sah höchst interessiert zu uns herüber, Arme vor der Brust verschränkt, Lippen zusammengepresst.

»Herr Schulz«, sagte ich und öffnete die Akte einen Spalt, »vielleicht lassen Sie uns einfach rein? Ich würde mich gerne mit Ihnen und auch mit den Wohnverhältnissen ein bisschen vertraut machen.«

»Für was das denn?«, blaffte Hotte.

»Hörma«, quengelte Nele, »das is die Frau vom Jugendamt, hab ich dir doch gesagt, jetzt lass uns ma rein, der Kleine muss Pipi!«

Hotte blieb stur in der Tür stehen und blickte mich grimmig an.

»Wenn ich Sie korrigieren darf, Frau Baldauf«, wandte ich mich an Nele, »ich bin nicht die Sachbearbeiterin im Jugendamt, sondern die Familienhelferin, die das Jugendamt für Ihre Nichte und Ihren Neffen eingesetzt hat, und ...«

»Tante Nele, ich muss auch Pipi!« Chantal presste die Beine zusammen und starrte auf den Boden. Hätte sie einen von uns angeguckt, sie hätte das Lachen vermutlich nicht mehr zurückhalten können.

»Herr Schulz«, sagte ich in einem, wie ich fand, gelungen sanftautoritärem Ton, »wir sind nicht Ihre Gegner. Wir, das heißt ich und das Jugendamt, sind auf das Wohl der Kinder bedacht. Und ich gehe davon aus, das sind auch Sie?«

Hotte ignorierte mich. Wandte sich an Chantal: »Wann geht jetzt eure Mum in die Therapie?«

»Nächste Woche.«

Nele reichte Hotte die Plastiktüte. »Da is was zu essen drin. Jetzt lass uns schon rein!«

Hotte öffnete endlich die Tür. »Und du verpiss dich!«, rief er der Nachbarin zu. »Hier gibt's nix zu sehen!«

»Dem«, tönte sie in meine Richtung zurück, »würde *ich* keine Kinder nich geben.«

Hotte ging in Kampfposition, aber Nele zog ihn in die Wohnung: »Komm, die Pänz haben Hunger!«

Nele warf sich auf das Sofa und lachte.

»Pst!«, warnte Chantal, »nicht so laut, die hört dich sonst.« Dabei sah sie so zufrieden aus wie Rosa, wenn sie mir mal wieder den Parmesan von den Spaghetti geleckt hatte.

»Und was mach ich, wenn die Kuh jetzt beim Jugendamt anruft und nachfragt, wieso die die Pänz zu mir lassen?«, fragte Hotte. »Wo ich doch kriminell bin?« Auch er hatte ein zufriedenes Lächeln in den Augen. Offenbar hatte ihm unsere Showeinlage gefallen.

»Och Hotte«, frotzelte Nele, »du bist doch 'n super Opi!«

»Halt den Rand«, gab Hotte zurück und schob zwei von meinen Pizzas in die Mikrowelle. Mehr passten nicht rein, Hotte war alleinstehend.

Chantal verschwand mit Marco im Badezimmer. Kam wieder raus, kramte in dem großen Kleiderschrank im Flur und kehrte, eine kurze Hose, ein Unterhemdchen und eine Unterhose in der Hand, ins Bad zurück. Hotte nickte traurig. Sagte schließlich: »Ich hab ihm was Wäsche gekauft. Und paar Klamotten. Das passiert ihm paarmal am Tag.« Er langte nach seinen Kippen. »Ich bring die um. Alle. Einzeln. Die Fotze und die Kerle.«

Als die Kinder wieder in das Wohnzimmer kamen, setzte sich Marco in der Ecke hinter dem Fernseher auf den Boden, Knie angezogen, Arme darum geschlungen, Augen geschlossen. Ich nahm zum ersten Mal bewusst wahr, wie dünn der Junge war. Mir fiel ein, dass ich noch nicht bei »Zartbitter« angerufen hatte. Und morgen war Samstag. Wieder hatte ich das Gefühl, dass mir das alles über den Kopf wuchs. Der Schmerz und die Verstörung des Jungen, meine Hilflosigkeit und meine Angst um ihn, meine Sorge um Chantal, diese Kinderleiche … Loslassen, sagte ich mir. Entspann dich, Leichter! Dann siehst du klarer.

Das »Pling!« der Mikrowelle riss mich aus den Gedanken. Hotte stellte den Kindern ihre Pizzas auf den Tisch und schob zwei weitere rein. Ich beschloss, meinen Asia-Wok zu Hause zu essen, ich musste noch zu viel erledigen, um hier weiter rumzuhängen.

Hotte hielt gerade irritiert die Packung hoch: »Was das denn?«

»Meins«, erwiderte ich, »das nehm ich mit.«

»Schmeckt das?«

»Ja.«

»Wo gibt's das denn? Im REWE?«

»Mhm.«

Er schien echt interessiert. Ich sagte ihm, dass ich am Samstag in der Eifel sein würde, fasste kurz noch mal zusammen, was ich vorhatte, und beschwor ihn, die Kinder nicht rauszulassen.

»Alles klar«, meinte er bloß. Schob dann aber hinterher: »Die Frau da, vom Kalle, kenn ich die?«

»Keine Ahnung. Die hat auf der Brühler angeschafft.«

»Schon wat älter?«

»Ja, die ist jetzt sozusagen in Rente.«

»Hertha ...« murmelte Hotte, »Frag se mal, ob se die Sandi kennt. Vom Eigelstein.«

»Mach ich.« Wir vereinbarten, dass ich Montag früh, gleich nachdem ich Tina Gruber erreicht hätte, wiederkommen würde.

Nele wollte noch bleiben, um die Pizza zu essen. Sagte sie. Mein Instinkt sagte mir: Es ging ihr nicht um die Pizza. Hotte war zwar an die fünfzehn Jahre älter als sie, aber nicht unattraktiv. Und ich hatte den Eindruck, dass das Interesse durchaus gegenseitig war. Ich zwinkerte ihr zu, woraufhin sie empört die Backen aufblies. Also hatte ich richtig geraten.

Ich verabschiedete mich von den Kiddies und legte Chantal kurz die Hand auf die Schulter. Marco anzufassen wagte ich nicht. Er zerfledderte die Pizza mit den Händen und schob sich riesige Stücke in den Mund, Speichel lief ihm aus dem Mund, er sah aus wie ein halb verhungertes Tier.

Zu Hause angekommen griff ich mir das Grimme-Notizbuch, ging damit in den Copyshop und kopierte alle Seiten doppelt durch. Danach setzte ich mich an den PC und schrieb eine Erklärung, in der ich berichtete, wie ich an diese Texte gekommen war. Steckte jeweils einen Pack Kopien zusammen mit der Erklärung in Umschläge, klebte sie zu, schrieb auf den einen: »Manuskript WDR« und legte ihn in die Schublade und adressierte den anderen an meine Freundin Mary. Dann holte ich den ausgehöhlten Krimi, in dem ich mein Dope bunkere, aus dem Regal. Wickelte das Original-Notizbuch in den Ausdruck der Erklärung, legte es in die Aushöhlung, klappte den Krimi wieder zu und stellte ihn zurück. Auf die Art hatten wir schon vor zig Jahren unsere Drogen versteckt, und solange die Bullen nicht mit Hunden aufgekreuzt waren, hatte es immer geklappt. Danach lief ich zur Post und gab den Umschlag für Mary als Einschreiben mit Rückschein auf.

Dann machte ich mir den TK-Asia-Wok warm und öffnete Rosa eine Dose, was mir schrilles Protestgeschrei, gefolgt von dunklem Knurren, einbrachte. Das Fertiggericht war tatsächlich essbar, aber satt wurde ich davon nicht. Ich legte die Beine auf den anderen Stuhl, zündete mir eine Zigarette an und versuchte, über Sehnsucht nachzudenken. Darüber wollte ich meine nächste Sendung machen, nach der über die Pflegemütter, aber nun musste ich sie ja vorziehen. Irgendwo, fiel mir ein, hatte ich noch den alten Wälzer von James Hilton über Shangri-La herumliegen, der doch sicher für ein paar schöne Zitate gut war. Ich fand ihn sogar, blies den Staub ab und hatte plötzlich Lust, das Buch richtig zu lesen, und nicht nur auf der Suche nach geeigneten Stellen. Ich hatte es mir vor Jahren gekauft, als ich dachte, es ginge darin um tibetischen Buddhismus. Tut es nicht, aber es ist trotzdem eine schöne Geschichte.

Als das Telefon klingelte, ging ich direkt dran, aus Angst, es könnte etwas mit den Kindern sein. Es war aber Paul, der wissen wollte, wann er am Samstag vorbeikommen sollte. Und plötzlich wusste ich, ich brauchte jede Hilfe, die ich kriegen konnte.

»Paul«, sagte ich, »kann ich bei dir vorbeikommen? Jetzt gleich? Ich muss dir etwas erzählen, es ist wirklich wichtig, und ich brauche deine Hilfe.«

»Was ist passiert?«, fragte er alarmiert.

Mein großer Bruder unterstellt mir seit meinem sechzehnten Geburtstag, dass ich alle mögliche Scheiße baue und mich damit in die Bredouille bringe. Was ja, zugegeben, oft genug der Fall war. Aber inzwischen bin ich erwachsen. Und Dharma-Praktizierende. Was Paul allerdings nicht für etwas Seriöses hält.

»Es geht nicht um mich«, versuchte ich ihn zu beruhigen.

»Geht es um deine Junkie-Freundin?«

»Sie heißt Nele«, fauchte ich. »Und mit ihr ist alles in Ordnung. Kann ich jetzt kommen oder nicht?«

Er gewährte mir einen Termin. Ich holte den Krimi mit dem Grimme-Notizbuch wieder aus dem Regal, steckte ihn in den Rucksack und machte mich auf den Weg. In Pauls Anwaltspraxis gibt es einen Safe. Ich habe keine Ahnung, was er darin aufbewahrt, denn er hat kein Geld, geschweige denn Wertpapiere. Mal abgesehen davon, dass er für die inzwischen keinen Safe mehr bräuchte. Aber mein brisantes Fundstück wäre darin sicherer aufgehoben als in meiner Wohnung. Seit die im letzten Winter durchsucht wurde, bin ich vorsichtig geworden.

Auf dem Rückweg kaufte ich einen Teddy. Fuhr bei Hotte vorbei und hatte Glück, er war da.

»Ich hab was für Marco«, sagte ich.

»Komm rein, magste 'n Kaffee?«

Ich schüttelte den Kopf und folgte ihm ins Wohnzimmer. Die Kinder sahen sich einen Zeichentrickfilm an. Sie trugen neue Klamotten und wirkten, als kämen sie gerade aus der Dusche. Was vermutlich auch der Fall war. Chantal hatte die nassen Haare glatt nach hinten gekämmt, an Marcos Wuschelkopf hatte sich offenbar Hotte als Friseur versucht. Er selbst wirkte auch irgendwie frisch gewaschen und gebügelt. Das Ganze roch nach: Wir fangen jetzt ein neues Leben an. Ich setzte mich neben die Kids auf das Sofa und hielt Marco den Teddy hin.

»Guck, der ist für dich!«

Marco rührte sich nicht. Betrachtete schweigend das Geschenk, wandte sich dann wieder dem Fernseher zu. Ich war enttäuscht. Ich hatte so sehr gehofft, ich könnte ihm eine Freude machen. Also setzte ich den Teddy auf das Sofa und bog seine Beinchen zurecht.

»Ich lass ihn einfach hier, ja? Er gehört jetzt dir.«

»Kann ich 'ne Kippe haben?«, fragte Chantal, ohne die Augen von der Mattscheibe zu lösen.

»Ist das 'ne Macke von dir?«, fragte ich zurück.

»Wieso?« Jetzt gönnte sie mir doch einen Blick.

»Weil du mich immer wieder danach fragst. Okay, ich hab dir mal 'ne Zigarette gegeben, aber das war 'ne extreme Ausnahmesituation. Du bist zwölf, Chantal. Rauchen ist sowieso scheiße. Aber in deinem Alter ist es richtig schlimm. Weil du noch wächst. Weil sich bei dir alles noch entwickelt. Und das wird durch das Nikotin behindert.«

Sie verdrehte die Augen gen Himmel.

Ich wollte gerade aufstehen, da griff Marco nach dem Teddy. Nahm ihn vorsichtig mit beiden Händen hoch. Hielt ihn sich an die Wange. Rieb die Wange ein wenig an dem weichen Plüsch.

Dann warf er ihn auf den Boden, beugte sich über ihn und sagte mit einer seltsam hohen Stimme: »Der Teddy ist böse. Der Teddy muss bestraft werden!«

Chantal setzte sich ruckartig auf. Hotte zog die Luft ein.

Marco stieß ein schrilles hämisches Gelächter aus. »Der Teddy muss seeehr bestraft werden!« Er zog die Beine hoch, als wollte er vermeiden, dass seine Füße den Teddy berührten.

Und plötzlich kam eine Erinnerung in mir hoch, erst unscharf, dann immer deutlicher. Der kleine Walter war bei uns an seinem Geburtstag. Meine Mutter hatte ihm einen Teddybären geschenkt. Walter hatte sich artig bedankt, den Teddy mit den Armen umschlungen und an sich gedrückt. Dann hatte er ihn vor sich hingelegt und mit den Fäusten auf ihn eingeschlagen. »Was machst du denn, Jungchen!«, hatte meine Mutter entsetzt gerufen. »Der Teddy ist böse«, hatte Walter ihr ganz ernsthaft erklärt, »er muss bestraft werden.« Dann hatte er weiter auf das Plüschtier eingeprügelt.

Ich lehnte mich zurück und schloss für einen Moment die Augen. Und nun fiel mir auch wieder ein, wie meine Mutter damals reagiert hatte.

Ich setzte mich auf den Boden, nahm den Teddy in den Arm, streichelte ihn, drückte ihn an meine Brust, wiegte ihn und sagte schließlich leise: »Der Teddy ist nicht böse. Der Teddy ist überhaupt nicht böse. Der ist lieb, genau wie der Marco. Der Marco ist auch nicht böse. Der Marco ist ein ganz wunderbarer Junge. Den wir sehr lieb haben. Die Chantal hat den Marco total lieb und der Hotte und die Nele und ich auch.«

Dann setzte ich den Teddy wieder auf das Sofa, ein Stückchen von Marco entfernt. Chantal langte nach ihm und strich ihm kurz über das Gesicht. Murmelte etwas, das ich nicht verstehen konnte. Dann warf sie mir einen extra bösen Blick zu.

»Und dich hab ich auch total lieb, du dumme Nuss«, sagte ich, so cool ich es rausbrachte.

Sie zuckte die Schultern. Dann grinste sie plötzlich breit und flötete: »Kann ich ‘ne Kippe haben?«

Ich grinste zurück. Und hörte Marco kichern. Wir sahen ihn alle drei fassungslos an. Der Kleine hatte den Teddy an sich gedrückt, gluckste vergnügt und sagte schließlich, an niemand Bestimmten gerichtet: »Kann ich ‘ne Kippe haben?«

NEUN

Ich wäre gern schon nach dem Kaffee zurück nach Köln gefahren, ich wollte nach Hause, genauer gesagt: Ich wollte nach den Kindern sehen. Aber die Jungs und meine Eltern mussten unbedingt noch eine Partie Rommé spielen. Und dann noch eine, wegen der Revanche. Und so weiter. Und dann meinte meine Mutter, wir könnten doch noch in Ruhe zu Abend essen. Vor der langen Fahrt! Ich verfluchte sie innerlich, aber mein Liebster und Bruderherz nahmen das Angebot dankend an. Klar, sie hätten sonst ja glatt verhungern können. Ich versuchte, Nele zu erreichen, bekam aber immer nur die Mailbox dran. Hinterließ eine Nachricht und schrieb ihr sicherheitshalber noch eine SMS. Dann versuchte ich es bei Hertha. Ließ es zehnmal klingeln und gab schließlich auf. Um neun Uhr abends fuhren wir endlich los. Ich hatte zu Hause noch immer niemanden erreicht. Langsam wurde mir mulmig. Ich sagte mir, wenn etwas passiert wäre, hätten Nele oder Hertha ja schließlich mich angerufen. Trotzdem wurde ich immer nervöser.

Als wir auf die Autobahn abfuhren, klingelte endlich mein Handy. Eine äußerst vergnügte Nele teilte mir mit, sie, Hertha und die Kids hätten sich bei Hotte »Herr der Ringe – Teil 1« angeguckt. Und beschlossen, morgen mit »Herr der Ringe – Teil 2« weiterzumachen. Ob ich dann dazukommen wollte?

Warum nicht, dachte ich, das würde mir vermutlich guttun.

»Meinste, Stefan passt auch noch auf Hottes Sofa?«, fragte ich.

»Guckt der so was?«, lästerte Nele.

»Auch ambulante Betreuer von illegalen Drogen müssen sich manchmal ablenken«, lästerte ich zurück.

Stefan sah mich irritiert an. Er ist Drogentherapeut und außerdem Betreuer im ambulant betreuten Wohnen für Menschen im Methadon-Programm. Sprich im »Bereich illegale Drogen«. Ambulant betreutes Wohnen gibt es nämlich auch noch für Leute mit anderen Problemen. Ich komme mit dieser Amtssprache bis heute nicht klar und ziehe ihn immer damit auf. Normalerweise kann er mitlachen, aber wenn ich vor potenziellen Klienten oder in diesem Fall Klientinnen darüber spotte, reagiert er schon mal zurückhaltend. Also erklärte ich ihm, worum es ging, und zu meiner Erleichterung sagte er sofort zu.

Ich gab die frohe Botschaft an Nele weiter, bat sie aber sicherheitshalber, Hotte anzurufen und zu fragen, ob er damit einverstanden sei. So groß war seine Bude nun auch wieder nicht.

»Hörma!«, rief Nele, aber sie meinte nicht mich. Sie sprach mit Hotte, der offenbar neben ihr saß. Oder lag? Wie auch immer, wir waren für den Sonntagnachmittag zum DVD gucken verabredet. Und ich freute mich drauf.

Ich wurde davon wach, dass jemand mich rüttelte. »Katja, mach schon, wach auf!«

Ich schlug die Augen auf und sah einer blassen, ungeschminkten Nele in die Augen.

Sofort saß ich aufrecht im Bett.

»Was ist?«, murmelte mein Liebster, wälzte sich auf die andere Seite und drückte sich das Kissen auf das Ohr.

»Diese Grimme hat einer kaltgemacht.«

»Was?«

Nele erhob sich von meiner Bettkante und herrschte mich an: »Jetzt steh endlich auf!«

»Was ist denn mit dir los?«, brummte Stefan, zog sich die Bettdecke ans Kinn und musterte Nele mit einem empörten Blick.

Ich konnte mich noch immer nicht rühren. »Woher weißt du das?«

Nele steckte sich eine Kippe an. Normalerweise herrscht in meinem Schlafzimmer Rauchverbot, und daran halte ich mich auch. Sogar was die Zigarette danach betrifft. Ich machte mir noch nicht einmal jetzt, nach dieser unglaublichen Nachricht, eine an. Stefan allerdings schockierte Neles Regelbruch so sehr, dass er sich aufsetzte, sich das T-Shirt überzog, auf dem Boden nach seiner Jeansjacke tastete, seine Zigaretten herauszog und sich eine in den Mund steckte. Ich nahm sie ihm wieder weg.

»Hier wird nicht geraucht«, sagte ich drohend, den Blick auf Nele gerichtet. Die mich einfach ignorierte.

»Der Hotte hat mich angerufen, ob ich den Express gelesen hätte. Da steht drin, eine Pflegemutter in Lindenthal wär grausam ermordet worden. Und eines ihrer Pflegekinder, ein zehnjähriger Junge, wär abgängig. Und daneben ist ein Foto vom Marco.«

»Ich mach mich gleich fertig, und dann gehen wir zu Hotte«, murmelte ich und kroch mehr, als dass ich ging, ins Badezimmer. Während ich Katzenwäsche machte, überlegte ich, was das alles zu bedeuten hatte. Und was ich jetzt tun sollte. Als ich in die Küche kam, gab es Tee für mich und Kaffee für Stefan, Nele und Hertha, die inzwischen auch bei mir eingelaufen war. Auf dem Boden stand ein Schälchen Milch für Rosa. Ich nickte Hertha dankbar zu.

Wir hielten Kriegsrat. Nele, die der Polizei grundsätzlich nur Schlechtes zutraut, ging davon aus, dass sie Marco für den Mörder hielten.

»Doch nich 'n Kind!«, wandte Hertha kopfschüttelnd ein. »Das is doch Quatsch!« Sie rieb sich schon wieder das Knie, das offenbar immer noch schmerzte. Stefan meinte, wir müssten nun doch die Polizei verständigen.

»Nein«, widersprach ich, »es hat keinen Sinn, wenn jetzt irgendein Bulle vorbeikommt und den Jungen noch panischer macht. Morgen ist Tina Gruber zurück, so lange können wir warten.«

»Kommt ihr jetzt endlich!« Nele stand schon in der Tür. Stefan musste zum Eifeltor, er sollte bei der Wochenendvergabe aushelfen. Hertha erhob sich schwerfällig.

»Ich leg mich mal lieber was hin, mit dem Knie«, verkündete sie und zwinkerte mir zu.

Ich zwinkerte zurück. Ich hatte Hertha letzten Winter mit der schmerzlindernden Wirkung bekannt gemacht, die Cannabis auf Rheumaattacken hat. Seither schätzt sie eine gute Tüte. Nicht nur, wenn die Knie Probleme machen. Nele zuliebe hatte sie sich allerdings ziemlich zurückgehalten, denn Nele sollte nicht kiffen, und Hertha wollte sie nicht in Versuchung führen. Zumindest nicht allzu häufig.

Hotte führte uns in die Küche. Wir hatten uns auf dem Weg den Express geholt und den kurzen Artikel gelesen: »Mord in Lindenthal«, verhieß die Schlagzeile. Darunter ein körniges, schlechtes Foto von Marco, auf dem er wie ein Sechsjähriger aussah und den

Kopf von der Kamera wegdrehte. Erkennen würde ihn danach jedenfalls niemand, stellte ich erleichtert fest. Auch die Bildzeile war beruhigend: »Marco – lebt er noch?« Neles Verdacht war allem Anschein nach unbegründet. Der Text war kurz, vermutlich war die Presse erst bei Redaktionsschluss informiert worden.

»›Es war ein schrecklicher Anblick‹, berichtet einer der Polizisten, die am gestrigen Nachmittag die Leiche der 37-jährigen Maria G. in einem Einfamilienhaus in Lindenthal fanden. Die Frau, die mit mehreren Messerstichen getötet wurde, war eine beliebte und angesehene Pflegemutter, teilte uns ein Mitarbeiter des Jugendamtes mit. Zuletzt lebte nur ein Junge bei ihr, der zehnjährige Marco M., der in dem Haus nicht aufgefunden wurde. Die Polizei hat die Suche nach dem Jungen eingeleitet.«

»Wo sind die Kiddies?«, fragte Nele.

»Ich hab den Marco ins Bett gepackt«, antwortete Hotte. »Der war völlig fertig. Ich hab ihm gesagt, die kann dir jetzt nix mehr tun, aber irgendwie hat den das überhaupt nicht beruhigt. Er hat wieder das volle Programm abgespult … Und die Chantal, die is mit ihm mit. Die is der einzige Mensch, der den Kleinen beruhigen kann.« Hotte sah mich kurz an, dann ließ er erschöpft die Schultern sinken. Er wirkte ziemlich überfordert.

»Morgen kommt die Polizistin, die ich kenne, aus dem Urlaub zurück«, sagte ich, »dann sehen wir weiter.«

»Kann die zu dir kommen?«, fragte Nele zweifelnd.

Hotte warf ihr einen langen Blick zu. Dann erzählte er in knappen Worten, er habe das, was er »gerade am Laufen« hätte, aufgegeben. Der Kleine sei nun mal wichtiger. Jedenfalls sei er gerade sauber. – Und die Wohnung auch, fügte er hinzu.

»Du bist ja echt 'n Schatz«, jubelte Nele.

»Davon kann ich nich leben«, knurrte Hotte.

Nele wollte noch wissen, ob er einen Haftbefehl ausstehen habe, was er verneinte. »Dann können die Kiddies ja bei dir bleiben.« Es war keine Frage, sondern eine Feststellung.

»Ich hab keine Frau, die sich drum kümmern kann«, protestierte Hotte.

»Für was brauchste denn 'ne Frau?«, erwiderte Nele. »Du hast doch nix zu tun, da kannste dich doch selber um die Pänz kümmern. Und die Chantal is ja schon groß.«

»Wenn man von der Sonne spricht, kommt sie gelaufen«, ging ich dazwischen. Hotte wurde nämlich zunehmend grantiger.

Chantal stand in der Tür und schaute verwirrt von einem zum andern. Sie wirkte müde, biss sich auf die Unterlippe und lehnte sich erschöpft an die Wand. »Dem Pico geht's echt scheiße.«

Ich bot ihr meinen Stuhl an, sie nahm ihn an. »Gibste mir 'ne Kippe?«

Ich schwankte noch, was ich tun sollte, da drohte Nele: »Wenn sie dir keine abgibt, drehste dir eine von meinen.«

Ich gab klein bei, hatte aber ein schlechtes Gewissen. Das Mädchen war zwölf!

Hotte stellte ihr eine Flasche Cola hin, die sie fast in einem Zug austrank.

»Magste jetzt trotzdem den Film gucken?«, fragte er und fuhr ihr liebevoll durch die Haare. Sie sah zu ihm hoch, und ich bemerkte, dass sie Tränen in den Augen hatte. »Komm«, sagte Hotte und nahm ihre Hand. Sie ließ sich von ihm hochziehen und folgte ihm ins Wohnzimmer. Hotte legte die DVD ein, setzte sich neben Chantal und legte den Arm um sie. Sie lehnte sich gegen ihn und schloss die Augen. Hotte drückte ihr die Fernbedienung in die Hand. Einen Moment lang zögerte sie, dann drückte sie auf Start.

Ich hatte keine Lust mehr auf »Herr der Ringe«, und ich wollte vor allem die beiden allein lassen. Ich gab Nele ein Zeichen, signalisierte Hotte, ich würde ihn anrufen, dann machten wir uns aus dem Staub.

Spät am Abend rief Hotte mich an und fragte, ob ich zu ihm rüberkommen könnte. Ich saß immer noch am PC und arbeitete, denn irgendwie musste ich ja trotz des ganzen Schlamassels Geld verdienen. Ich hätte gerne weitergemacht und mich dann ins Bett gelegt. Aber das war mir wohl nicht vergönnt. Wenigstens hatte ich schon in aller Ruhe meine Praxis gemacht. Die war in den letzten Tagen auch zu kurz gekommen. Ich hatte Tara, meine Meditationsgottheit, um Inspiration gebeten. Erst mal war nichts gekommen, aber das kannte ich. Und als ich gerade rohe Leber für Rosa aufschnitt, stiegen zwei Gedanken in mir auf: »Ehrlich bleiben!« und »Achtsam sein!«. Ich muss gestehen, dass mir das gerade nicht wirklich in den Kram passte. Achtsam sein, okay, das ist immer gut und hilfreich. So viel habe ich in all den Jahren meiner Praxis nicht nur begriffen, sondern auch ganz praktisch erfahren. Aber das mit der Ehrlichkeit ist ein Problem. Ich habe eine ziemlich wilde Vergangenheit, und Lügen gehörte sozusagen zu meinem Überlebensrepertoire. Deshalb tendiere ich heute noch dazu, Storys zu erzählen, wenn ich denke, die Wahrheit könnte ich mir gerade nicht leisten. Ich habe mich damit schon in Teufels Küche gebracht und oft genug erlebt, dass mit der schlichten Wahrheit alles einfacher gewesen wäre. Aber manches sitzt halt tief. Tara wusste also sicher ganz genau, warum sie mir diese Inspiration zukommen ließ.

Hotte bot mir ein alkoholfreies Bier an, was mich so sehr verblüffte, dass ich vergaß, mich zu bedanken. Er trinke kein echtes mehr, sagte er, er versuche gerade, vom Alkohol wegzukommen. »Der tut mir nicht gut«, meinte er. Ende des Kommentars.

Plötzlich sah er mich prüfend an und fragte, ob ich etwas rauchen wollte. Ich zögerte einen Moment, entschied mich dann aber für einen klaren Kopf. »Is auch besser«, stimmte Hotte mir zu und öffnete die Flaschen. Wir nahmen beide einen Schluck, er legte sein Tabakpäckchen auf den Tisch, ich hielt ihm meine Schachtel hin, er schüttelte den Kopf und drehte sich eine. Nachdem er mir Feuer gegeben hatte, war kein Ritual mehr übrig, mit dem er sich vor dem Reden drücken konnte. Er nahm noch einen langen Zug, dann räusperte er sich.

»Ich tät die Picos ja nehmen«, fing er an und legte dann eine Pause ein. »Aber die geben mir die nicht. Ich bin vorbestraft. – Und nicht bloß einmal«, fügte er mit einem schiefen Grinsen hinzu.

Er hatte die beiden Kinder im Heim besucht, erzählte er, bis man ihm eines Tages mitgeteilt hatte, er habe ab sofort Besuchsverbot. Warum, das hatte im niemand erklärt, aber er hatte sich seinen Reim darauf gemacht. Danach hatte er Chantal heimlich nach der Schule getroffen. Und dann hatte sie ihm eines Tages völlig verzweifelt erzählt, sie hätten Marco in eine Pflegefamilie geschickt.

»Die haben ihr gesagt, sie hätte einen schlechten Einfluss auf ihren kleinen Bruder. Das musste dir mal reintun!« Er schüttelte den Kopf. Eher resigniert als wütend. Jemand wie Hotte traut dem Jugendamt und Co ohnehin nur Schlechtes zu. »Die haben so getan, als wär die Chantal schuld dran, dass der Kleine so bockig war. Der hat nämlich mit keinem geredet außer mit der Chantal. Der braucht ʻne gezielte Förderung, haben sie ihr gesagt, und die könnte er im Heim so nicht kriegen. Und die Chantal, die wollte selber ums Verrecken in keine Pflegefamilie rein.« Er sah mich erneut prüfend an. »Das is ʻne Wilde. Die is im Heim gut zurechtgekommen. Aber wie der Kleine weg war, da is die ständig ausgebüxt. Da war die auch viel bei mir.« Neuer Blick. Als müsste er immer noch einschätzen, ob ich vertrauenswürdig war. Ich ahnte, dass er jetzt endlich zum Kern der Geschichte kam.

»Sie hat mir erzählt«, fuhr er schließlich mit gesenkter Stimme fort, »dass sie sich manchmal nach der Schule heimlich mit dem Marco getroffen hat. Und der ist immer komischer geworden. Die hat sich tierisch Sorgen gemacht um den Kleinen. Aber er hat ihr nie gesagt, was ist. Und immer, wenn sie gesagt hat: ›Komm, wir gehen zum Jugendamt, die sollen dich da rausholen‹, dann is der voll abgedreht.«

Am vorletzten Schultag, berichtete Hotte weiter, hatte Chantal mit Marco vor seiner Tür gestanden.

»Die hat mir den Pico in die Wohnung reingeschoben und is los, sich ein paar Sachen ausm Heim holen. Und wie sie wieder zurück war, hat sie mir erklärt, dass sie beide nicht mehr zurückgehen. Sie nicht ins Heim und der Marco nicht zu der Pflegefamilie. Und dass sie jetzt auf den Marco aufpasst.«

Später hatte sie Hotte erzählt, was geschehen war: Marco hatte gesagt, er könne sich in den Ferien nicht mehr mit ihr treffen. Dabei hatte er, laut Chantal, ausgesehen »wie einer, der sich gleich vor die Bahn wirft«. Sie hatte ihm erklärt, dann würden sie jetzt zusammen abhauen. Sie würde auf ihn aufpassen, damit ihm nichts mehr passieren könnte. Er hatte stocksteif dagestanden und keinen Laut von sich gegeben. Sie hatte ihn schließlich an die Hand genommen und gesagt: »Komm, Hörnchen, wir gehen jetzt zum Hotte-Opa.« Und er war mit ihr mitgegangen.

Die Küchentür öffnete sich, und Chantal sah uns misstrauisch an. »Was machst du hier?«, fragte sie in meine Richtung.

»Wir unterhalten uns, junge Frau, dat siehste doch«, erwiderte Hotte.

»Kann ich mir noch eine drehen?«

»Du hast sie ja nich mehr alle! Ab in die Heia!«

Chantal streckte ihm die Zunge raus, trollte sich aber wieder.

»Wo schlafen die eigentlich?«, fragte ich.

»Im Bett«, antwortete Hotte verlegen. »Ich schlaf aufm Sofa. Da passen die zu zweit nich drauf.« Hottes Sofa war, soweit ich das hatte sehen können, kein Ausziehsofa. Und es fühlte sich auch nicht wirklich bequem an. Meine Achtung vor ihm stieg.

Ich hatte gehofft, er würde mir noch mehr erzählen, aber das konnte er nicht. Er wusste nicht mehr. Und ging davon aus, dass auch Chantal nicht mehr wusste. Wir besprachen noch, wie wir am nächsten Tag verfahren sollten, sobald ich Tina Gruber erreicht hätte. Sie könne zu ihm kommen, meinte Hotte – »aber alleine. Ich hab kein' Bock aufn Pack Bullen in der Wohnung.«

Das konnte ich ihm gut nachfühlen. Auf dem Heimweg drehte ich noch eine Runde um den Block, zur Belohnung schlief ich dann auch sofort ein.

ZEHN

Als der Wecker um sechs Uhr klingelte, bereute ich die guten Vorsätze, die ich auf dem Nachhauseweg gefasst hatte, zutiefst. Ich war hundemüde. Also beschloss ich, die Meditation auf den Mittag zu verschieben oder auf wann auch immer ich die Sache mit Tina Gruber und den Kindern hinter mich gebracht hätte. Ich stellte den Wecker auf sieben und drehte mich auf die andere Seite. Eine Stunde später fühlte ich mich kein bisschen munterer, aber nun musste ich raus, ob ich wollte oder nicht.

Rosa war auch dieser Ansicht. Sie lief mir zwischen die Beine und schnurrte und maunzte abwechselnd. Ich machte ihr das Essen zurecht, gab ihr ein Schälchen mit frischem Wasser, machte das Katzenklo sauber und stieg dann unter die Dusche. Da ich mich angesichts der Komplikationen, die mir bevorstanden, sicher und vor allem selbstsicher fühlen wollte, wusch ich mir auch noch die Haare. Ich schminkte mich sogar ein wenig und zog mein schönstes T-Shirt und den schwarzen Leinenrock an. Als ich mich anschließend im Spiegel betrachtete, kam ich mir so verkleidet vor, dass ich den Rock wieder aus- und stattdessen Jeans anzog.

Ich verrichtete meine Gebete, bat Tara, mir heute ganz besonders beizustehen, Tina Gruber mit Weisheit auszustatten und Marco und Chantal zu beschützen. Dann machte ich noch einundzwanzig statt meiner üblichen dreizehn Niederwerfungen. Danach fühlte ich mich gestärkt für was auch immer auf mich zukommen mochte. Nach dem Frühstück ging ich an den Schreibtisch und machte mich an die Rechenaufgabe, die ich mir vorgenommen hatte. Das Honorar für mein letztes Feature war gerade – endlich! – auf meinem Konto eingetrudelt. Und der jährliche VG-Wort-Scheck musste dieser Tage ankommen. Über dieses Geld freue ich mich jedes Mal wieder, und jedes Mal wieder staune ich darüber, dass es mir zuteilwird. Ich bin es nämlich nicht gewohnt, etwas zu bekommen, ohne dass ich mich dafür anstrenge. Womit ich jetzt ausschließlich Geld meine. Ansonsten fühle ich mich ziemlich privilegiert. Ich habe seit einem guten halben Jahr einen Liebhaber, der in derselben Stadt wohnt, in vielem auf derselben Wellenlänge mit mir ist, kein Macho ist und trotzdem ein gestandenes Mannsbild. Eine höchst seltene Kombination, wie ich aus Erfahrung weiß. Ich habe wunderbare Freundinnen, auf die ich mich jederzeit verlassen kann. Ich habe einen großartigen Lehrer und die Dharma-Praxis, die er mich lehrt und die es mir langsam, aber zunehmend erleichtert, mit mir selbst und meiner Umwelt klarzukommen. Ich habe meinen Stubentiger oder besser gesagt meine Stubentigerin, die zärtlich an meinem Finger nagt und sich in meine Kuhle kuschelt, wenn ich mal wieder an der Welt verzweifle. Ich habe super klasse Eltern und einen großen Bruder, den ich manchmal in den Boden stampfen könnte, der mir aber notfalls immer aus dem Schlamassel hilft. Und ich habe einen Beruf, den ich über alles liebe, auch wenn es mir noch immer nicht gelungen ist, damit ausreichend Geld zu verdienen. Was will ich also bitte mehr?

Mir wären da schon noch ein paar Sachen eingefallen, Urlaub zum Beispiel oder ein neuer Schreibtischstuhl, aber ich hatte gerade überhaupt keine Zeit für irgendwelche Überlegungen in diese Richtung. Ich musste meine Groschen zusammenhalten. Was ich auch tat. Dabei kam ich zu dem Schluss: Wenn das VG-Wort-Honorar in etwa so hoch ausfiel wie letztes Jahr und wenn meine Redakteurinnen wenigstens zwei der Themenvorschläge, die ich ihnen gemacht hatte, annahmen, dann konnte ich es mir leisten, mich jetzt ausschließlich auf die Grimme-Geschichte zu konzentrieren. Und mich gleichzeitig ein wenig mit um die Kiddies zu kümmern.

Inzwischen war es halb neun, ich würde Tina Gruber also nicht aus dem Bett schmeißen, wenn ich es jetzt bei ihr versuchte.

Sie saß im Auto und war auf dem Weg zum Waidmarkt. »Hallo Tina«, sagte ich, »hier ist die Katja. *You remember?*«

Sie lachte. »Yeah! Wie könnte ich dich vergessen?«

»Hör mal«, fuhr ich fort, »ich würde dich gerne fragen, wie der Urlaub war und wie es dir geht. Aber ich muss etwas ganz schrecklich Wichtiges mit dir besprechen. Es geht um ein Kind. Das möglicherweise in Lebensgefahr ist.«

»Ich muss jetzt erst mal zur Arbeit«, erwiderte sie, »aber ich könnte heute Abend bei dir vorbeifahren.«

»Geht nicht. Es muss gleich sein.«

»Okay, schieß los.«

Ich versuchte ihr, so knapp es mir möglich war, die Situation zu schildern.

Als ich fertig war, sagte sie nur: »Um Gottes willen.« Und nach einer Pause: »Ich muss erst mal mit den Kollegen reden. Ich hab gestern im Flugzeug eine kurze Meldung über den Mord an der Frau gelesen, aber ich weiß noch nicht, wer von uns das bearbeitet. Ich melde mich wieder, sobald ich kann.«

Ich hörte, wie sie herunterschaltete und stehen blieb. »Ich bin jetzt da, Katja. Wo kann ich dich erreichen?«

»Ich hab das Handy an.«

Ich schwang mich aufs Rad, raste zu Paul, holte mir Grimmes Notizbuch und strampelte wie eine Verrückte wieder zurück. Als ich es gerade, völlig außer Atem, in meinen Bunkerplatz hinter den Dope-Vorrat schob, rief Tina Gruber an. Ob sie mit einem Kollegen vorbeikommen könnte. Ich sagte ihr, zu mir ja. Aber falls sie mit Marco sprechen wollte, nein. Das müsse sie allein machen. Andernfalls würde ich ihr nicht sagen, wo der Junge steckte.

»Das ist Behinderung einer polizeilichen Ermittlung, Katja. Und das ist strafbar.«

»Kann schon sein, Tina Gruber. Dann musst du mich eben bestrafen.«

»Katja, ich weiß, wie stur du sein kannst. Aber überlass so eine schwerwiegende Geschichte bitte der Polizei. Wir sind die Profis.«

»So habe ich euch aber gar nicht in Erinnerung.« – Damit machte ich sie erst mal mundtot. Die Polizei hatte in der Geschichte, die uns beide im Winter zusammengebracht hatte, keine allzu gute Rolle gespielt.

Ich hatte gerade eingehängt, da klingelte mein Telefon.

»Ich habe Post von dir bekommen«, sagte Mary. Mary ist eine meiner liebsten und wichtigsten Freundinnen, und sie hat Nele und mir das Leben gerettet.

»Hast du die … äh … das Manuskript gelesen?«

»*Wish I had not*. Was unternimmst du in dieser Sache?«

Marys Deutsch ist so gut wie perfekt, aber wenn sie sehr wütend oder auch sehr glücklich ist, drückt sie sich ein wenig umständlich aus. Ich überlegte, wie offen ich am Telefon sein konnte. Kam zu dem Schluss, dass Tina mich höchstwahrscheinlich nicht würde abhören lassen. Und sonst war, soweit ich wusste, niemand daran interessiert, mit wem ich worüber sprach.

»What the fuck are ya goin' to do?«

Ich hatte wohl ein wenig zu lange geschwiegen. Brachte nun Mary auf Stand. Woraufhin sie nun eine ganze Weile nichts mehr sagte. Ich wartete.

»Can I help?«

Wenn Mary ihr Deutsch völlig vergisst, ist es ihr sehr ernst.

»Kann gut sein«, antwortete ich. »Ich weiß noch nicht, wie, aber ich melde mich, sobald mir etwas einfällt. Jetzt bitte ich dich nur darum, die Kopien gut für mich aufzubewahren.«

»Ich könnte die Kinder Kung-Fu lehren.«

Das war ein genialer Vorschlag. Ich weiß schon, warum ich Mary so liebe, obwohl sie eine steinreiche kalifornische Prinzessin ist. Ich erklärte ihr, dass Marco vermutlich erst einmal eine andere Art von Hilfe benötigte. Dass Chantal aber garantiert begeistert wäre. Und eine gute Schülerin.

Danach rief ich Ina an und erzählte ihr die Grimme-Marco-Geschichte. Auch ihr verschlug es die Sprache. Ich sagte ihr, dass ich mich weiter um die Kiddies kümmern und das Ganze aber auch, soweit das ging, dokumentieren wollte, um ein Feature daraus zu machen. »Ich kann dir überhaupt nicht sagen, was genau das werden wird, und schon gar nicht, wann ich damit fertig bin. Aber ich wäre sehr, sehr froh, wenn du mir dafür grünes Licht geben könntest.«

Sie würde es in die Konferenz einbringen, antwortete sie, könne mir aber jetzt schon den Auftrag dazu geben. »Da wird keiner dagegen sein. Und bitte lass es mich wissen, wenn ich den Kindern irgendwie helfen kann.«

Ich machte meine Qigong-Übungen und dann noch die eine Kung-Fu-Kata, die Mary mir beigebracht hatte. Wenn Fräulein Gruber jetzt nicht bald hier auftaucht, kann sie was erleben, schimpfte ich wütend vor mich hin. Dann rief ich mich zur Räson. Dass sie sich so lange Zeit ließ, verhieß nichts Gutes. Möglicherweise waren ihre Vorgesetzten nicht damit einverstanden, dass sie allein mit mir sprach. Und dass sie mich nicht gezwungen hatte, zu sagen, wo Marco steckte. Im Gegensatz zu Tina wussten die Herren ja nicht, dass man mich zu nichts zwingen kann. Gut, dachte ich, dann mache ich jetzt eine Metta-Session für Marco. Ich entzündete ein Räucherstäbchen und ein Teelicht und setzte mich vor meinen Altar. In dem Moment läutete es an der Tür. Ich sprang auf und dachte gerade noch daran, die Kerze auszublasen.

Tina wirkte irgendwie schüchtern. Wir hatten uns lange nicht mehr gesehen, aber jetzt, wo ich ihr gegenüberstand, spürte ich wieder die Herzlichkeit, die ich damals für sie empfunden hatte. Ich ignorierte ihre ausgestreckte Hand und umarmte sie.

»Sag wenigstens kurz, ob du einen guten Urlaub hattest!«

»Ja, danke, ich hab mich super erholt.«

Sie war braun gebrannt und hatte ein ziemlich entspanntes Gesicht. Aber in ihren Augen lagen Besorgnis und Wut.

»Zeig mir doch erst mal dieses Notizbuch.«

Ich führte sie in die Küche. »Ich gehe es holen. Magst du schon mal Wasser aufsetzen?«

Ich reichte ihr das Büchlein, und in dem Moment wurde mir klar, wie hirnverbrannt blöd ich gewesen war. Aber jetzt war es zu spät. Ich glaube, ich bin sogar rot geworden.

Tina schnüffelte ostentativ, dann sagte sie, triefend vor Ironie: »Das riecht aber interessant!«

Sie zog sich Handschuhe an, bevor sie das Notizbuch anfasste. Las konzentriert, während ihr ganzer Körper sich zusehends anspannte. Eine Weile sagte sie gar nichts. Dann fragte sie mit einer leicht kratzigen Stimme: »Sind außer deinen noch andere Fingerabdrücke drauf?«

»Ja, die von Grimme, nehme ich an.«

»Nein, ich meine, hat das jemand in der Hand gehabt, nachdem sie es bei dir versteckt hat?«

Ich verneinte.

»Wir brauchen deine Fingerabdrücke.«

Das hatte ich bereits befürchtet. Ich verkniff mir zu sagen: »Die habt ihr schon.« Vielleicht stimmte ja, was sie immer behaupten, und dann wären die längst gelöscht worden.

»Wir haben keine mehr von dir, falls du darüber gerade nachgrübelst.« Jetzt lächelte sie wieder. Sie stand auf, öffnete das Fenster und legte das Notizbuch auf das Fensterbrett. »Das muss erst mal auslüften. So kann ich das meinem Vorgesetzten nicht unter die Nase halten.«

Sie setzte sich wieder an den Tisch. »Ich dachte, du wolltest Kaffee machen?«

Irgendwie war ich heute zu nichts zu gebrauchen. Ich warf den Wasserkocher noch mal an.

»Sag mal, was wisst ihr eigentlich über diese Kinderleiche?«

»Wie kommst du denn jetzt darauf?«, fragte Tina irritiert.

Ich berichtete ihr, was Grimme mir über Tamara erzählt hatte. Mein komisches Gefühl verschwieg ich. Polizeilich gesehen war das sicher kein Argument.

»Weißt du, wie viele Kinder jede Woche abhauen?«

»Nein«, erwiderte ich, »aber ...«

»Was, aber?«

Jetzt schilderte ich ihr doch Grimmes Reaktion auf meine Frage, ob sie Angst hätte, die Leiche könnte Tamara sein.

Tina guckte genauso skeptisch, wie ich es befürchtet hatte. »Damit würde ich bei meinem Vorgesetzten nicht weit kommen.«

»Und selber gibst du auch nichts drauf, oder?«

»Na ja, nicht so wahnsinnig viel.«

Ich stellte ihr eine Tasse hin und fragte, ob sie Plätzchen wollte.

Sie winkte ab. »Du musst gleich mit aufs Präsidium kommen, ich brauche deine Aussage. Und zwar in allen Details, Katja. Ich muss dir ja nicht sagen, worum es hier geht.«

Ich nickte.

Sie ging zum Fenster und schnupperte an dem Grimme-Büchlein. »Das riecht immer noch! Du hast sie ja wohl nicht alle? Erst denken, dann bunkern, Frau Leichter!«

Tina kommt aus Chorweiler. Sie hat Lebenserfahrung. Ich guckte beschämt.

Ich hatte beschlossen, ihr in puncto Hotte die Wahrheit zu sagen, denn ich brauchte ihre Unterstützung, um den Kiddies zu helfen. Also erzählte ich ihr von seinem »Beruf« und von seiner Liebe zu Chantal und auch zu Marco. Berichtete ihr haarklein, was er alles schon für die Kinder getan hatte. Und was das Jugendamt verbaselt hatte. »Kurzum«, schloss ich, »wir müssen es irgendwie hinkriegen, dass die Kinder bei Hotte bleiben können. Trotz seiner Vorstrafen. Und wenn das Jugendamt sich querstellt, musst du mir da helfen. Der Kleine geht endgültig vor die Hunde, wenn die ihn wieder in eine Pflegefamilie stecken. Auch wenn das diesmal noch so gute Leute wären. Der könnte das gar nicht wahrnehmen, was das für Leute sind. Pflegefamilie heißt für ihn: grausam missbraucht werden.«

Ich zündete mir eine Zigarette an, warf Tina Gruber einen entschuldigenden Blick zu und stellte mich an das offene Fenster.

»Und genauso schlimm«, fuhr ich fort, »wäre es für ihn, wenn er in ein Heim kommt, denn aus dem Heim haben sie ihn zu der Grimme gebracht. Das geht nicht, Tina. Hörst du mich? Man muss gucken, dass er irgendwann eine Psychologin oder einen Psychologen an sich ranlässt. Jemanden, der ihm wirklich helfen kann. Aber das muss in einer Umgebung passieren, in der er sich halbwegs sicher fühlt. Und das ist bei Hotte und sonst nirgendwo. Er muss auch mit Chantal zusammenbleiben können. Mal davon abgesehen, dass die ohnehin nirgends bleiben würde, wo sie auf den Kleinen nicht achtgeben kann.«

Tina nickte zögernd.

»Weißt du«, ich merkte, wie mir die Wut hochkam, »dieses zwölfjährige Mädchen hat den Kleinen aus der Hölle befreit. Sie und sonst niemand.« Ich sah Chantal vor mir, mit ihrer Baseballkappe, ihren löchrigen Jeans, ihren Piercings, ihrer großen Klappe, und schüttelte den Kopf, staunend über den Mut und die Feinfühligkeit dieses Kindes.

Tina sah mich fragend an.

»Chantal ist großartig«, sagte ich. »Und bei Hotte sind die beiden wirklich gut aufgehoben.«

»Bis er wieder im Knast sitzt.«

»Der fährt nicht mehr ein. Wenn der die Kinder hat, macht er nichts mehr.«

»Vielleicht bist du da jetzt ein bisschen naiv, Katja?«

»Glaub ich nicht. Ich hab ihn kennengelernt.«

»Gut, dann werde jetzt ich ihn kennenlernen. Und was die Kinder betrifft: Das kann ich leider nicht entscheiden.«

»Aber ist dir wenigstens klar, was ich meine? Warum der Marco das nicht packt, wenn der jetzt wieder in ein Heim kommt oder gar in eine Pflegefamilie?«

»Ich verstehe, was du meinst, ja. Aber ich denke, der Junge braucht vor allem eine fachliche Betreuung.«

»Klar, aber von außen. Leben muss er bei Hotte.«

»Wir gehen da jetzt erst mal hin, Katja, ja? Und ich versuche, zu dem Jungen einen Kontakt aufzubauen.«

»Vergiss es. Der redet mit niemandem. Der hat nicht mal Chantal erzählt, was die mit ihm gemacht haben.«

»Ich muss ihn aber sehen. Und deinen geliebten Hotte kennenlernen.«

Hotte stand in der geöffneten Wohnungstür. Die Haare hingen ihm wirr auf die Schultern, der ganze Mann war ein Bild der Verzweiflung.

»Sie sind weg.«

»Wie, weg?«, fragte ich sinnloserweise.

»Weg. Fott!«

»Dürfen wir reinkommen?« Tina streckte ihm die Hand hin. »Ich bin Tina Gruber. Kriminalpolizei, Mordkommission.«

Er ignorierte sie, deutete aber Richtung Küche und schloss die Tür hinter uns. Mir war schlecht. Am liebsten wäre ich sofort losgerannt, um die Kids zu suchen. Auf dem Tisch stand ein voller Aschenbecher, der ganze Raum war voller Qualm. Ich öffnete das Fenster, leerte den Aschenbecher, wischte ihn aus und stellte ihn wieder auf den Tisch. Hotte lehnte an der Spüle und starrte die gegenüberliegende Wand an.

»Was genau ist passiert, Herr Schulz?«, fragte Tina.

Hotte sah mich an, als er antwortete: »Ich bin nach Hause gekommen, jetzt grade eben, und die waren nicht mehr da. Die haben mein Handy mitgenommen, ich konnt dich nicht anrufen, und dann hab ich erst mal was gewartet, dass du kommst. Und sie da.« Er deutete mit dem Kinn zu Tina. »Aber jetzt wollt ich losgehen, die suchen.«

Er kramte sein Tabakpäckchen aus der Hosentasche, sah, dass es leer war, und warf es in den Müll. Ich bot ihm eine von meinen an.

»Was meinste denn, warum sie weg sind?«

Er ging ein paar Schritte auf und ab. Lehnte sich schließlich wieder an die Spüle. »Gestern Abend. Da war's noch schlimmer wie sonst. Da hat er sich nicht bloß in die Hosen gemacht, da war das Dünnschiss. Das hat gestunken wie Sau. Ich hab gedacht, der stirbt mir jetzt vor lauter ... Der hat sich so geschämt.« Hotte schüttelte den Kopf und zog an der Zigarette. Nach einer Weile sprach er weiter. »Ich konnte das nich der Chantal überlassen, ne?« Zum ersten Mal sah er Tina an. »Die hat ihn sonst immer sauber gemacht, weil, der hat sonst keinen an sich rangelassen, der Marco.«

Er langte nach der Thermoskanne. »Wollter 'n Kaffee? Da is noch welcher drin.«

Wir verneinten beide.

»Diesmal hat er mich aber machen lassen. Ich hab ihn dann gewaschen, ne, untenrum.« Lange Pause. Es fiel ihm sichtbar schwer, weiterzureden. »Erst mal den Schmutz weggemacht, ne? Und dann den Waschlappen sauber gemacht und noch mal ... Der Pico hat gewimmert, wie so 'n Tierchen. Und dann war der voller Blut. Der Waschlappen. Und dann is das dem Kleinen die Beine runtergelaufen.«

Hotte drehte sich von uns weg. Sah aus dem Fenster.

Tina starrte auf den Fußboden, die Hände hatte sie zu Fäusten geballt.

Als ich mich wieder halbwegs gefangen hatte, sagte ich: »Hotte, erzähl bitte weiter, wir müssen die Kinder suchen.«

»Ja.« Er setzte sich zu uns an den Tisch und räusperte sich. »Ich hab versucht, das Blut mit kaltem Wasser zu stillen. Irgendwann hat's auch aufgehört. Ich hab zu ihm gesagt, hörma, Jungchen, morgen gehen wir zum Arzt. Das geht so nich. Du kannst mir ja nich verbluten. Ich hab ihn gehalten, weißte? Und da hab ich gespürt, wie der wieder stocksteif geworden ist. Und er hat den Kopf geschüttelt, so ...« Hotte machte es uns vor: Kniff die Augen fest zusammen, presste die Lippen aufeinander und riss den Kopf von links nach rechts, von rechts nach links, immer wieder. »So, ne? Ich hab gesagt: ›Marco, du musst wieder gesund werden. Wir wollen dir doch nur helfen.‹ Und da is der vor mir zurückgewichen, wie wenn ich der Teufel wär.«

Hotte stand wieder auf und lief in der Küche auf und ab. Mein Handy läutete, ich wollte es läuten lassen, ging aber aus irgendeinem Grund doch dran.

»Katja?«

Ich erkannte die Stimme nicht. »Ja?«

»Hörma, ich find ihn nich. Ich hab überall gesucht, überall, der is nirgends!«

Ich formte stumm das Wort »Chantal« mit den Lippen. Hotte sprang vom Tisch auf und streckte die Hand nach meinem Handy aus. Ich schüttelte den Kopf.

»Wo bist du?«

»Am Spielplatz. Ich war schon überall!«

»Hör mal, Chantal, ich bin grade bei Hotte. Komm her, wir suchen den Marco zusammen. Wir müssen jetzt einen Plan machen, dafür brauchen wir dich, hörste?«

»Aber du rufst dann die Bullen.«

Das »Nein« lag mir auf den Lippen. Eine Stimme in mir sagte: Ehrlichkeit!

»Katja?«

»Bleib dran, Chantal, Hotte sagt grade was.«

»Gib mir den Hotte«

»Gleich, bleib dran.«

Ich hatte keine Zeit zu überlegen. Musste mich auf meinen Instinkt verlassen.

»Hör mal, Süße«, fing ich an. »Die Tina Gruber ist auch da. Weißte, die Polizistin, von der ich dir erzählt hab. Die ist okay. Die tut nichts, was dir oder Marco schaden könnte. Und wenn sie's versucht, versteck ich euch woanders. Hörste? Das hat sie jetzt grade auch gehört. Und die weiß, dass es mir ernst ist. Kommste jetzt bitte? Sofort? Wir müssen Marco finden.«

Es war so still in der Leitung, dass ich dachte, sie hätte eingehängt. »Chantal?«

»Ja.«

»Kommste bitte?«

Noch mal Schweigen. Dann: »Mhm.«

Ich lehnte mich zurück und atmete aus. Fühlte mich, als hätte ich die ganze Zeit die Luft angehalten.

Tina versuchte, Hotte zu befragen, während wir auf das Mädchen warteten. Gab es aber bald wieder auf, denn Hotte konnte sich nicht konzentrieren. Er saß sprungbereit auf seinem Stuhl, und als wir den Schlüssel im Schloss hörten, war er auch schon an der Wohnungstür. Ich folgte ihm. Hotte hielt die schluchzende Chantal in den Armen. Streichelte ihr unbeholfen über das Haar.

Schließlich riss sie sich von ihm los und schlug mit der Hand gegen die Wand. Schrie: »Ich find den nich! Wieso find ich den nich! Scheiße!« Diesmal schlug sie so heftig zu, dass sie sich anschließend erschrocken die Hand rieb. Dann sah sie mich und fauchte: »Wo sind die Bullen?«

»Hier«, sagte Tina Gruber. Sie stand in der Küchentür und streckte Chantal die Hand hin. Die sie ignorierte. Sie stapfte in die Küche und kickte einen der Stühle gegen den Herd.

»Schsch«, sagte Hotte.

Chantal stellte den Stuhl, der umgefallen war, wieder auf und setzte sich rittlings darauf.

»Wo hast du denn gesucht?«, fragte ich.

»Wie, wo? Überall, was meinst du denn?«

»Und wo überall?«

Plötzlich ging ihr die Luft aus. Sie sackte in sich zusammen und sah aus wie ein tränenverschmiertes Häufchen Elend. »Ich bin erst mal zum Spielplatz, hab da in allen Büschen geguckt, aufm Parkplatz, oben aufm Weg. Überall, sag ich doch. Dann bin ich runter zur Neusser und da rum. Und dann wieder zum Spielplatz ...« Sie schaute mich zweifelnd an. »Aber vielleicht isser ja zum Bahnhof?«

Ich hatte noch die Nummer der Sozialarbeiterin, die im B.O.J.E.-Bus arbeitete. »Soll ich mal bei denen vom Bus anrufen?«, schlug ich vor.

»Die machen erst um zwei auf«, gab Chantal zurück.

»Oder im ›Gulliver‹?«

»Da warn wir nie.«

»Hörma, Chantal«, meldete sich jetzt Tina zu Wort. »Ihr drei findet Marco nicht. Wenn er da nicht ist, wo du gesucht hast, dann kann er in ganz Köln sein. Weißte?«

Chantal sah sie jetzt erstmals an. Nickte vorsichtig.

»Deshalb«, fuhr Tina fort, »werde ich jetzt eine Suche nach ihm starten.«

»Das kannste nich machen!« Chantal schoss vom Stuhl hoch und ballte die Fäuste. »Du kannst dem nich die Bullen an 'n Hals hetzen!« Wutentbrannt wandte sie sich zu mir um: »Du hast gesagt, die ist okay!«

Sie wollte aus der Küche stürmen, aber Hotte packte sie am Arm und hielt sie fest.

»Bleib hier, Mädchen. Die will uns helfen. Hör ihr erst mal zu.«

»Seit wann hast du's denn mit den Bullen?«, höhnte Chantal.

»Halt den Rand.« Das war weniger eine Aufforderung als eine Feststellung.

Sie setzte sich zwar nicht wieder hin, knurrte aber »Also was jetzt?« in Richtung Tina.

Die sich nicht aus der Ruhe bringen ließ. »Weißte, 'ne Vermisstensuche, das ist keine Fahndung. Da gehen die Kollegen nicht los, weil sie hinter 'nem Verdächtigen her sind. Da gehen die los, weil sie ein Kind suchen, das möglicherweise in Gefahr ist. Und ganz viele von denen haben selber Kinder. Deswegen tun die dann auch alles, damit sie das vermisste Kind finden und keiner dem was tun kann.«

Chantal entspannte sich ein bisschen. Setzte sich wieder hin und sah mich an. »Kann ich 'ne Kippe haben?«

»Geht leider nicht«, antwortete Tina an meiner Stelle. »Du bist unter vierzehn. Wenn sie dir 'ne Kippe gibt, muss ich ihr Ärger machen.«

»Leck mich.«

»Später«, gab Tina trocken zurück. »Jetzt gucken wir erst mal, dass wir deinen Bruder finden. Haste 'n Foto vom Marco?«

Chantal dachte einen Moment nach. »Ja, doch, aber da isser noch 'n Baby. Und das is bei meinen Sachen im Heim.«

Hotte war aufgestanden und aus der Küche verschwunden. Kehrte mit einem Fotoalbum zurück. Blätterte und zog ein Foto heraus. »Hier. Das is zwei Jahre alt. Aber 'n bisschen sieht er noch so aus.« Er hielt es Chantal hin. »Ne?«

Chantal starrte auf das Bild. »Wo hast'n das her?«

»Von deiner Mama.«

»Wie, von meiner Mama?«

»Wie die gestorben is, da hab ich der ihre Sachen geholt. Für dich. Später mal.«

Chantal löste den Blick nicht von dem Foto. »Kann ich das haben?«

»Ja, klar, aber erst mal müssen die 'ne Kopie davon machen oder so.«

Tina nickte und streckte die Hand danach aus. Chantal sah sie lange an, dann gab sie es ihr. »Wenn ich das nich zurückkrieg, dann jag ich dein Scheißpräsidium in die Luft.«

»Kannste machen. Dann hab ich endlich mal 'n paar Tage am Stück frei.«

Damit hatte sie nun eindeutig gepunktet.

»Jetzt musste uns aber noch sagen«, fuhr sie fort, »wann Marco abgehauen ist. Oder wann du gemerkt hast, dass der weg ist.«

Chantals Miene verfinsterte sich wieder. Sie presste die Lippen zusammen, sah keinen von uns.

»Hör mal, Chantal«, wagte ich mich vor, »jetzt ist alles wichtig. Echt alles.«

No reaction.

Hotte berührte sie leicht am Arm. »Chantal?«

Sie holte tief Luft. »Also, ich hab die Wäsche aufm Balkon aufgehängt. Und wie ich wieder in der Küche war, da war der weg.«

»Welche Wäsche?«, entfuhr es Hotte. Er biss sich sofort auf die Lippen, aber es war zu spät.

Chantal warf ihm einen vernichtenden Blick zu. »Der hat sich noch mal angemacht, da hab ich ihm das Höschen ausgewaschen.«

Ich wusste plötzlich, was passiert war. Chantal war auf den Balkon gegangen, um eine Zigarette zu rauchen.

»Es ist nicht deine Schuld, Chantal«, sagte ich. »Marco wollte weg, um jeden Preis der Welt. Er hat geglaubt, er wär hier nicht mehr sicher. Der wär auch abgehauen, wenn du nicht auf dem Balkon, sondern auf dem Klo gewesen wärst, weißte? Der wär auf jeden Fall weggelaufen.«

Sie hob einen Wimpernschlag lang den Blick und sah mich an.

Tina packte uns alle drei ins Auto und fuhr uns nach Kalk, ins Präsidium. Sie befragte erst Chantal in Hottes Anwesenheit. Dann Hotte, während Chantal neben mir auf dem Stuhl im Flur herumhibbelte. Und schließlich mich. Ich hatte mir während des langen

Wartens überlegt, wie viel ich Tina erzählen wollte. Und was eventuell warum nicht. Als sie mich in ihr Büro rief, hatte ich gerade beschlossen, die Wahrheit und nichts als die Wahrheit zu sagen. Abgesehen von meiner Verpflichtung auf das Bodhisattva-Gelübde gab es auch, soweit ich das sehen konnte, keinen Grund, etwas zu verbergen.

Ich verabschiedete mich von Hotte und Chantal, die nach Hause fuhren. Hotte versprach, Nele und Hertha zu informieren. Er wirkte beunruhigt.

Bevor Tina loslegen konnte, fragte ich aber erst einmal sie, was sie über den Mord an der Grimme wusste. Sie sah mich lange an, dann murmelte sie etwas von wegen, sie dürfe mir keine Informationen geben. Ich gab ihr mit einem entsprechenden Blick zu verstehen, dass mir diese Formalie sonst wo vorbeiging.

Sie seufzte. Fummelte an einer Akte herum, die sie auf dem Tisch liegen hatte. Schließlich sah sie mich sehr ernst an und sagte: »Katja, es gibt ein Problem.«

Ich hob fragend die Augenbrauen.

Tina verfiel wieder in Schweigen. Ich begann, mir Sorgen zu machen, obwohl ich mir nicht vorstellen konnte, worauf sie hinauswollte.

Schließlich sagte sie leise: »Frau Grimme wurde erstochen. Mit ihrem eigenen Küchenmesser. Die Untersuchung ist noch nicht abgeschlossen, aber die Pathologin sagt, es waren achtzehn Stiche, und zwar so, als habe jemand mit sehr wenig Kraft sehr wütend zugestochen.«

Ich fuhr mit einem Ruck im Stuhl hoch und stemmte mich mit den Händen am Tisch ab.

»Warte!« Tina machte eine beschwichtigende Geste. »Sie sagt, einer der Stiche wurde aber mit großer Kraft ausgeführt und hat sie wahrscheinlich sofort getötet. Die Pathologin vermutet, dass das der erste war und die anderen post mortem, also danach, hinzugefügt wurden. Dazu muss sie die Leiche aber erst mal richtig untersuchen. Ich hoffe, sie kann mir noch im Laufe des Tages mehr sagen.« Sie schwieg einen Moment, musterte mich prüfend und fuhr schließlich fort: »Das kann bedeuten, der Mörder wollte den Eindruck erwecken, dass Marco sie getötet hat.« Wieder ein kurzes Schweigen. »Und das kann alles Mögliche bedeuten. In jedem Fall aber ist Marco in großer Gefahr. Dieser Mann, wenn es ein Mann ist, hat einerseits raffiniert gehandelt und andererseits auch wieder dumm. Er hätte sich ja denken können, dass auf der Pathologie herauskommt, wie er vorgegangen ist. Oder er hält er uns für völlig bescheuert.«

»Der Arzt«, murmelte ich.

»Welcher Arzt?« Jetzt setzte Tina sich ruckhaft auf.

»Hotte hat uns doch erzählt, wie der Kleine gestern Abend ausgeflippt ist. Und zwar nachdem er zu ihm gesagt hat: ›Marco, du musst zum Arzt. Ich bring dich morgen zum Arzt.‹ Da war bei dem alles vorbei. Und am nächsten Tag war er weg.«

Tina sah mich skeptisch an. »Ich weiß nicht. Gerade einem Arzt ist doch klar, was auf der Pathologie passiert. Dass er mit so einem Trick nicht durchkommt.«

Das war ein Argument. Aber mir fiel noch etwas ein: »In dem Büchlein von der Grimme, da steht, einer der Männer hätte gesagt, man könne den Jungen bald nicht mehr zusammenflicken. Guck dir die Stelle an! Und dann sagt der Hotte: ›Du musst zum Arzt, Marco‹, und der Kleine rastet vollends aus. Und haut ab.«

Tina wirkte noch immer nicht überzeugt. Meinte aber, sie würde sich das durch den Kopf gehen lassen. Dann stellte sie das Aufnahmegerät an.

Ich berichtete ihr haarklein, wie ich Frau Grimme kennengelernt, welchen Eindruck ich von ihr gehabt und was sie mir alles erzählt hatte. Versprach, Tina eine CD mit dem Interview zu brennen, das ich mit der Grimme geführt hatte. Als ich fertig war, fragte ich: »Und was wird jetzt mit den Kids? Die müssen bei Hotte bleiben, Tina. Und du musst das mit dem Jugendamt regeln.«

Sie schüttelte den Kopf. »Also erstens, Katja, es ist nicht so, dass ich dem Jugendamt Vorschriften machen könnte, ja? Und zweitens: Ich kann nicht befürworten, dass ein verstörtes und vermutlich auch gestörtes Kind bei einem mehrfach vorbestraften Einbrecher lebt.«

Ich starrte sie fassungslos an. »Okay. Und ich kann ein Kind, das auf unbeschreibliche Art gequält wurde, und zwar in der Obhut seiner« – ich spuckte das Wort hohntriefend in ihre Richtung – »*Pflegemutter*, an die es vom Jugendamt vermittelt wurde …« Ich verlor kurzfristig den Faden, fuhr dann aber wutschnaubend fort: »Ich kann nicht zulassen, dass dieses Kind gnadenlos weiter traumatisiert wird und womöglich einen irreparablen Schaden erleidet, nur weil euch der einzige Mensch, dem dieses Kind halbwegs vertraut, nicht passt. Ja klar, so ein Junge ist natürlich bei einer Lindenthaler Dame, die ihn in ihren Kinderpuff steckt, viel besser aufgehoben als bei einem Nippeser Kleinkriminellen, der ihn liebt. Ich dachte, du bist aus Chorweiler?«

»Es geht hier nicht um Veedel, Katja.« Sie wirkte verletzt. Hatte ich ihr unrecht getan? Soweit ich wusste, nicht. Schrapp, machte der Rollladen, den ich innerlich herunterließ.

Dann spürte ich plötzlich, wie mein Kiefer sich verkrampft hatte und mein Atem flach geworden war. Ich atmete, so ruhig ich konnte, ein und lange aus. Sah Tina an. Versuchte, daran zu denken, dass sie als Polizistin anders funktionieren musste, als ich das vielleicht gern hätte.

»Tut mir leid«, murmelte ich.

»Schon gut«, erwiderte sie.

»Hör mal«, ich beugte mich leicht zu ihr vor, »ihr müsst den Kleinen finden. Und wenn ihr ihn habt, dann müsst ihr ihn erst mal zu Hotte bringen. Ihr richtet sonst etwas ganz Schreckliches an.«

»Ich werd's versuchen. Ich rede mit meinem Vorgesetzten. Okay?«

Als ich endlich wieder draußen war, rief ich als Erstes Stefan an und bekam den Anrufbeantworter dran. Bat ihn, zurückzurufen. Fuhr nach Hause und erstattete Hertha Bericht. Sie wirkte angeschlagen. »Werd du mir jetzt nicht krank!«, flehte ich innerlich, »mir ist so schon alles zu viel.« Ich warf ihr einen fragenden Blick zu.

Sie zuckte die Achseln. »Weißte«, sagte sie schließlich, »ich krieg das nich jebacken mit dem Kleinen. Dem Marco. Dat is ...« Sie steckte sich eine Kippe an, blies umständlich den Rauch aus. »Dat is doch ... ich versteh dat nit. Wie man 'nem Kid so wat antun kann.« Sie sah mich hilfesuchend an.

»Ich weiß es auch nicht Hertha. Ich glaub, das kann niemand verstehen. Zumindest niemand, der noch ein Mensch ist.«

Sie nickte. »Aber ich krieje dat nit ausm Kopp. Wie soll der

Jung denn wieder normal werden? Der kann dat doch nit verjessen? Kann man so jet verjessen?

»Ich weiß es nicht«, murmelte ich und fühlte mich so hilflos wie sie. Ich legte ihr die Hand auf den Arm und drückte ihr einen leichten Kuss auf die Wange. »Ich muss rüber. Arbeiten.«

»Die Nele is drüben beim Hotte«, sagte sie und hob vielsagend die Augenbrauen.

ELF

Ich las alles, was ich zum Thema Sehnsucht gesammelt hatte, und mailte die Leute an, die ich dazu interviewen wollte. Martin rief ich direkt an. Martin ist Stefans Bruder, Kameramann und im Laufe der Zeit ein guter Freund geworden. Er ist acht Jahre älter als mein Liebster, war Hippie und hatte sich Anfang der Siebziger dem Treck nach Shangri-La angeschlossen. War in Kabul hängen geblieben und bekam immer glasige Augen, wenn er im Fernsehen Bilder vom Hindukusch sah.

»Würdest du mir etwas über deine Sehnsucht nach dem Orient erzählen«, fragte ich ihn, »für ein Feature über Sehnsucht?«

»Was du immer für schöne Themen machst!«, seufzte er.

Na ja, dachte ich. In meinem vorletzten Beitrag war es um den Drogenstrich auf der Geestemünder Straße und im letzten um Sterbehilfe gegangen.

Martin war, wie er sich ausdrückte, zu allen Schandtaten bereit. »Und ich hab auch eine Frage an dich«, fügte er hinzu. Er habe einen Berliner Regisseur kennengelernt, berichtete er, der jetzt auch für den WDR arbeite. So einen hübschen, schlaksigen, der ein bisschen arrogant wirke. Ob ich den zufällig kennen würde?

Es handelte sich tatsächlich um den Typen, mit dem ich meine letzte Geschichte produziert hatte. Ich erzählte Martin, wie es abgelaufen war, und wollte wissen, warum er sich für den Mann interessierte.

Weil er vielleicht mit ihm arbeiten würde, erwiderte er.

»Aber du machst doch Spiel?«, fragte ich irritiert.

»Och, manchmal mache ich auch gerne mal 'ne Doku. Und in dem Fall kenne ich die Autorin, die ist in Ordnung, sie meint bloß, sie hätte kein Händchen für Regie. Ich seh das anders, aber offenbar haben sie ihr das in der Produktionsfirma eingeredet. Und diesen Regisseur angeheuert. Der soll geradezu brillant sein.«

»Aber der macht Hörfunk!«

»Nö, bloß nebenbei mal. Der kommt vom Fernsehen.«

»Worum geht's denn in der Doku?«

»Um Missbrauch. Von kleinen Jungs. In Kambodscha.«
Mir fiel fast der Hörer aus der Hand.
»Wie?«, fragte ich dämlich.
»Wie, wie?«
»Ach, vergiss es. Ich hab bloß grade mit einem schwer missbrauchten kleinen Jungen zu tun. Und irgendwie ist das schon ein komischer Zufall.«
»Na ja, das gibt's häufiger, als wir es alle wahrhaben wollen.«

Ich schrieb gerade die Liste mit den Musik-CDs, die ich mir für das Feature anhören wollte, da klingelte das Telefon erneut.
»Engelhardt«, sagte eine angenehme Stimme, »Nele hat mir erzählt, Sie wollten mich sprechen. Ich bin die Pflegemutter von Jessica.«
»Oh!«, entfuhr es mir. »Äh, danke, dass Sie anrufen«, schob ich hinterher. Ich erzählte ihr, worum es ging und wozu ich dieses spezielle Interview brauchte.
»Sie sind Journalistin?
»Genau.«
Schweigen. Dann: »Nele sagte, Sie wären ... äh, Ihre Freundin?«
»Ja.« Ich ließ meinen Rollladen runter. Warum hatte Nele behauptet, die Frau sei klasse?
»Darf ich fragen, äh, wie das kommt?«
»Ganz einfach. Weil sie ein wunderbarer Mensch ist.«
Das musste sie jetzt erst mal verdauen.
»Nun, Jessica hat nicht ganz so wunderbare Erfahrungen mit ihr gemacht.«
»Richtig. Das weiß Nele auch. Und sie leidet entsprechend darunter.« Ich langte nach der Zigarettenpackung. »Sie leidet darunter, dass sie Jessica Leid zugefügt hat. Dass sie damals nicht in der Lage war, sich so zu verhalten, wie sie sich gerne verhalten hätte. Aber um das zu verstehen, muss man etwas von Sucht verstehen.«
»Und das tun Sie?« Samtweiche Stimme, von Ironie getränkt.
»Genau.« Ich hätte große Lust gehabt, einfach den Hörer aufzulegen. Aber ich wollte Nele nicht schaden, und ich brauchte das Interview. Und außerdem erhoffte ich mir ein paar Infos von ihr.

»Dann muss ich ganz direkt fragen: Sind Sie drogenabhängig?«

Jetzt reichte es mir. »Ja klar. Die meisten WDR-Autoren sind schwerstabhängig. Die einen von Koks, die andern von Heroin. Ich brauche beides. Aber zum Glück haben wir im Funkhaus auf jeder Etage einen Spritzenautomaten. Und in der Kantine haben wir jetzt endlich auch einen Druckraum.«

Ich dachte schon, sie hätte eingehängt, als sie – sehr leise – sagte: »Entschuldigung.«

»Warum stellen Sie mir solche Fragen?«

»Weil ich nicht möchte, dass jemand ins Haus kommt, der Jessica an ihre Mutter erinnert. Ich versuche seit Jahren, ihr Nele ... wie soll ich sagen? ... näherzubringen. Aber sie will nichts von ihr wissen. Sie wird sehr wütend, wenn ich Nele nur erwähne. Und sie droht jedes Mal damit, wegzulaufen, wenn Nele zu Besuch kommen will. Und wenn sie dann tatsächlich kommt, ist es immer ganz schrecklich. Für Jessica.« Sie schluckte hörbar. »Und anscheinend auch für Nele.«

Jetzt musste ich schlucken. Ich hatte immer gedacht, Nele würde Jessies Abwehr stärker empfinden, als sie vielleicht gemeint war.

»Ich habe Nele kennengelernt, weil sie eine Mandantin meines Bruders war. Der ist Anwalt. Nele hat ihm gesagt, sie möchte Meditation lernen. Und da ich Buddhistin bin ...«

»Sie sind Buddhistin? Welche Richtung?«

»Tibetisch. Karma-Kagyü.«

»Ach nein! Wir sind Nyingma!«

»Ah.«

»Wann möchten Sie denn kommen?«

»Am besten gestern. Ich bin zeitlich total im Verzug. Hätten Sie denn morgen Vormittag Zeit?«

»Warten Sie.« Ich hörte, wie sie aufstand, eine Schublade öffnete und mit Papieren herumraschelte. »Wir wohnen in Stommeln. Äh, aber das wissen Sie ja sicher.« Erneutes Rascheln. »Wenn Sie die Regionalbahn um acht Uhr neunundfünfzig nehmen, sind Sie um neun Uhr sechzehn da. Ich hole Sie am Bahnhof ab.«

Das war mir viel zu früh, aber ich nahm das Angebot natürlich dankend an.

Die Mailbox meines Handys jaulte, und Stefan bat mich um einen Rückruf. Wir vereinbarten, dass er am Abend zu mir kam. »Südstadt ist mir jetzt grade zu weit weg«, erklärte ich ihm. »Ich möchte in der Nähe von Chantal bleiben.«

Das sah er ein. Fragte, ob er vom vietnamesischen Imbiss auf der Neusser etwas mitbringen sollte. Beim Gedanken an Essen begann mein Magen so laut zu knurren, dass Rosa, die es sich verbotenerweise auf dem Drucker bequem gemacht hatte und ihn wieder einmal mit Haaren versaute, erschrocken aufsah.

»Ich habe seit dem Frühstück nichts mehr gegessen«, belehrte ich sie. Ich auch nicht, übersetzte ich ihren Tiger-lauert-auf-Beute-Blick.

Ich machte uns beiden etwas. Sie bekam Rindergulasch und ein Schälchen frisches Wasser, ich zwei Käsestullen, ein Glas Ananassaft, eine Birne und einen Riegel Bitterschokolade. Fünfundachtzig Prozent. Ich habe irgendwann vor Jahren mit Feinbitter angefangen und bin im Laufe der Zeit zur Hardcore-Userin geworden. Vollmilch wirkt auf mich wie verdünntes Methadon auf einen alten Junkie. Ich aß erst einmal in Ruhe auf, machte mir dann noch einen Espresso, steckte mir eine Kippe an und hörte dazu »Ich bin die Sehnsucht in dir« von den Toten Hosen.

Ich warf einen Blick auf die Uhr und wurde wieder hektisch. Sah meine Mails durch. Die beiden Bekannten, die ich zum Thema Sehnsucht interviewen wollte, hatten mir geantwortet: Sie waren einverstanden. Ich schlug ihnen Termine vor. Die Wissenschaftlerin, die zu Sehnsucht forschte, war bereit, sich von mir in einem Leitungsgespräch befragen zu lassen. Na bitte, geht doch. Ich gab ihre Terminvorschläge an die Disponentin im Sender weiter mit der Bitte, mir eine Leitung nach Zürich zu organisieren. Mailte die CD-Liste an die Kollegen im Schallarchiv.

Dann überspielte ich meine Grimme-Aufnahmen auf den PC, brannte eine CD für Tina Gruber und eine für mich und hörte sie mir an. Beschloss, am nächsten Tag als Erstes die Frau vom Jugendamt anzurufen. Meines Wissens war ihr Urlaub rum.

Ihr Mann habe eine Professur in Stanford, hatte Grimme behauptet. Und das Jahr in den USA gehe nun zu Ende. Dann, überlegte ich, konnte ihr Mann an Marcos Missbrauch nicht beteiligt gewesen sein. Sofern die Geschichte stimmte. Schließlich hatte mich die Lady nach Strich und Faden belogen. Ich rief »Stanford University« auf und googelte nach Professoren oder Gastprofessoren. Nach einer Viertelstunde gab ich auf. Das war mir alles viel zu unübersichtlich. Ich weiß noch nicht mal, wie deutsche Unis funktionieren, geschweige denn amerikanische. Rief also Tina Gruber auf dem Handy an.

»Sag mal, wo steckt denn der Mann von der Grimme? Ist der schon aus Stanford zurück?«

»Katja, ich darf dir keine Informationen über laufende Ermittlungen geben.«

»Wo hab ich die Platte schon mal gehört? Also, ist er wieder da? Und was für ein Prof ist er? Was ist sein Fachgebiet?«

»Kein Kommentar.«

»Tina, du nervst.«

»Ich weiß.«

»Sag mir einfach nur, was er unterrichtet.«

»Er ist Archäologe. Buddelt irgendwelche Tempel in Kambodscha aus.«

»In Kambodscha?«

»Ja, Angkor Wat.«

»Scheiße.«

»Wieso Scheiße?«

»Isser da?«

»Wo?«

»In Köln!«

»Ich darf dir das nicht sagen!«

»Warum nicht? Hat er etwas zu verbergen?«

»Nö, erst mal ist er der trauernde Witwer. Er ist gestern angekommen. Mit dem Flieger aus Phnom Penh.«

»Wahnsinn.«

»Katja, was meinst du ständig mit Scheiße und Wahnsinn?«

»Weil er, laut Grimme, eine Professur in Stanford hat. Und das ist ganz woanders.«

Schweigen in der Leitung.

»Tina?«

»Pass auf, falls es sich ergibt, frage ich ihn wegen Stanford. Aber er war zur Tatzeit definitiv nicht in Deutschland. Er ist kein Verdächtiger.«

»Ach so, und …« Ich zögerte einen Moment, dann sagte ich es doch: »Könntest du beim Jugendamt einfach mal nachfragen, ob diese Tamara bei ihrer Mutter ist? Beziehungsweise am Leben ist? Mir würden sie vermutlich keine Auskunft geben.«

»Dir sollen sie auch keine Auskunft geben.« Tina knurrte wie Rosa, wenn ich ihr Dose statt Gulasch vorsetze.

»Machste?«

»Nein. Ich hab sonst noch was zu tun.«

Ich knallte den Hörer auf. Fuck you, Tina Gruber!

Ich atmete dreimal tief ein und aus, dann rief ich Mary an. Bat sie, herauszufinden, ob sich ein Professor Grimme, Archäologe, in den letzten Monaten in Stanford hatte blicken lassen. Und wenn ja, wie lange. Und ob Stanford irgendetwas mit Ausgrabungen oder Restaurationen in Angkor Wat zu tun hatte. Sie versprach, sich sofort dranzusetzen und mir spätestens morgen früh Bescheid zu geben.

Ich glaube nicht an Zufälle. Also googelte ich mich durch diverse Sites zu Angkor Wat und die diversen Restaurationsprogramme von den Japanern bis zum Apsara Conservation Project der Fachhochschule Köln. Aber auch hier fand ich keinen Professor Grimme. »Lass jetzt erst mal Mary machen«, sagte ich mir und wandte mich wieder meiner Sehnsuchtssendung zu. Konnte mich nicht konzentrieren. Es war schon spät, und ich musste noch etwas erledigen, bevor Stefan hier antanzte. Ich rief Hotte an.

»Kann ich mal bei dir vorbeispringen?«

»Ich bin hier, also bei der Hertha. Also, äh, bei der Nele …«

»Super, dann komm doch bitte rüber.«

»Jetzt gleich?«

»Wenn's geht, ja, gerne.«

»Nur ich?«

»Ja, nur du.«

Ich holte ihm ein alkoholfreies Kölsch aus dem Kühlschrank und reichte ihm die Flasche. Dass Hotte kein Glas braucht, hatte ich inzwischen kapiert. Es lag mir auf der Zunge, zu fragen: Warum bist du nicht zu Hause, bei Chantal? Zum Glück beließ ich es dabei.

»Die Chantal guckt sich deine DVD an«, sagte Hotte und sah mich zufrieden an. »Da haste ja voll dat Richtige jetroffen.«

Das freute mich sehr. Ich hatte ihr »Die Rote Zora und ihre Bande« geschenkt und hätte sie ihr nach Marcos Verschwinden am liebsten wieder weggenommen. Wie musste Chantal sich fühlen, wenn sie sah, wie toll Zora Branco rettete und ihn in ihre Bande aufnahm? Aber offenbar war die Botschaft anders angekommen.

»Hör mal, Hotte«, fing ich die Ansprache an, vor der ich mich fürchtete, die ich aber gleichwohl für unabdingbar hielt. »Wenn du wirklich bereit bist, die Kids bei dir aufzunehmen, wenn die richtig bei dir leben sollen, dann musste aufhören mit den Brüchen. Zum einen wär das der Horror für die, wenn du wieder in den Knast musst. Und sie dann wieder ins Heim kommen. Und zum anderen, wenn wir das Jugendamt so weit kriegen, dass sie dir die beiden überlassen, dann genügt schon der kleinste Verdacht gegen dich, und ...«

»Sag mal, für wie blöd hältst du mich?« So kalt hatte er mich noch nie angesehen. Noch nicht mal, als ich zum ersten Mal vor seiner Tür stand.

Ich steckte mir eine Kippe an und blies erst mal den Rauch aus. »Mir war schon klar, dass du das vermutlich selber weißt und auch die Konsequenzen draus ziehst. Weißte?«

Sein Blick hatte sich um keinen müden Grad erwärmt.

»Aber ich muss das jetzt trotzdem loswerden. Ich will unbedingt, dass die Kinder bei dir bleiben können. Ich seh, wie du mit ihnen umgehst. Ich seh, wie die Chantal an dir hängt. Sie braucht dich. Und der Kleine auch.«

»Und?«

»Und«, sagte ich resigniert, »mir würde es halt verdammt schwerfallen, von Hartz IV und sonst nix zu leben mit zwei Kiddies an der Backe. Sorry. Ich wollte dich nicht beleidigen.« Ich stand auf. Gespräch beendet. Ich hatte es vermasselt.

Hotte blieb sitzen. Drehte sich eine. Als er endlich damit fertig war, sagte er: »Hättste nich wie so 'ne Scheißsozialarbeiterin geklungen, hätt ich mich nich beleidigt gefühlt.«

Ich blieb stehen. »'ne Sozialarbeiterin hätte es vermutlich besser rübergekriegt. Ich hab keine Übung mit so was.«

»Setz dich hin.«

»›Platz, Waldi!‹, oder was?«

»Jetzt bist du beleidigt.«

Er grinste ziemlich selbstgefällig. Fand ich. Holte mir ein Glas Wasser und setzte mich an den Tisch.

Wohnungseinbrüche, erzählte er mir, machte er schon länger keine mehr. Er war vor ein paar Jahren aus dem Knast gekommen und hatte seine Wohnung verwüstet vorgefunden. Einbrecher hatten nach Geld gesucht und dabei alles auseinandergenommen: »Die wussten, dass ich da was gebunkert hatte. Die wussten das!« Empörter Blick. Zu allem Überfluss hatten sie das Geld auch noch gefunden.

»Instant-Karma«, murmelte ich.

»Was?«

»Nichts.«

»Aber das Schlimmste«, fuhr Hotte fort, »das war dieses Gefühl hinterher. Das war irgendwie nicht mehr meine Wohnung. Ich hab mich da nicht mehr zu Hause gefühlt. Das war 'ne fremde Wohnung für mich. Weil da welche an meinen Sachen dran waren.« Er wäre am liebsten ausgezogen. Und nicht nur das: Er fühlte sich nicht mehr sicher. Schrak bei jedem Geräusch hoch. »Und da hab ich plötzlich gewusst, wie das is, wenn bei einem eingebrochen wird. Dass da nicht einfach bloß 'n paar Sachen weg sind. Sondern irgendwie, ja, die ganze Wohnung.«

Seither »machte« er »nur noch Lastwagen und so was. Mit paar Kumpels.« Und damit war nun auch Schluss. »Aber ich hab was angespart«, erklärte er. »Und ich bin gelernter Elektriker. Da kann ich ab und an mal wo aushelfen.«

»Super.« Ein dicker Stein rollte von meinen Schultern, die trotzdem hart wie ein Brett blieben. Ich beschloss, mich mehr zu bewegen. Wieder mehr Qigong zu machen. Mir eine Massage zu gönnen. Rosa kam in ihrem »Wilder-Tiger-checkt-Lage-im-Dschungel-Gang« in die Küche gerobbt, drehte eine Schnupperrunde um Hottes Beine und sprang ihm auf den Schoß.

Wow!, dachte ich.

»Hallo!«, sagte Hotte.

Rosa gähnte.

»Ich weiß bloß nicht«, Hotte kraulte Rosa gekonnt hinter den Ohren, »ob ich das mit den Pänz so richtig hinkriege. Ich bin ja 'n

Mann. Also Kochen zum Beispiel, da bin ich nich gut drin. Oder jetzt auch mit Hausaufgaben oder so.«

»Pass auf«, dachte ich laut nach. »Ich hab 'ne Freundin, die kann das alles supergut.« Ich bat Gitta stumm um Verzeihung, dass ich sie über ihren Kopf hinweg einspannte. »Die kann dir das beibringen. Kochen zum Beispiel. Und die hilft den Kids sicher gerne mit den Hausaufgaben. Und ich kann ihnen auch dabei helfen.« Jetzt kam ich so richtig in Fahrt. »Und 'ne andere Freundin von mir, die ist Kung-Fu-Meisterin. Und die hat schon angeboten, die beiden in ihren Kinderkurs aufzunehmen.«

Aber Hotte hörte nicht mehr richtig zu. Er strich Rosa mechanisch über den Rücken. Sie sprang auf den Boden.

»Weil du immer sagst ›die beiden‹ …« Hotte sah kurz hoch. »Meinste, der Marco, der lebt noch?«

»Ich weiß es nicht.«

Hotte nickte stumm. »Ich geh dann mal. Guck nach der Chantal.«

»Frag sie, wie sie den Film findet.«

»Mach ich.«

»Pizza-Dienst!« Stefan und Tina Gruber standen grinsend vor meiner Wohnungstür.

»Ich hab keine Pizza bestellt.«

»Is chinesisch Tofu von Vietnam.«

»Nein! Is vietnamesisch Tofu von Chinese.«

»Geht's noch ein bisschen rassistischer?«

»Lass mich nachdenken …«

Ich hatte Stefan schon lange nicht mehr so albern erlebt. »Was machst du eigentlich hier?«, fragte ich Tina.

Sie guckte kein bisschen schuldbewusst. »Ich hatte grade 'n Schlagabtausch am Telefon – mit 'ner Frau, die ich eigentlich mag …« Langer Blick. »Und da ich eh in Nippes unterwegs war, wollte ich mir zum Trost bei dem vietnamesischen Chinesen was holen. Und dann stand da dein Stefan.« Sie strahlte ihn an. »Und da hab ich mich eingeladen.«

Ich deckte den Tisch, opferte ihr mein letztes Alkoholfreies, obwohl sie es nicht verdient hatte, und fragte nach dem Grund ihrer guten Laune.

»Keine Ahnung«, meinte Tina und schob nachdenklich hinterher: »Vielleicht, weil die Sache so schrecklich ist. Wenn ich einen so grausamen Fall wie den jetzt habe, dann reagier ich manchmal so.«

Stefan nickte. »Druckausgleich.«

Wir aßen, ohne über Marco und Grimme zu reden. Dann gab ich Tina die CD. Sagte ihr, dass Mary in Stanford recherchierte, um herauszufinden, ob Mr. Grimme je da gewesen war, und wenn ja, wie lange und in welcher Funktion. Das fand sie gnädigerweise gut, konnte sich aber ihren Standardsatz »Du solltest die Ermittlungen besser uns überlassen« nicht verkneifen. Sie selbst hatte nicht viel zu berichten. Grimme würde am nächsten Morgen ins Präsidium zur Vernehmung kommen. Am Telefon hatte er erschüttert und fassungslos gewirkt. Spuren gab es noch keine, weder zu Marco noch zum Mörder von Frau Grimme.

Ich fragte sie, ob sie etwas über die Kinderleiche aus dem Rhein wüsste. Nein, meinte sie, das sei auch so eine Horrorgeschichte. Das Kind sei nicht zu identifizieren, keine Chance.

»Wir können ja ohne Vergleichsmaterial keinen DNA-Abgleich machen. Wir nehmen jetzt DNA-Proben von allen Kindern und Jugendlichen, zu denen eine Vermisstenanzeige vorliegt. Aber das hilft uns erst mal nicht weiter.«

»Warum nicht?«, fragten Stefan und ich aus einem Munde.

»Was meint ihr, wie lange das dauert?«, erwiderte Tina genervt. »Es ist noch nicht mal klar, wie alt dieses Mädchen war. Und wer sagt, dass es aus Köln stammt. Von den Kids am Bahnhof kommen ja viele aus weiß der Teufel woher.«

Sie wirkte frustriert und wütend. Aber ich war noch nicht bereit, aufzugeben. »Das Mädchen könnte Tamara sein. Die war bei der Grimme in Pflege, wie du weißt. Warum guckst du nicht einfach nach, ob sie wirklich bei ihrer Mutter ist? Und wenn nicht und wenn keiner weiß, wo sie ist, dann hat die Mutter bestimmt Sachen von ihr rumliegen, und dann könntest du Tamaras DNA mit der der Leiche abgleichen.«

»Weißt du was, Katja? Mach du deine Arbeit und lass mich meine machen, ja?«

Ich hatte sie noch nie so gereizt erlebt. Sie packte die CD in ihre Umhängtasche und wollte aufstehen. Mir war klar, dass ich es mir nicht völlig mit ihr verderben durfte. Außerdem mochte ich sie. Eigentlich.

»Ich hab noch Eis. Vanille mit Schoko.«

Sie verstand den Wink. Lehnte sich wieder in den Stuhl zurück. »Aber nur einen kleinen Klacks. Ich bin schon zu fett.«

»Quatsch!«

»Dafür kannst du mir die doppelte Portion geben«, meinte Stefan herzlos.

Wir aßen erst mal, dann wandte ich mich erneut an Tina. »Meinst du, Marco lebt noch?«

»Ich weiß es nicht, Katja. Wir suchen weiter. Tag und Nacht.«

»Aber?« Sie sah so nach »aber« aus.

»Aber je länger so ein Kurzer verschwunden ist, desto geringer werden die Chancen, ihn zu finden. Lebend zu finden.«

Ich holte den Aschenbecher und machte mir eine an. Sie schmeckte nicht. Ich machte sie wieder aus. Wenn ich das alles hinter mir habe, dachte ich plötzlich, höre ich mit dem Rauchen auf.

Tina fragte, ob ich noch etwas zu trinken hätte. Ich konnte ihr nur Wasser anbieten. Füllte eine Karaffe mit Leitungswasser und stellte sie samt Gläsern für uns alle auf den Tisch. Tina trank gierig ein ganzes Glas aus und schenkte sich direkt nach. Etwas stimmte definitiv nicht mit ihr. Ich sah sie fragend an.

»Ach, manchmal kommt es eben dicke. Wir haben so 'n neuen Staatsanwalt, aus Wuppertal, und in der Kantine-Gerüchteküche heißt es: Der wurde strafversetzt. Aber frag mich nicht, warum.«

»Habt ihr den im Grimme-Fall?«

Sie nickte. Er sei, erzählte sie und senkte die Stimme, als könnte jemand mithören, ein arrogantes Arschloch, schwulenfeindlich, ausländerfeindlich und ein Macho zum Drüberkotzen.

»Und wenn die so einen noch nicht mal in Wuppertal wollen, was soll der in Köln?«

ZWÖLF

In Stommeln wartete ich endlos auf die Bahn zurück nach Köln, was meine Laune nicht gerade hob. Jessicas Pflegeeltern hatten mich freundlich empfangen, sie waren offen und hilfsbereit gewesen, hatten mir aber nicht viel erzählen können. Zwischen ihnen und Jessie lief offenbar alles gut, und in den paar Minuten, in denen Jessie sich hatte blicken lassen, hatte sie einen selbstbewussten und aufgeweckten Eindruck auf mich gemacht. Am meisten brachte mir die Info, dass sie zwar ein paar Monate, nachdem sie Jessie zu sich genommen hatten, kontrolliert worden waren, dann aber, in all den Jahren, nie wieder. Das Handy riss mich aus den Gedanken.

»Hörma«, meinte Hotte, »könntstu morgen früh die Chantal nehmen, dann würd ich die Nele nach Düren fahren.«

Das schlechte Gewissen verschlug mir erst mal die Sprache. Ich hatte völlig vergessen, dass Nele morgen in die Entgiftung ging. Dabei hatte ich sie nach Düren begleiten und vorher noch einen wunderschönen Abschiedsabend für sie inszenieren wollen!

»Ja, klar, mach ich!«, brachte ich schließlich heraus. »Wann wollt ihr denn fahren?«

»Also, die Nele muss um elf Uhr da sein.«

»Heißt?«

»Heißt, ich tät dir die Chantal so um halb zehn rum vorbeibringen, die Nele einpacken und dann ab die Post.«

Ich fand das arg früh, aber Hotte bestand darauf, »wegen all der Staus und so«, und er und Nele könnten dann ja in Düren noch in aller Ruhe einen Kaffee trinken. Ich bezweifelte, dass Nele dafür den Nerv haben würde, versprach ihm aber, Chantal um halb zehn in Empfang zu nehmen.

»Und heute Abend«, improvisierte ich, »gibt es ein Abschiedsessen …«

»Ja, hat mir die Hertha schon gesteckt. Um sieben bei ihr.«

Ich hätte es mir denken können. Auf Hertha ist Verlass. Im Gegensatz zu mir. Um meine Versäumnisse Nele gegenüber wiedergutzumachen, rief ich in meiner Buchhandlung an und ließ mir die drei letzten Krimis von Ian Rankin beiseitelegen. Nele hatte sich einmal einen Ian Rankin von mir ausgeliehen und ihn super gefunden. Und in Düren braucht man Ablenkung so dringend wie Wasser in der Wüste. Da ich schon dabei war, meine verantwortungsbewusste Seite auszuleben, rief ich gleich noch Mary an und bat sie, morgen früh um zehn zu mir zu kommen. »Dann könntest du Chantal zeigen, wie toll Kung-Fu ist. Und sie vielleicht dazu kriegen, dass sie es bei dir lernen will.«

»Hm«, meinte Mary.

»Du hast es doch angeboten?«

»Ja«, erwiderte sie leicht irritiert, »aber warum muss es jetzt so plötzlich sein? Komm doch nächste Woche mal nachmittags mit ihr vorbei.«

»Äh … das ist schwierig, Mary. Wenn du kommst, während sie gerade bei mir ist, dann sieht das ganz zufällig aus.«

»Warum muss das zufällig aussehen?«

Tja. Wie sollte ich einer weltoffenen und welterfahrenen Frau wie Mary verständlich machen, dass für jemanden wie Chantal jeder, der nicht aus ihrem direkten Umfeld stammt, ein potenzieller Feind ist? Ich versuchte es.

»Weißt du, so Leute wie dich kennt Chantal nicht. Leute, die anders leben als sie und ihre Family, sind ihr fremd. Die reden anders, die haben andere Vorstellungen, und, was schwerer wiegt: Die könnten auch eine mögliche Bedrohung darstellen.«

»Das musst du mir erklären.« Mary klang eingeschnappt. Was sie selten ist. Ich war gerade dabei, etwas, das mir sehr, sehr wichtig war, zu verbaseln. Ich nahm einen neuen Anlauf.

»Na ja, sie könnten zum Beispiel die Polizei oder das Jugendamt informieren. Das hat Chantal schon erlebt. Und wenn das *jetzt* jemand tut, dann könnte das schreckliche Folgen haben. Die Kinder, also Chantal und ihr Bruder, halten sich doch grade versteckt, Mary.«

»Aber ich würde sie doch nicht verraten!«

»Nein, natürlich nicht. Aber Chantal weiß das nicht.« So kam ich nicht weiter. »Hör mal, Mary, ich erkläre dir das mal ganz ausführlich und besser, als ich es jetzt kann. Und ich wäre dir unendlich dankbar, wenn du morgen kommen würdest.«

Sie sagte zu. Ich wollte schon einhängen, da schob sie hinterher: »Ich habe Neuigkeiten für dich in Sachen Kambodscha.«

Ich bat sie, mir die zu erzählen, wenn ich wieder zu Hause wäre. So lange Gespräche auf dem Handy kann ich mir nicht leisten.

Eine Station vor dem Hauptbahnhof stiegen zwei Jungs ein, die aussahen wie Stricher auf dem Weg zur Arbeit. Der ältere war um die sechzehn, wirkte wie ein Profi, war relativ gut angezogen und geradezu atemberaubend schön. Der kleinere war garantiert keinen Tag älter als vierzehn, hatte ein paar Pickel am Hals und Aknenarben im Gesicht, trug Kik-Klamotten, starrte unentwegt den dreckigen Boden der Bahn an und hielt sich an einer Cola-Flasche fest. Ich hatte plötzlich die schwachsinnige Hoffnung, die beiden könnten wissen, wo Marco steckte. Also ging ich ihnen auf dem Bahnhof hinterher. Sie schlenderten durch die Halle Richtung Breslauer Platz und blieben vor McDonald's stehen. Der Große flüsterte dem Kleinen etwas zu und ging dann weiter Richtung Ausgang. Der Kleine blieb stehen und sah sich nervös nach allen Seiten um. Ich überlegte gerade, ob ich mich an den Kleinen halten oder besser dem Großen hinterherlaufen sollte, als ein Mann auf den Kleinen zukam, ein paar Worte mit ihm wechselte und ihn mit einer einladenden Geste in das Lokal führte.

Ich folgte ihnen im Wortsinne auf dem Fuße, denn der Mann war niemand anderes als »mein« Regisseur, der arrogante Typ, der die Produktion meines letzten Stücks gemacht hatte.

»Na warte, du Wichser!«, dachte ich, wobei mir nicht ganz klar war, was ich jetzt eigentlich tun sollte oder könnte oder wollte. Ich holte mir also erst mal einen Kaffee und setzte mich ostentativ an den Nebentisch. Mr. Regie sah zu mir herüber und erkannte mich. Er wurde nicht gerade rot, aber es war ihm ganz eindeutig unangenehm. Er nickte mir unfreundlich zu und setzte seinen Flüsterdialog mit dem Jungen fort. Das heißt, er redete beschwörend auf ihn ein, drückte ihm schließlich ein paar Scheine in die Hand und ging.

Der Junge wollte aufstehen, aber ich war schneller. »Ich hab mal 'ne Frage.«

Er sah sich panisch nach einem Fluchtweg um.

»Ich bin weder von der Sitte noch vom Jugendamt«, versuchte ich ihn zu beruhigen. »Ich suche einen kleinen Jungen, Marco, der ist von seinen Pflegeeltern weggelaufen ...«

Er starrte mich an, als hielte ich ihm eine Knarre vors Gesicht, dann startete er durch und war weg. Ich wusste, es hatte keinen Sinn, ihm hinterherzurennen. Aber ich hätte zu gern gewusst, wofür ihm Mr. Regie so viel Geld gegeben hatte. Der Kerl war nicht nur eingebildet, er war auch ganz und gar nicht koscher. Und er machte einen Film über Kinderprostitution in Kambodscha. Was, wenn er an dem Thema ein ganz persönliches Interesse hatte? Ich beschloss, Martin anzurufen, und machte mich endlich auf den Heimweg.

Rosa war stinkesauer. Dabei wusste ich noch nicht mal, warum, schließlich war ich heute Morgen noch früher als ohnehin schon nötig aufgestanden, um Madame ihr Futter zu geben. Dann roch ich den Grund für ihren Groll. Bat sie um Verzeihung und machte das Katzenkistchen sauber.

»Du bist nicht mehr du selbst, Leichter«, sagte ich mir. »Ständig vergisst du etwas, das für deine Lieben wichtig ist.« Die Geschichte mit Marco überforderte mich.

Hertha stand am Herd und deutete mit dem Kinn in Richtung Neles Zimmer. Dieses Zimmer war einmal für Herthas Sohn gedacht gewesen, für den Fall, dass er seine leibliche Mutter besuchen wollte. Wollte er aber nicht. Als Nele sich letzten Winter vor der Polizei hatte verstecken müssen, hatte Hertha sie in dem Zimmer untergebracht. Dann hatten die beiden Ladys aus der Not eine Tugend gemacht und wohnten seither zusammen. Und jetzt packte Nele ihre Sachen.

Ich klopfte an und trat ein. Nele kniete auf dem Boden und zerrte am Reißverschluss einer völlig überfüllten Reisetasche. Ich hockte mich neben sie und half ihr. Als das Ding endlich zu war, setzten wir uns auf das Bett und steckten uns erst mal eine Kippe an. Nele hatte die Haare ins Gesicht hängen, ich konnte nur die Nase erkennen. Ich langte nach ihrer Hand und hielt sie fest.

»Du schaffst es, Süße.«

»Und wenn ich gar nicht will?« Sie warf die Haare zurück und sah mich mit einer Mischung aus Wut und Verzweiflung an.

»Dann lässt du's eben sein.« Paradoxe Intervention nennt man das, hatte ich von Stefan gelernt. Kann wirken. Kann aber auch nach hinten losgehen.

»Ja, wie?«, knurrte Nele. »Ich bin doch schon überall angemeldet.«

Ich streckte mich auf dem Bett aus und zog sie mit dem ausgestreckten Arm an den Haaren. »Hast du was mit dem Hotte?«

»Wie, mit dem Hotte?« Sie ließ sich neben mich plumpsen und schob mich zur Seite.

»Also ja.«

»Neeee …«

»Wie, neeee?«

»Ja, nee eben.« Sie drückte die Kippe im Aschenbecher aus, ich tat es ihr gleich. »Ich denk schon, ja, irgendwie, also, ich mein …« Sie seufzte filmreif. »Also, das könnte was werden. Weißte?«

»Ja klar, das sieht doch ein Blinder.«

»Was fragst'n dann?«

»Wie alt sind wir grade?«

Sie boxte mich in die Seite. »Also, wir haben beschlossen, da läuft jetzt erst mal nix, bis ich mit der Therapie durch bin. Und dann mach ich vielleicht noch Adaption. Weißte?«

»Weiter!«

Sie lächelte zufrieden und nachdenklich. »Ja, und dann … Dann gucken wir mal. Jedenfalls, ich geb ihn in Düren und dann in der Therapie als Vertrauensperson an, dass der mich besuchen kann und so.« Sie zupfte an einer Haarsträhne wie eine verknallte Vierzehnjährige. Dann fügte sie hastig hinzu: »Und dich sowieso, ich kann ja zwei angeben.«

Sie setzte sich wieder auf und schlang die Arme um die Knie. »Der Hotte meint, er will nur 'ne Beziehung mit mir, wenn ich hundertpro clean bin. Weil, alles andere würd uns beide kaputtmachen. Und er hat ja jetzt auch die Kinder …« Sie kramte nach ihrem Tabak, das Gesicht wieder verschlossen. »Meinste, der Pico is noch am Leben?«

»Hörma«, Hertha steckte den Kopf durch die Tür, »ich mach Gulasch. Wenn de dat nit essen willst, musste dir wat mit rüberbringen.«

So aggressiv hatte ich sie schon lange nicht mehr erlebt. Ich sagte ihr, das sei kein Problem. Ob ich die Getränke besorgen sollte? Oder Nachtisch?

»Du kannst 'n Eis holen.« Peng, Tür zu.

Nele verdrehte die Augen. »Die is drauf! Hilfe!«

»Die ist ab morgen wieder alleine. Die hat dich ins Herz geschlossen. Die wird dich bitter vermissen.«

»Mich hat noch keiner vermisst.«

»Tja, einmal ist immer das erste Mal.«

Sie grinste wider Willen. »Ich komm ja wieder. Spätestens nach der Adaption. Wenn ich da überhaupt hingehe.«

»Na ja, dann ziehste vielleicht lieber mit dem Hotte zusammen?«

»Nö. Ich bleib hier. Ich brauch meine Freiheit, weißte?« Und dann so leise, dass ich sie kaum verstand: »Ich will keine Kiddies großziehen. Wenn meine Jessie bei andern Leuten ist.«

Als ich meine Wohnungstür aufschloss, hörte ich Marys Stimme auf dem AB. Ich lief zum Telefon und bekam sie gerade noch dran. Ein Professor Heinrich Grimme, erzählte sie mir, hatte nie einen Lehrauftrag oder gar eine Professur in Stanford. Aber er hatte dort letztes Jahr einen Vortrag gehalten. Thema: »Das Lächeln der Apsaras«. Das sind die göttlichen Tänzerinnen, deren Reliefs die Haupttempel von Angkor Wat schmücken.

»Die Restauration der Apsaras«, erklärte mir Mary, »ist übrigens ein Projekt der Fachhochschule Köln. Vielleicht solltest du da mal nach deinem Mr. Grimme fragen.«

Das hatte ich schon. Aber da kannte ihn niemand.

»Und jetzt höre!«, fuhr Mary fort: »Während ich für dich recherchierte, rief mich mein *cousin George* an. Seine Frau will mit den Kindern nach Europa kommen, aber egal. Er arbeitet für die UNESCO, und er erzählte mir, er war gerade in Kambodscha, zu – wie sagt man? – *controlling the work of projects over there?* Und ich habe ihn gefragt, für gut Glück, ob er einen Professor Grimme kennt. Und er sagt: ja!«

»Nein!«

»Er ist in dem Vorstand von einer Hilfsorganisation für Kinder. Für Kinder, die wurden als Prostituierte verkauft!«

Ich kramte hektisch nach meinen Zigaretten.

»Katja?«

»Ja, Mary, ich bin noch dran. Das ist ja irre! Wahnsinn.«

»Die Organisation heißt ›Ef Ai Ci‹.«

Ich schrieb mit und starrte ungläubig auf das Wort, das da auf dem Papier stand. F, I, C?«, fragte ich zur Sicherheit nach.«

»Yup. Steht für ›Free The Innocent Children‹.«

»Mary, das klingt wie ›Fick‹!«

»Uh!«

»Findest du nicht, dass das eine seltsam missverständliche Abkürzung ist?«

»Fuck, you're right. Sounds ... well ... Du kannst sie im Internet finden. Aber es steht da nicht viel. Ich habe George gebeten, mir Unterlagen zu besorgen. Er sagt, er faxt mir alles, was er bekommen kann.«

Ich dankte ihr aus ganzem Herzen und erinnerte sie daran, dass wir am nächsten Morgen um zehn verabredet waren.

»Habe ich schon gesagt, dass ich drei Croissants von der Bäckerei in der Kuenstraße möchte?«

Na super, ich laufe ja morgens vor dem Frühstück so gern quer durchs Viertel.

Aber für Mary tu ich fast alles. Also salutierte ich dem Telefonhörer. »Aye, aye, Ma'am!«

Auf der Homepage von F.I.C. waren zwei Kinder zu sehen, ein Junge und ein Mädchen in kurzen Kakihosen und leuchtend blauen T-Shirts. Sie verzogen beide den Mund zu einem Lächeln, im Blick ihrer aufgerissenen Augen aber lag eine herzzerbrechende Abgestumpftheit. Mir drehte sich der Magen um. »Chivan und Chhai lebten auf dem Müllberg von Phnom Penh«, las ich. »Die neunjährigen Zwillinge sind Waisen. Sie schliefen zwischen Ratten und ernährten sich von verrotteten Essensresten. Dann kamen die Menschenhändler. Sie erzählten den Kindern, dass sie ihnen zu einem guten Leben verhelfen würden. Zu einem Leben, in dem sie auf einer Matratze in einem richtigen Haus schlafen würden und gutes Essen bekämen. Die Kinder glaubten und vertrauten den Männern. Und landeten in thailändischen Bordellen, in denen sie Prostitutionstouristen – auch deutschen – zu Diensten sein mussten.«

Es folgte ein Foto, auf dem mehrere Kinder scheu und verstört in die Kamera starrten. Sie standen auf einem Rasen vor einem Steinhaus, in dessen Fenstern bunte Vorhänge flatterten. »In Kambodscha erleiden Tausende Kinder das Schicksal von Chivan und Chhai«, ging der Text weiter. »Sie werden von ihren eigenen Eltern oder von den korrupten Direktoren staatlicher Waisenhäuser an Menschenhändler verkauft. Und häufig werden sie auch direkt auf der Straße gekidnappt oder mit falschen Versprechungen gelockt.« Auf dem nächsten Foto war eine holprige Straße mit mehreren Schlaglöchern zu sehen. Im Hintergrund Wellblechbaracken, im Vordergrund ausgemergelte Gestalten, die am Straßenrand hockten. »Die Armut in Kambodscha«, fuhr der Text fort, »ist so groß, dass die meisten Menschen dem Schicksal dieser Kinder gleichgültig gegenüberstehen.« – Absatz, und dann in Großschrift: »Wir nicht! F.I.C. ist eine Organisation, die es sich zum Ziel setzt, unschuldige Kinder, die zur Prostitution gezwungen wurden, aus ihrem Elend zu befreien. Helfen Sie uns zu helfen!«

F.I.C., erfuhr ich, kaufte Kinder aus thailändischen Bordellen frei und brachte sie in einem Heim in der Nähe von Phnom Penh unter. Dort wurden sie pädagogisch und psychologisch betreut, bekamen eine Schulausbildung »und somit gute Startchancen für ein neues, ein besseres Leben«.

Ich scrollte weiter nach unten, aber da war nichts mehr. Es gab keinen Link zum Team, zum Heim, zur konkreten Arbeit der Organisation oder sonstigen Informationen. Man konnte nur noch das Spendenkonto und das Impressum anklicken. Das gab einen oder eine A. Salieri als verantwortlich für den Inhalt an. Und eine Adresse in einem Ort, der sich, als ich ihn auf der Landkarte suchte, als ein kleines Kaff südlich von Phnom Penh herausstellte.

Ich rief noch mal Mary an. Besetzt. Ich versuchte es im Drei-Minuten-Takt, aber nach einer guten halben Stunde war noch immer besetzt.

»Häng ein, Mädchen!«, flehte ich, aber sie erhörte mein Flehen nicht. Dafür knurrte mein Magen. Ich sah im Kühlschrank nach, fand eine angeschimmelte Tomate, eine Packung Tilsiter mit historischem Ablaufdatum und sonst nichts. *Nada. Niente.* Dabei fiel mir ein, dass ich Eis für den Nachtisch heute Abend kaufen musste. Okay, dachte ich, dann mache ich jetzt direkt den überfälligen Großeinkauf. Aber einmal wenigstens wollte ich es noch bei Mary versuchen.

Sie ging dran. »Mary«, fing ich an, aber sie unterbrach mich sofort.

»Ah, Katja, that's great! Listen!« Und dann fragte sie mich, ob ich klassische Musik mag.

»Hör mal, Mary, lass uns darüber ein andermal reden, ja? Ich muss jetzt …«

»Weißt du, wer Antonio Salieri ist?«

»Ach, Antonio heißt er. Ich hab mir den Typen auch gegoogelt. Darüber will ich ja mit dir reden. Diese Website ist nicht koscher, Mary. Da findest du nur …«

»Exactly! That's the point, love.«

Ich hatte sie seit Jahren nicht mehr so viel Englisch reden hören. Das tut sie nur, wenn sie sehr, sehr aufgeregt ist.

»Antonio Salieri war ein Komponist von dem Kaiser in Wien, *at court,* zu Zeiten von Mozart. Er war Mozarts Konkurrent, oder besser gesagt, Mozart war seiner, hast du den Film von Forman gesehen?«

»Hä?« Ich war mal Punk gewesen. Ziemlich lange sogar. Und jetzt höre ich Amy Winehouse und so was. Mozart ist nicht ganz mein Revier.

»*Never mind*. Was ich dir sagen will, ist: Dieser A. Salieri in dem Impressum von F.I.C., das ist mit Sicherheit ein *fake*. Ein Pseudonym.«

Na bitte. Ich hatte es geahnt.

Sie habe gerade stundenlang mit ihrem *cousin George* telefoniert, berichtete sie mir, der wiederum in den Unterlagen der UNESCO nachgeguckt hatte. Und jetzt wurde es wirklich spannend. Professor Grimme war bereits vor einem Jahr aus dem Vorstand von F.I.C. ausgetreten. Und seit einem Monat gab es auch die Organisation nicht mehr. Sie hatte sich aufgelöst. Die anderen Vorstandsmitglieder waren kambodschanische Staatsbürger gewesen, Adressen von ihnen lagen nicht vor.

»Mary, du bist genial«, hauchte ich.

»Nicht ich«, wehrte sie ab, »diese Informationen verdanken wir George. Und der ist gerade sehr, sehr misstrauisch geworden. Er wird der Sache weiter nachgehen.«

»Und dich weiter auf dem Laufenden halten?«

»Ja, das wird er.«

Ich bat sie, ihm auch in meinem Namen zu danken. Und voranzumachen.

Ich schlüpfte in die Schuhe und schnappte mir den Einkaufskorb. War noch nicht ganz an der Wohnungstür, als es klingelte.

»Kann ich ma reinkommen?«, fragte Hotte.

Ich führte ihn in die Küche und setzte Kaffeewasser auf. Er sagte kein Wort und tigerte zwischen dem Tisch und dem Fenster hin und her.

»Hotte«, bat ich, »kannst du dich hinsetzen? Du machst mich total nervös.« Ich stellte den Aschenbecher und zwei Kaffeebecher auf den Tisch. Hotte setzte sich und drehte sich eine Zigarette. Ich goss den Kaffee auf, schenkte uns ein und setzte mich ihm gegenüber. »Was ist los?«

Rosa kam um die Ecke gebogen, schnupperte an Hottes Hose und sprang auf seinen Schoß. Er kraulte sie hinter den Ohren und studierte die Tischplatte.

Ich will zwar schon länger wirklich weniger rauchen, aber nun steckte ich mir doch eine an. Hotte schlürfte geräuschvoll seinen Kaffee, ansonsten gab er keinen Laut von sich.

»Scheiße«, dachte ich, »er will mit Nele Schluss machen. Sie ist ihm zu viel.« Ich wollte gerade etwas sagen, da fiel mir die noch schlimmere Möglichkeit ein: Nele ging doch nicht in die Entgiftung. Sie hatte beschlossen, die Therapie zu schmeißen. Lag voll zugedröhnt drüben auf dem Sofa. Und Hotte musste es mir beibringen.

»Hotte?«

Er sah mich an, Verzweiflung im Blick. »Katja, ich schaff das nicht.«

Ich habe immerhin so viel Erfahrung mit Männern, dass ich wusste, ich durfte jetzt bloß nicht nachfragen! Also trank ich schweigend meinen Kaffee und zog an der Zigarette.

»Ich hab's schon mal verbockt als Vater. Total verbockt. Ich war auf Jück oder in der Kiste, aber bloß nich zu Hause. Und die Inge, meine Alte, die hat sowieso gar nichts gerafft. Und ich hab nicht gerafft, dass sie's nicht rafft.«

Er sah mich fragend an. Ich schaute ebenso fragend zurück.

»Darum is der Jung ja auch draufgekommen. Da war ja keiner

da, der sich um den gekümmert hätt. Die Inge war am Rumhuren, und ich war am Arbeiten. Also, arbeiten …« Er grinste schief. »Oder am Fiere mit den Jungs.« Wieder der fragende Blick. Dann konzentrierte er sich erneut auf Rosa. Was sie mit einem mittelstarken Schnurren quittierte.

Worauf will er raus?, fragte ich mich, obwohl ich es dunkel ahnte.

»Ich hab keine Erfahrung so als Vater, weißte?«, fuhr er schließlich fort. »Ich weiß nit, wie dat geht. Und dann mit so Kinders wie der Chantal und dem Pico.« Er stand abrupt auf, Rosa landete unsanft auf dem Boden und fauchte wie eine angeschossene Tigerin. »'tschuldigung«, murmelte Hotte, aber Rosa stolzierte zutiefst gekränkt aus der Küche. Hotte ging zum Fenster und drehte sich eine neue Zigarette. Zündete sie an, nahm einen tiefen Zug und rückte schließlich mit der Sprache heraus.

»Ich kann die Pänz nich nehmen, Katja. Ich krieg das nich geregelt.«

»Und wo sollen sie hin?«

»Keine Ahnung. Ins Heim. Da ham die so Psychofritzen und all so wat. Für den Marco.«

Ich sah den Jungen vor mir, seinen kleinen verkrampften Körper, das dünne, fast weißblonde Haar, das ihm Chantal mit der Nagelschere zu einer Stoppelfrisur zusammengeschnitten hatte, das blasse Gesichtchen, die violetten Schatten unter den Augen, die unheilbare Angst in seinem Blick. Überlegte panisch, ob ich die Kinder nehmen könnte. Ob ich sie Gitta aufschwatzen könnte. Oder meiner Mutter …

»Die Chantal«, sagte Hotte leise vom Fenster her, »die tät ich nehmen. Mit der komm ich gut klar. Das is 'ne Fitte. Aber der Marco …« Er drehte sich um. Starrte schweigend aus dem Fenster.

Ich konnte es ihm nachempfinden. Marco war eine Überforderung für jeden, der nicht über unerschöpfliche Geduld, große Erfahrung mit Kindern und eine angeborene psychologische Begabung verfügte. Und er war eine hoffnungslose Überforderung für jemanden wie Hotte, der noch nicht einmal auf ein Mindestmaß an väterlicher Kompetenz zurückgreifen konnte. Ich hatte es nur nicht sehen wollen. Wir hatten es alle nicht sehen wollen.

»Hotte?«

Er rührte sich nicht.

»Ich kann dich verstehen. Ich würde es vermutlich auch nicht schaffen. Mit dem Marco.«

Hotte wandte sich in *slow motion* zu mir um. Starrte mich an, als hätte ich ihn aus dem Tiefschlaf gerissen.

»Aber wo soll er hin?«

»Die Chantal«, sagte Hotte mit belegter Stimme, »die bleibt nicht bei mir, wenn ich den Pico wegschicke. Für die bin ich dann gestorben.«

Ich wusste, er hatte recht. Und ich hatte mich vermutlich noch nie im Leben einer so ausweglosen Situation gegenübergesehen.

Hotte kam an den Tisch und drückte seine Kippe im Aschenbecher aus. Sah mich an.

»Ich lass es mir noch mal durchn Kopf gehen, Katja.«

Er war schon an der Tür, als er sich noch mal umdrehte: »Hörma, sag der Nele nichts. Die soll jetzt erst mal in die Entgiftung, okay?«

Ich brauchte jetzt nicht nur das versprochene Eis und Nachschub für meinen Kühlschrank, sondern auch dringend frische Luft und Bewegung. Also machte ich einen großen Schlenker zur Buchhandlung und holte den Ian Rankin ab. Ließ mir die drei Bände als Geschenk verpacken und kaufte gleich noch ein schmales Lesezeichen mit einer hellen Feder drauf dazu. Dann marschierte ich zum REWE, kaufte eine Packung Vanille- und eine Packung Schoko-Eis und was ich sonst noch brauchte. Da ich null Appetit hatte, fiel der Einkauf ziemlich bescheiden aus, was zumindest meinem Kontostand guttat.

Zu Hause angekommen, nahm ich mir ein Herz und rief endlich Frau Lanzing im Jugendamt an. Ich hatte dieses Gespräch die ganze Zeit vor mir hergeschoben, weil ich schlicht und einfach Angst davor hatte. Ich ging davon aus, dass die Frau nicht mit mir reden wollte. Schließlich war sie als Marcos Sachbearbeiterin mit schuld an dem ganzen Horror. Sie hatte den Jungen an die Grimmes vermittelt, sie hatte nichts gesehen und gehört oder einfach nicht nachgefragt oder gar nachgesehen. Allerdings, überlegte ich, vielleicht weiß sie ja gar nicht, was die Grimme mit dem Jungen gemacht hat. Vielleicht hatte sie nur gehört, dass Marco verschwunden ist? Und wenn das so war, dann musste ich ihr den Horror beibringen. Hilfe!

Jetzt habe ich zwar eine große Klappe, bin aber in Wahrheit ziemlich konfliktscheu. Wenn Leute mir zum Beispiel sagen, sie möchten nicht interviewt werden, und ich das Gefühl habe, sie meinen das wirklich so, dann lasse ich es gut sein. Ich kann und mag niemanden zu etwas drängen, das er oder sie nicht tun möchte. Aber ich musste die Frau unter allen Umstanden dazu bringen, mit mir zu reden. Sie musste mir alles sagen, was sie über Grimme und deren Mann wusste, welchen Kinderarzt Marco hatte, ob sie Tamara an Grimmes vermittelt hatte und, wenn ja, wo das Mädchen jetzt war.

Ich wählte ihre Durchwahlnummer, bekam aber statt Lanzing eine kühle Lady in der Vermittlung dran. Frau Lanzing sei gerade nicht zu sprechen. Ob sie mir weiterhelfen könne? Nein, sagte ich, das sei ein Privatanruf. Ich würde es dann bei Maria, äh, Frau Lanzing – mir war grade noch rechtzeitig eingefallen, dass sie Maria hieß – zu Hause versuchen.

Der Trick funktionierte. »Bleiben Sie mal dran«, meinte die Lady.

»Lanzing.«

»Tag, Frau Lanzing, Katja Leichter hier. Ich muss mit Ihnen sprechen.«

»Wenden Sie sich bitte an unsere Pressestelle, Frau Leichter, ich bin nicht auskunftsberechtigt.«

Ich sagte ihr, dass ich kein offizielles Statement von ihr wollte, sondern ein Privatgespräch. Dass ich Marco und Chantal kannte, dass ich mich um die Kinder gekümmert hatte, dass ich mich jetzt weiter mit um Chantal kümmerte und unbedingt herausfinden musste, wo Marco steckte. Dass ich deshalb unbedingt und so bald wie irgend möglich mit ihr reden musste. Und dass sie doch mit dem, was ich in meiner Sendung über das Jugendamt aus ihrem Interview gemacht hatte, ganz zufrieden gewesen war.

»Was heißt, Sie haben sich um die Kinder gekümmert?«, fragte sie ungläubig.

Ich erzählte ihr einen Teil der Geschichte, ohne Hotte zu erwähnen. Natürlich wollte sie wissen, wo Chantal steckte, und drohte mir sogar mit Konsequenzen, wenn ich eine Minderjährige ihren Erziehungsberechtigten vorenthielte.

»Welche Erziehungsberechtigten?«

Worauf sie gar nichts mehr sagte.

Also lenkte ich ein und versuchte erneut, sie davon zu überzeugen, dass sie mit mir reden musste.

»Frau Leichter«, sagte sie so leise, dass ich sie kaum verstand, »man hat mir gesagt, Marco sei möglicherweise missbraucht worden.«

»Wer hat Ihnen das gesagt?«

»Eine Polizistin. Die mich vernommen hat. Wissen Sie etwas darüber? Haben die Kinder Ihnen etwas darüber erzählt?«

»Frau Lanzing, Frau Grimme hat den Jungen an Männer verkauft. Die ihn missbraucht haben.«

»Das ist eine Lüge! Wie kommen Sie dazu, so etwas zu behaupten! Die Frau ist tot!«

»Haben Sie ein Faxgerät?«

»Natürlich haben wir ein Faxgerät, was soll diese Frage?«

»Dann stellen Sie sich jetzt direkt daneben. Frau Grimme hat in meiner Wohnung ein kleines Notizbuch versteckt. Als sie bei mir zum Interview war. Das Büchlein hat die Polizei, aber ich habe Kopien davon. Und die faxe ich Ihnen jetzt. Es wäre vielleicht hilfreich, wenn nur Sie selbst die in die Hand bekämen. Sagen Sie mir die Faxnummer?«

Schweigen.

»Frau Lanzing?«

Sie gab mir die Nummer durch. Hängte ein. Ich holte meine Kopien aus dem Versteck, lief runter in das Internetcafé und gab sie der netten Iranerin, die dort arbeitet. Sie faxte mir alles durch und gab mir die Bestätigung.

Ich gönnte Frau Lanzing eine halbe Stunde. Dann rief ich wieder an.

»Tut mir leid«, sagte sie mit einer ziemlich brüchigen Stimme, »da kann nicht Ihnen nicht weiterhelfen. Wenden Sie sich bitte an die Pressestelle.«

»Wann kann ich Sie wo treffen?«

Schweigen.

Dann gab sie mir ihre Handynummer und flüsterte, ich solle sie morgen Abend anrufen.

Ich hätte sie gern zu einem früheren Termin gedrängt, ließ es aber sicherheitshalber bleiben. Wenn ich sie zu sehr in die Enge trieb, machte sie womöglich ganz zu. Ich hatte sie als eine kluge und warmherzige Frau kennengelernt und war mir sicher, dass sie tierisch darunter litt, dass sie Grimme nicht durchschaut und nicht kontrolliert und ihr Marco und womöglich auch Tamara schutzlos ausgeliefert hatte.

DREIZEHN

Neles Abschiedsabend war zu einer makabren Mischung aus Gelächter und Aggressivität geraten. Hertha hatte sich schon im Vorfeld mit einem fetten Joint plus ein, zwei oder vielleicht auch drei Grappas gestärkt, das Gulasch hatte einen leicht angebrannten Beigeschmack. Nele hatte ihre Emotionen genauso wenig zeigen können wie Hertha und abwechselnd herumgeätzt und -geblödelt, Hotte war schweigsam-depressiv gewesen, Chantal nervös und angriffslustig, und ich hatte den Klassenclown gespielt. Bis Hertha trocken meinte: »Lass gut sein. Et is, wie et is.« Worauf Nele feierlich erklärt hatte: »Hertha, ich komme voll clean zu dir zurück!« Worauf wiederum Chantal einen hysterischen Lachanfall bekam.

Am andern Morgen war ich schon um halb sieben aufgestanden, um in Ruhe meditieren zu können, bevor dieser Tag über mich hereinbrach. Ich war zur Bäckerei gelaufen, hatte Chantal in Empfang genommen, Nele die Tüte mit den Krimis in die Hand gedrückt, sie noch mal heftig umarmt und ihr »Du wirst es schaffen« und »Du wirst mir fehlen, Süße« ins Ohr gemurmelt.

»Du mir auch!« Sie hatte ziemlich verzagt geklungen, und ich hatte ihr geschworen, dass ich sie in Düren jeden Tag anrufen und auch mal besuchen kommen würde.

Dann saß ich mit Chantal am Frühstückstisch, vor uns ein Brotkorb voller Croissants und Roggenbrötchen.

»Wieso hast'n so viel von dem Zeug geholt?«, fragte Chantal misstrauisch und wies auf den Brotkorb.

»Weil wir gleich Besuch kriegen.«

»Wie, Besuch?« Jetzt war sie in Alarmbereitschaft.

»'ne Freundin von mir kommt vorbei, die …«

»Jetzt?«

Sie war so voller Misstrauen, dass sich ihr ganzer Körper versteifte. Ich probierte es also mal wieder mit der Wahrheit. »Es ist Mary, von der hab ich dir schon erzählt. Die Kung-Fu-Lehrerin, weißte?«

Lauerndes Schweigen.

»Die hat doch angeboten, dass du bei ihr Kung-Fu lernen kannst.«

Ein Hauch von Neugier schlich sich in das Misstrauen.

»Wenn du Kung-Fu beherrschst, dann kann dir keiner was. Dann kannste jeden einfach wegpusten.«

»Wie, wegpusten?«

»Das muss Mary dir erklären. Ich guck nur manchmal zu, wenn sie trainiert, und sie hat mir ein paar Tricks beigebracht, wie ich mich zum Beispiel wehren kann, wenn mich einer vergewaltigen will. Aber im Grunde weiß ich nicht viel drüber. Dafür weiß sie alles.«

»In echt?«

»Ja. Sie hat bei irgendwelchen ganz berühmten Meistern in Hongkong und Taiwan gelernt.«

»Is die dann so was wie der Shaolin-Mönch vom Fernsehen?«

Ich hatte keine Ahnung, wer das sein sollte, nickte aber, da Chantals Augen jetzt vor Begeisterung glänzten.

»Boah, cool.«

In genau diesem Moment läutete es. Ich stellte Mary und Chantal einander vor, und Chantal wollte wissen, ob Mary »in echt« so eine war wie »der Shaolin-Mönch vom Fernsehen«. Mary beantwortete die Frage ganz ernsthaft mit »Ja«.

»Zeig mal!«, forderte Chantal sie auf.

»Hier«, Mary hielt Chantal ihre Unterarme hin, »leg deine Hände da drauf. Und jetzt versuch, mich wegzudrücken.«

Chantal lachte auf. Sie hatte sich im Heim nicht nur mit den Mädchen geprügelt. Also griff sie lässig nach Marys Armen und drückte dagegen. Mary lächelte freundlich. Chantal drückte fester. Schüttelte irritiert den Kopf, beugte sich vor, stemmte sich mit beiden Beinen in den Boden und drückte mit aller Kraft. Mary rührte sich nicht. Dafür machte Chantal plötzlich einen Satz nach hinten, stolperte und ging zu Boden. Sie starrte Mary halb bewundernd, halb wütend an, rappelte sich hoch und versuchte es erneut. Drückte atemlos gegen Marys Unterarme. Mit dem gleichen Ergebnis wie vorhin.

Dieses Mal blieb sie liegen, grinste verlegen und fragte: »Wie hast'n das gemacht?«

»Komm her!« Mary ging wieder in die Ausgangsstellung. »Versuch es noch einmal.«

Chantal sammelte all ihre Kraft. Konzentrierte sich auf Marys Arme. Beugte sich leicht vor und streckte die Arme aus. Zog sie plötzlich zurück, torkelte, versuchte das Gleichgewicht zu halten, griff ins Leere, so als habe Mary sich in Luft aufgelöst, und fiel schließlich in sich zusammen. Mary half ihr hoch.

»Das ist Qi, die Energie«, erklärte sie knapp, stellte sich aufrecht vor Chantal hin, umschloss die Faust ihrer rechten Hand mit der linken und streckte ihr die so zusammengelegten Hände leicht entgegen. Chantal machte die Geste ehrfürchtig nach.

»Und ich kann das echt bei dir lernen?«

»Ja«, sagte Mary, kramte in ihrer Umhängetasche, zog eine DVD heraus und reichte sie Chantal. »Das ist ›Tiger and Dragon‹, ein wunderschöner Film, in dem es um eine Kung-Fu-Kämpferin geht, die niemand besiegen kann.«

»Danke!« Chantal drückte die DVD an sich und setzte sich wieder an den Tisch. Zappelte herum und fragte endlich, ob sie den Film jetzt gleich gucken könnte. Ich stellte den Fernseher in meinem Arbeitszimmer an, schob die Disc in den Recorder und drückte der künftigen Kung-Fu-Heldin Chan-Tal die Fernbedienung in die Hand. Dann konnten Mary und ich endlich in Ruhe frühstücken.

»Da hast du ja eine beeindruckende Show abgezogen«, bemerkte ich anerkennend.

»*Well*, ich dachte, ich sollte vielleicht sein wie ›der Shaolin-Mönch vom Fernsehen‹. Dabei war das eben eher Tai-Chi-Ch'uan, also nicht die harte, sondern die weiche, innere Kampfkunst.« Sie sah mich nachdenklich an und meinte dann: »Ich glaube, für Chantal wäre das gut.«

Ich verstand nur Bahnhof.

»Darf ich?« Ohne meine Antwort abzuwarten, vergriff sich Mary am dritten Croissant. Die Frau ist über vierzig und kann so viele fetttriefende Schweinereien essen, wie sie will. Sie nimmt kein Gramm zu. Als hätte sie meine Gedanken gelesen, hielt sie mir den Brotkorb hin. Ich nahm mir ein Roggenbrötchen und klatschte eine Extraportion Aprikosenmarmelade drauf. Als Ausgleich.

»Sie ist ein gutes Mädchen«, nuschelte Mary, den Mund voller Croissant, Butter und Marmelade. »Sie hat Mut. Und Energie.«

»Das kannst du laut sagen.«

Aus meinem Arbeitszimmer erklangen Kampfgeräusche, untermalt von Filmmusik.

»Chantal kann jederzeit kommen. Ich nehme sie in den Mädchenkurs auf«, erklärte Mary.

Sie schluckte den Bissen herunter und ließ ihren Blick gierig über den Tisch schweifen. Langte schließlich nach dem Ziegengouda, säbelte ein dickes Stück davon ab und schob es sich in den Mund. Rosa sprang auf den Tisch und schnupperte interessiert an den diversen Köstlichkeiten. Ich hob sie auf meinen Schoß, schnitt ein Stückchen Käse ab und hielt es ihr hin. Sie knabberte vorsichtig daran, aber Ziegengouda trifft offenbar nicht ihren Geschmack. Sie sprang auf den Boden, drehte eine Runde durch die Küche und entschied sich schließlich für das Fensterbrett als geeigneten Platz für ihr Vormittagsnickerchen. Rollte sich ein und pupste in unsere Richtung. Mir war nicht ganz klar, wie ich das interpretieren sollte. Mary lachte.

»Katjaaaa!« Chantal stand in der Tür und fuchtelte mit der Fernbedienung in meine Richtung. »Wie geh ich da auf Pause? Ich muss Pipi.«

Ich zeigte es ihr, und sie verschwand auf dem Klo. Als sie wieder herauskam, klingelte mein Handy.

»Katja?« Es war Tina Gruber. Ihre Stimme klang seltsam.

»Tina?«

Chantal blieb abrupt stehen.

»Katja, wir haben … wir haben einen Jungen gefunden …«

»Marco?«, rief ich, bevor ich mir auf die Lippen beißen konnte. Chantal starrte mich an, sie war kreidebleich. Mary stand vom Tisch auf und stellte sich hinter sie. Ich konnte nicht sitzen bleiben und erhob mich gleichfalls.

»Der Junge sieht aus wie Marco auf dem Foto, das wir von ihm haben. Er … er ist tot, Katja.«

Ich hatte es gewusst. Chantal hatte es auch gewusst, ich sah es ihr an. Sie sprang mich an wie eine bedrohte Tigerin und riss mir das Handy aus der Hand. Krächzte: »Was is mit ihm?«, hörte einen Moment lang zu und schleuderte dann das Handy quer durch die Küche.

»Chantal …«

Sie wich vor mir zurück. Schrie: »Er ist tot!«

Und dann ging sie auf mich los. Hämmerte mit ihren Fäusten auf meine Brust ein, bis ich endlich ihre Arme in den Griff bekam. Aber nun trat sie nach mir und traf mich so heftig am Schienbein, dass ich in die Knie ging. Mary zog sie von mir weg. Chantal wirbelte herum und ging auf Mary los. Sie ließ sie immer wieder ins Leere laufen. Chantal keuchte vor Anstrengung, geriet ins Stolpern und fiel hin. Mary reichte ihr die Hand, sie ließ sich hochziehen und ging sofort wieder auf Mary los. Die drehte sie herum wie ein Tangotänzer seine Partnerin und hielt sie nun von hinten fest. Chantal versuchte, nach ihr zu treten, gab es aber bald wieder auf. Schließlich keuchte sie: »Ich krieg keine Luft mehr«, aber Mary rührte sich nicht. Nach einer Weile, die mir wie eine Ewigkeit erschien, hob sie das Mädchen hoch, trug es in mein Wohnzimmer und legte es aufs Sofa. Chantal ließ es ohne Gegenwehr geschehen, was mich mehr ängstigte als ihr Angriff zuvor.

Ich kniete mich vor sie hin und strich ihr vorsichtig mit der Hand über die Wange. Sie drehte sich von mir weg. Rosa kam ins Zimmer und blieb ein Stück vom Sofa entfernt stehen, als wollte sie die Lage peilen. Sie war bei Chantals Verzweiflungsausbruch geflüchtet, denn wenn Rosa etwas wirklich hasst, dann ist es Aggressivität und lautes Geschrei. Jetzt aber ging sie langsam auf das Sofa zu, sprang hinauf, stieg über Chantals Körper hinweg, rollte sich in ihrer Kuhle ein und legte eine Pfote auf ihren Arm. Chantal rührte sich nicht. Nach einer Weile begann sie zu weinen.

Ich zog mich leise in die Küche zurück und schloss die Tür. Mary saß am Tisch und setzte gerade die Karte wieder in mein Handy ein. Ich umarmte sie und bedankte mich.

»Ich bin so froh, dass du da bist. Ich hätte alles falsch gemacht.«

»Hättest du nicht«, sagte Mary und lächelte mich an. »Du hättest bloß ein paar mehr blaue Flecken abgekriegt.«

Ich musste wider Willen auch lächeln. »Kaffee?«

»Got some tea?«

Ich setzte Wasser auf und gab meinen kostbarsten japanischen Sencha in die Kanne.

»Ich rufe dich jetzt an«, sagte Mary, dann sehen wir, ob dein *mobile* wieder funktioniert.«

Das klingelte aber gerade ganz von selbst. »Warum bist du nicht mehr drangegangen?«, rief Tina Gruber wütend. »Deine Mailbox ist auch nicht angesprungen!«

Ich erklärte ihr kurz, warum bei mir Funkstille geherrscht hatte. Sie fragte, immer noch sauer, warum sie Hotte nicht erreichen könne. Sie brauchte ihn, um Marco zu identifizieren. Ob ich seine Handynummer hätte.

Ich sah auf die Uhr. Es war kurz vor elf. Also gab ich Tina Hottes Mobilnummer durch. »Er ist in Düren, er hat Nele in die Entgiftung gebracht«, informierte ich sie. »Du kannst ihn ab elf Uhr erreichen, da ist Nele durch die Tür. Sie muss das jetzt nicht mitkriegen, okay?«

»Er muss aber ganz schnell kommen, Katja, es ist wichtig, dass er den Jungen sofort identifiziert.« Sie zögerte einen Moment, dann fragte sie, ob ich inzwischen schon mal ins Leichenschauhaus kommen könnte. Ich sagte ihr, dass ich Chantal nicht allein lassen wollte.

»Aber es ist wichtig, Katja. Sehr wichtig.« Sie klang aufgeregt und fast panisch.

»Was ist los, Tina?«

»Kann ich dir jetzt nicht erklären. Kommst du?«

»Ich kann jetzt nicht, Tina!«

»Ich bleibe bei ihr«, schlug Mary vor.

»Wo musst du hin?« Chantal stand in der Tür. Stocksteif, die Augen zugequollen, die Hände ineinandergekrallt.

Ich war zu Chantal immer ehrlich gewesen und beschloss, es auch zu bleiben. »Ins Leichenschauhaus. Marco identifizieren.«

»Ich komme mit.«

Mir wurde schlecht bei der Vorstellung. Aber einem Mädchen wie Chantal sagt man nicht »Das ist nichts für dich« oder »Dafür bist du zu jung«.

Sie streckte die Hand nach meinem Handy aus. Ich gab es ihr.

»Ich komme mit«, sagte sie in den Hörer.

Sie hörte eine Zeit lang schweigend zu und schüttelte dabei den Kopf. »Du kannst mir das nicht verbieten.«

Tinas Stimme drang nun lauter aus dem Hörer. Chantal fiel ihr ins Wort und erklärte in einem Ton, der jeden Widerspruch ausschloss: »Ich bin seine Schwester. Ja? Außer mir kann den keiner identifizieren. Ja? Ich komme mit.« Dann reichte sie mir das Handy.

Ich unterbrach Tinas Redeschwall und fragte sie, wohin wir kommen sollten.

Sie sah schließlich ein, dass sie Chantal nicht aufhalten konnte, und erklärte es mir. Sie würde vor dem Eingang auf uns warten.

Ich hängte ein und wählte sofort Hottes Nummer. Er sollte es zuerst von mir erfahren.

Ich hing endlos in der Leitung. Als Hotte endlich dranging, fing er sofort an, von Nele zu erzählen.

»Hotte«, ging ich dazwischen, »hör mal zu!« Erzählte ihm, was passiert war. Er brachte kaum ein Wort heraus. Schließlich bat er: »Gib mir mal die Kleine.«

Ich reichte Chantal das Telefon. Sie hörte ihm lange zu. Murmelte ab und zu: »Mhm.« Ihre Augen füllten sich mit Tränen. Sie wischte sie ungehalten mit dem Ärmel weg und zog die Nase hoch. Dann gab sie mir das Handy zurück.

Hotte meinte, er könnte in einer halben Stunde im Leichenschauhaus sein.

»Ras nicht!«, ermahnte ich ihn, »du darfst jetzt keinen Unfall bauen.«

Tina Gruber hatte mir eingehämmert, wir sollten uns beeilen, aber ich beschloss, zu Fuß zum Gürtel zu laufen. Ich brauchte Bewegung. Die 13 fuhr zum Glück ein, als wir gerade auf dem Bahnsteig ankamen. Während der Fahrt redete Chantal kein Wort, und ich traute mich nicht, sie anzusprechen. Ihr Gesicht wirkte eingefallen, erstarrt, aber in ihren Augen loderte etwas, das ich nicht identifizieren konnte. Wut? Verzweiflung? Glaubte sie immer noch, es sei ihre Schuld, dass Marco weggelaufen war? Und wenn ja, wie konnte ich ihr beibringen, dass das nicht stimmte? Ich langte nach ihrer Hand. Berührte sie kurz und sagte: »Chantal, du bist es nicht schuld. Er wäre auf jeden Fall weggelaufen.«

Sie wandte den Kopf ab, starrte aus dem Fenster. Ihre Schultern zuckten. Ich wischte ihr die Tränen aus dem Gesicht. Sie schlug meine Hand weg. Die Frau, die uns gegenübersaß, sah mich fragend an. Ich schüttelte den Kopf. Dachte: Misch dich bloß nicht ein!

Mir wurde plötzlich bewusst, dass meine Sorge um Chantal die Trauer um Marco völlig verdrängte. Ich schloss die Augen und betete stumm zu Tara, sie möge dem Jungen im Bardo beistehen, ihn beschützen, ihm zu einer guten Wiedergeburt verhelfen. Sah Marco vor mir, wie er mir im Park erzählt hatte, dass sie beim Hotte-Opa schliefen. Wie er auf einmal gestrahlt hatte und die Angst für einen Moment aus seinem Blick gewichen war. Der Schmerz kam so heftig, dass er mir die Luft nahm. Ich schlug die Hand vor den Mund und spürte, wie mir die Tränen aus den Augen schossen.

»Nächster Halt: Oskar-Jäger-Straße«, verkündete der Lautsprecher. Ich schrak hoch und krächzte: »Wir müssen raus.« Chantal stand auf und nahm meine Hand. Zog mich hoch. Dann ließ sie meine Hand wieder los.

Tina Gruber hatte uns aussteigen sehen und winkte uns zu. Wir überquerten die Straße und standen vor dem Gebäude, einem hellen Neubau, der überhaupt nicht nach Leichenhalle aussah. Tina musterte Chantal prüfend und mit Zuneigung. Hielt ihr die Hand hin.

»Es tut mir so leid.«

Chantal ignorierte sie. Wies auf das Schild »Institut für Rechtsmedizin«.

»Müssen wir da lang?«

»Ja«, antwortete Tina und hielt uns die Tür auf.

Wir liefen durch irgendwelche Flure und über Treppen, die ich nicht wirklich wahrnahm, bis wir vor einer Tür stehen blieben. Tina klopfte an, die Pathologin öffnete uns die Tür zu ihrem Reich. Sie war jung, attraktiv und irritiert.

»Wartest du bitte draußen?«, bat sie Chantal und warf Tina und mir einen bitterbösen Blick zu.

»Isser das da?«, fragte Chantal und ging auf einen Tisch zu, auf dem ein mit einem Tuch bedeckter kleiner Körper lag.

»Stopp!«, schrie die Pathologin und rannte Chantal hinterher. Die drehte sich kurz zu ihr um, sagte kühl: »Fick dich«, und zog das Tuch von dem Körper. Die Pathologin erstarrte und schnappte nach Luft. Als sie den Mund wieder aufmachen wollte, gab Tina ihr ein Zeichen, zu schweigen. Aus unerfindlichen Gründen tat sie das dann auch. Vermutlich war sie noch nie einem Mädchen wie Chantal begegnet.

Chantal hielt sich am Tischrand fest. Rührte sich nicht. Tina ging zu ihr hin, fragte: »Ist es Marco, Chantal?«

»Hau ab!«

»Sag mir bloß, ob er es ist. Okay?«

Chantal wandte sich zu mir um. Grau im Gesicht, die Lippen eingezogen. Sie nickte.

Ich stellte mich neben sie und schaute auf den Kleinen hinunter. Sein Gesicht und der Körper waren grün und blau, die Mundwinkel tief eingerissen, Schenkel und Unterleib schwarz und blutverkrustet. Ich legte beide Arme um Chantal und wiegte sie, während mir die Tränen über das Gesicht liefen. Tina trat zu uns und schlug sich die Hand vor den Mund. Chantal riss sich plötzlich von mir los, rannte ein paar Schritte Richtung Tür, fiel auf die Knie und erbrach sich.

»Sie müssen das Kind hier rausbringen!«, zischte die Pathologin.

Chantal schoss vom Boden hoch und ging direkt wieder in die Knie. Ich half ihr auf, wischte ihr den Mund ab und führte sie zurück zu dem Tisch. Strich Marco über die Wange und sagte leise: »Tschö, Pico. Ciao, Marco, Schatz. Hab's gut, da, wo du jetzt bist!«

Chantal sah mich fragend an. Dann streckte sie die Hand aus streichelte Marcos Gesicht. Beugte sich zu ihm hinunter und drückte ihm einen Kuss auf die Stirn. Flüsterte: »Tschö, Hörnchen, ich hab dich lieb!«

Ich legte ihr den Arm um die Schultern und führte sie aus dem Raum. Wir verliefen uns in den Fluren, aber endlich standen wir wieder auf der Straße. Die 13 fuhr gerade ab. Das hieß mindestens zehn Minuten warten. Ich steckte mir eine Zigarette an und wählte die Nummer der Taxizentrale.

»Ich fahre euch nach Hause«, sagte Tina, die plötzlich vor uns stand.

Wir folgten ihr wie zwei Zombies. Ein Auto hielt mit quietschenden Reifen direkt neben uns. Der hat Nerven, dachte ich, da sah ich, es war Hotte. Er sprang aus dem Wagen und drückte Chantal an sich. Hielt sie fest, murmelte etwas in ihr Haar. Sah mich fragend an. Ich nickte. Hotte schossen die Tränen in die Augen.

»Komm«, sagte Tina und nahm mich leicht am Arm.

VIERZEHN

Auf meinem Küchentisch lag ein Zettel.

Muss leider los. Hertha schließt hinter mir ab. Du sollst zu ihr kommen, wenn du nicht allein sein möchtest. Ich bin ab ca. 23.00 Uhr wieder erreichbar (vorher Kurse).

Take care,

xxx

Mary

Ich dankte ihr stumm. Rief Stefan an und berichtete ihm kurz auf der Mailbox, was passiert war. Sah mich in der Küche um. Was wollte ich? Wollte ich etwas? Ich hatte keinen Hunger. Ich konnte nicht schon wieder eine rauchen. Sollte ich mir Tee machen? Wozu? Ich starrte auf das Regal mit meinen Tees und las die Etiketten. Sencha. Assam. Chai. Schlaftee. Salbeitee. Ging zum Fenster und schaute hinaus. Sah nichts als den Tränenschleier vor meinen Augen. »Tara-la«, fing ich an zu beten. Und wusste endlich, was ich zu tun hatte.

Ich entzündete drei Teelichte und eines der Weihrauch-Räucherstäbchen, die mir Jeff aus Kathmandu geschickt hatte. Ein Foto von Marco hatte ich nicht, also zeichnete ich auf ein Blatt Papier die Umrisse eines kleinen Jungen, schrieb »Marco« darunter und stellte es auf den Altar. Vollzog ein Vajrasattva-Ritual, das mir eine Dharma-Freundin und -Lehrerin beigebracht hatte, als eine meiner liebsten Freundinnen urplötzlich gestorben war. Und betete schließlich das Tara-Mantra, bis es an der Tür schellte.

»Und?«, fragte Hertha. Ihre Augen sahen verweint aus. Ich nahm sie in den Arm. Sie ließ es kurz geschehen, dann schüttelte sie mich ab. »Bierchen?«

»Dafür ist es mir zu früh.«

»Kaffee?«

»Ja, gerne.« Ich hatte plötzlich wirklich Lust auf Kaffee. Und auf Süßes. »Ich lauf schnell mal runter und hol uns Kuchen, ja?«

»Mir Kirschstreusel.«

Ich erzählte Hertha von dem Besuch in der Rechtsmedizin. Sie schüttelte den Kopf, biss sich auf die Lippen, strich fahrig mit der

Hand über die Tischplatte. Ich hielt ihr die Zigarettenschachtel hin. Sie nahm zerstreut eine heraus und ließ sich von mir Feuer geben. »Wir müssen den finden«, sagte sie schließlich.

»Wir müssen den kriegen. Oder die.«

»Ja«, stimmte ich ihr zu.

»Was tut eigentlich deine Bullentante? Tut die was?«

Gute Frage. Ich fand, Tina tat eindeutig zu wenig. Wusste aber nicht, woran das lag. Darüber wollte ich mit ihr sprechen, wenn sie später noch mal vorbeikam. »Wir müssen reden«, hatte sie gesagt und komisch geguckt.

Ich erzählte Hertha, was bei der Kambodscha-Recherche herausgekommen war. Aber sie hörte nicht wirklich zu. Fragte stattdessen: »Was issn mit der ihrem Bruder?«

Erst verstand ich nur Bahnhof, aber dann begriff ich. Verfluchte mich dafür, dass ich nicht selbst und früher draufgekommen war.

»Man müsste bloß wissen«, überlegte Hertha laut, »wie die Grimme geheißen hat.«

»Richtig. Und das muss Tina herausfinden.«

»Kann ja wohl nicht schwierig sein«, knurrte Hertha.

Zurück in meiner Wohnung holte ich die Kopie des Grimme-Büchleins aus dem Versteck. Las den gesamten Text noch einmal Satz für Satz. Und sah plötzlich: »Er«. Sie schrieb meistens »die Männer«, aber zwischendrin auch »er«:

Die Frau weiß nicht mehr weiter. Er sagt: Man kann ihn bald nicht mehr zusammenflicken. Du musst ihn loswerden. Die Frau bringt den Jungen zur Schule. Die Lehrerin sagt: Der Junge muss zum Psychologen. Die Frau hat Angst. Die Frau weiß nicht mehr weiter. Er sagt: Du bist unfähig! Du bist abstoßend! Du bist zu nichts nütze. Er wird böse. Er wird sehr böse. Er schlägt die Frau.

Dieser »Er« war offensichtlich eine ganz bestimmte Person, eine, die direkt mit Frau Grimme zu tun hatte. Ihr Mann? Aber der war zum fraglichen Zeitpunkt nachweislich nicht in Deutschland gewesen. Der Bruder? – Der Vater?, schoss es mir plötzlich durch den Kopf. Was war mit dem Vater? Ich hatte ihn bisher aus meinen Überlegungen ausgeschlossen, weil ich gedacht hatte, er sei zu alt. Aber die Grimme war in etwa in meinem Alter oder sogar jünger. Wenn der Typ bei ihrer Geburt Anfang zwanzig gewesen war, dann war er jetzt maximal Anfang sechzig. Das beste Alter für einen pädophilen Freier in den Kinderpuffs von Thailand und Kambodscha.

Ich konnte nicht mehr stillsitzen. Warum, verdammte Hacke, fluchte ich, hat Tina das alles nicht recherchiert? Das ist doch ihr Job! Sie ist die Polizistin, sie hat den Zugang zu all den Daten! Entweder Tina hatte wirklich bei der Arbeit gepfuscht, oder sie verschwieg mir etwas. Ich tigerte durch die Wohnung und wurde immer noch wütender. Das Telefon klingelte, ich ließ es läuten.

»Katja, Liebste, wenn du da bist, geh bitte dran«, bat Stefan mit besorgter Stimme.

Ich nahm ab. Am liebsten hätte ich sofort losgesprudelt und ihm von meinen neuen Erkenntnissen erzählt, aber ich hielt mich zurück. Hoffte, er würde heute Abend kommen. Ohne dass ich ihn darum bitten musste.

»Katja!«, seufzte er erleichtert. »Pass auf, ich habe um achtzehn Uhr noch einen Klienten. Das heißt, ich werde so gegen Viertel vor acht in Nippes sein. Ich kann den Termin aber auch absagen. Dann könnte ich schon früher bei dir sein.«

Ich sagte, Viertel vor acht wäre völlig okay. Dankte ihm, dass er kommen wollte. War schon wieder den Tränen nahe.

»Sollen wir zu Franco gehen? Ich lade dich ein. Oder möchtest du lieber zu Hause bleiben?«

Mit dem Tonfall konnte er vermutlich einen potenziellen Selbstmörder vom Dach holen.

»Franco wär super«, schluchzte ich.

»Ich liebe dich. Ich liebe dich so sehr!«

»Ich dich auch.« Ich hängte ein, bevor ich einen Weinkrampf bekam. Lehnte mich gegen die Wand und dachte: »Ich habe einen Freund, der mich liebt. Der mich echt liebt. Der sich Sorgen um mich macht. Wahnsinn!«

Geliebt hatte mich Haari, meine erste große Liebe, zwar auch. Aber es wäre glatt gelogen, wenn ich jetzt behaupten würde, er hätte sich Sorgen um mich gemacht. Sorgen hatte Haari sich nur darum gemacht, ob er genügend Stoff für den nächsten Druck hatte. Und Jeff, na ja. Der hat mich sicher geliebt und sich garantiert tierische Sorgen um mich gemacht. Er war bloß nie da, um mich in den Arm zu nehmen, wenn ich es wirklich gebraucht hätte. Kathmandu ist ja auch was weit von Köln. Insofern war Stefan eine echte Premiere. Ich beschloss, ab sofort freundlicher zu ihm zu sein.

Ich sah auf die Uhr, es war erst ein Uhr mittags. Ich konnte es kaum glauben, meinem Gefühl nach war es später Nachmittag. Ich überlegte, ob ich Lanzing anrufen und es ihr sagen sollte. Aber vielleicht verstummte sie dann vor lauter Schock vollends. Ich ließ es also sein, nahm mir das Telefonbuch und schrieb alle Ärzte mit Praxisadressen in Lindenthal heraus. Das waren eine ganze Menge. Und was, überlegte ich, als ich endlich damit fertig war, wenn er gar nicht in Lindenthal praktiziert?

Als das Telefon klingelte, nahm ich beim ersten Ton ab und schrie »Ja?« in den Hörer. – Rauschen. – Das konnte nur Jeff sein.

»Jeff?«

Es rauschte weiter, ganz weit entfernt sagte jemand *»Hold on, please!«*

Und plötzlich war die Verbindung klar, als würde Jeff aus Weidenpesch anrufen.

»Katja, Darling, wie geht es dir?«

Er sollte eigentlich längst in seinem Drei-Jahres-Retreat sein, aber dann hatte es plötzlich geheißen, der Karmapa würde möglicherweise im Mai nach Europa kommen – und Jeff gern als Übersetzer mitnehmen. Also hatte sich mein Exgeliebter, der mittlerweile Mönch ist, bereit erklärt, seine Ausbildung zum Lama um ein Jahr zu verschieben. Und dann war die Europatour des Karmapa geplatzt. Ich an Jeffs Stelle wäre stinkesauer gewesen, aber ich bin dharmamäßig immer noch etwas unterentwickelt.

»Ach, Jeff«, seufzte ich, »eigentlich geht es mir gut. Aber ich bin in eine schreckliche Geschichte reingeraten.« Ich wollte ihm gerade davon erzählen, da kam mir eine Idee.

»Jeff? Ich weiß, es ist weit hergeholt, aber kennst du zufällig irgendwelche Mönche oder Westler in Kambodscha?«

»Nein, leider, gar nicht. Ich kenne kaum Theravada-Leute. Aber warum fragst du?«

Jetzt erzählte ich ihm doch von Marco. Er hörte mir schweigend zu. Als ich fertig war, sagte er mit belegter Stimme: »Wir machen eine Puja für ihn.«

Ich dankte ihm und berichtete, was Marys Cousin über den Kinderpuff in Phnom Penh herausgefunden hatte. »Deshalb hab ich gedacht, vielleicht kennst du da jemanden, der das mal checken könnte. Jemanden, der vertrauenswürdig ist.«

Schweigen.

»Jeff? Bist du noch dran?«

»Äh, ja.«

»Was ist los?«

»Wir haben hier etwas ganz Ähnliches«, sagte Jeff nachdenklich. In Kathmandu hatten ein paar Mönche, von denen niemand so recht wusste, wo sie herkamen und zu welchem Kloster sie gehörten, ein Haus gekauft und ein Kinderheim daraus gemacht. Und zwar für Kinder, die zur Prostitution gezwungen worden waren. Die Mönche hatten die Kids angeblich freigekauft und wollten ihnen nun zu einem neuen Leben verhelfen. Das Geld dafür, hatte Jeff gehört, stammte von deutschen oder Schweizer Förderern. Diese Info kam allerdings aus der Gerüchteküche, und die kocht in Kathmandu schon mal sehr phantasievoll.

»Sie sagen, sie wollen die Kinder heilen«, berichtete er weiter, »aber als wir angeboten haben, dass unsere Ärzte sie untersuchen, haben sie abgelehnt.«

Das Kloster unseres Rinpoche unterhält eine Free Clinic für Nepalesen, die sich keine ärztliche Behandlung leisten können. Die Ärzte dort sind erfahrene Mediziner, sie haben einen guten Ruf, jeder in Kathmandu weiß, wer sie sind und was sie können. Wenn man ein solches, noch dazu kostenloses Hilfsangebot ablehnt, ist das schon ziemlich seltsam.

»Stattdessen aber«, fuhr Jeff fort, »haben Nachbarn gesehen, wie ein bekannter Führer der maoistischen Guerillas mehrmals in das Haus gegangen ist.«

Das war nun mehr als seltsam. Mönche und Maoisten – das geht nicht zusammen.

»Rinpoche macht sich Sorgen um die Kinder. Aber du weißt ja, wie es hier ist, es bringt nicht viel, die Polizei zu alarmieren.«

Wohl wahr.

»Jeff, kannst du da dranbleiben?«

»Ich schicke dir alle Infos, die ich zu diesem Heim und den angeblichen Mönchen habe, per Mail, Katja«, versprach er. »Und noch etwas: …«

Und dann war die Leitung tot. Ich wusste aus Erfahrung, dass es keinen Sinn hatte, zurückzurufen. Vermutlich gab es mal wieder einen Stromausfall. Es blieb mir nichts anderes übrig, als auf Jeffs Mail zu warten.

»Das kann jetzt alles Zufall sein«, sagte ich zu Rosa, »aber das Muster ist irgendwie dasselbe.«

Dann rief ich Tina an. Ziemlich kurz angebunden, denn ich war inzwischen richtig sauer auf sie.

»Sag mir nur, wie Grimme mit Vornamen heißt, seine Telefonnummer und den Mädchennamen seiner Frau.«

»Das darf ich nicht.«

»Ach, hör auf! Ich krieg's auch so raus. Das dauert nur verdammt viel länger. Und überhaupt: Was ist mit dem Bruder und dem Vater von der Grimme? Wo stecken die? Und warum interessiert ihr euch nicht für die?«

»So nicht, Frau Leichter.«

»Tina, verstehst du nicht, dass mich dein Verhalten total misstrauisch macht? Du hast doch dieses Horrorbuch von der Grimme gelesen. Du weißt, was ihr Vater und ihr Bruder mit ihr gemacht haben. Warum greifst du dir die Herren nicht? Was geht bei dir ab? Oder bei euch?«

»Ich kann und werde dir keine Auskünfte geben, Katja Leichter. Aber ich werde dich unter Garantie noch mal vernehmen. Und jetzt tschüss.«

Peng. Ich starrte den Telefonhörer an. Fühlte mich benommen und hilflos. Ganz weit hinten in meinem Hinterkopf wollte mir etwas ein Zeichen geben. Ich versuchte, achtsam zu atmen. Merkte dabei, dass mein Atem pfiff. Beschloss mal wieder, weniger zu rauchen. Es irgendwann ganz aufzugeben. Steckte mir eine an. Da kam das Zeichen von ganz hinten nach vorn: Tina hatte irgendwie künstlich geklungen. So als spräche sie vor Publikum. Vielleicht war doch nicht alles verloren. Wer weiß, welchen Trouble sie gerade mit diesem Staatsanwalt hatte.

Mein Handy piepte, ich hatte eine neue SMS. »Hans. 17033978. Van Maarsen.«

Yippie! Dann kam ich wieder zur Besinnung: Was bedeutete das? Warum ließ mir Tina Informationen heimlich über ihr Privathandy zukommen? Ich schrieb die Namen und die Telefonnummer ab und löschte die SMS. Rief Grimme an. Landete auf dem AB. Griff mir erneut das Telefonbuch und suchte nach van Maarsen. Fand zwei Einträge, rief an, landete zuerst bei einer alten Dame, die mir empört erklärte, sie sei nicht Frau, sondern Fräulein van Maarsen. Und dann bei einem Kind, das meinte, Mama sei nicht da und Papa habe erst am Samstag wieder Besuchstag.

»Ach, ich wollte ihm nur sagen, es tut mir so leid mit Tante Maria«, versuchte ich mein Glück.

»Welche Tante Maria meinen Sie denn?« Jetzt klang die Kleine misstrauisch.

»Na, deine Tante Maria. Die gestorben ist.«

»Ich habe keine Tante Maria, und jetzt muss ich einhängen. Ich rede nämlich nicht mit Fremden.«

Also gab ich den Namen bei Google ein. Bekam mehrere Einträge zu der niederländischen Autorin Jacqueline van Maarsen, die ein Buch über Anne Frank geschrieben hatte, und einen zu einem Blumenversand Maarsen in der Schweiz. Outlook informierte mich mit einem Pling darüber, dass ich eine neue Mail hatte.

Der Name des Heims, schrieb Jeff, war Tashi Delek. Ha, ha, sehr einfallsreich, dachte ich. Das heißt »Gutes Gelingen!« und ist die traditionelle tibetische Begrüßungsformel. Laut Auskunft von Nachbarn, berichtete Jeff weiter, befanden sich dort an die sechs, sieben Kinder, Mädchen und Jungen, im Alter zwischen drei – hier hatte Jeff ein Ausrufungszeichen eingefügt – und zehn Jahren. Nachdem die »Mönche« das Angebot, die Kinder von den Ärzten der Free Clinic untersuchen zu lassen, abgelehnt hatten, war Jeff noch misstrauischer geworden. Er hatte einen nepalesischen Freund hingeschickt, der vorgab, er wolle eine größere Geldsumme spenden, sich aber erst einmal das Heim und die Kinder ansehen. Die angeblichen Mönche hatten darauf nicht besonders enthusiastisch reagiert. Sie hatten gemeint, die Kinder seien sehr scheu, sie hätten vor Fremden Angst, bis auf Weiteres könnte man deshalb niemanden in den inneren Bereich des Hauses lassen. Sie würden aber natürlich gern alle Fragen des edlen Herrn beantworten. Also hatte Jeffs Freund gefragt, woher sie kämen und wie sie auf die Idee gekommen seien, ein solches Projekt zu initiieren.

Sie hätten im Sherab-Kloster in Tibet gelebt, hatten ihm die zwei Mönche erzählt, die ihn in Empfang genommen hatten. Andere, fügte Jeff in Klammern ein, hatte sein Freund nicht zu Gesicht bekommen. Vor ein paar Jahren seien sie nach Indien geflohen und von dort, auf Einladung der tibetischen Community, in die Schweiz gereist. Da habe ihnen ein reicher Gönner der Tibeter vorgeschlagen, in Kathmandu ein Heim für Kinder zu errichten, die man in die Prostitution verkauft hatte. Die Kinder brächten ihnen »heldenhafte Menschen«, die sie »aus der Gewalt ihrer Schänder« befreiten. *Sounds great, doesn't it?*, hatte Jeff ironisch angemerkt. Mehr als das hatte sein Freund nicht aus ihnen herausbekommen und wusste auch sonst niemand. Zum Kloster Sherab hatte niemand Kontakt. Das Kloster war schon in den vierziger Jahren wegen des Verhaltens eines Abtes in Verruf geraten, nach dem Einmarsch der Chinesen war es aufgelöst, während der Kulturrevolution in Teilen zerstört worden. 1980 hatte das Kloster – unter der Ägide der Besatzer – den Betrieb wieder aufgenommen.

»Falls diese Mönche wirklich Mönche sind und tatsächlich aus Sherab kommen«, schrieb Jeff, »dann haben sie möglicherweise keine besonders gute Ausbildung.« Das war nun sehr zurückhaltend formuliert. »Es kann aber auch sein«, fuhr er fort, »dass sie gar keine Mönche sind und Sherab eigens angeben, weil das schwer zu überprüfen ist.«

Schweiz, dachte ich. Van Maarsen. Ich rief in dem Blumenladen an. Die Frau war reizend, konnte mir aber nicht weiterhelfen. Sie hatte keine Verwandtschaft in Köln. Sie hatten kein »van« vor dem Namen und auch nie eines gehabt. Und mit buddhistischen Mönchen hatte sie auch nichts zu tun.

»Kannst du irgendwie herauskriegen, wer diese schweizerischen Gönner sein sollen?«, mailte ich Jeff zurück.

Dann googelte ich Sherab Monastery, in der Hoffnung, eine Kontaktadresse zu bekommen. Landete aber nur wahlweise auf der Seite des Nachfolge-Klosters in Indien oder auf chinesischen Touristikseiten. Dazwischen fand ich einen Link zu einem Projekt amerikanischer Tibetologen, die die Kunstschätze und Wandmalereien des tibetischen Sherab-Klosters erfassten. Ich schrieb eine Mail an den Leiter, ohne mir große Hoffnungen zu machen. Sicherheitshalber schickte ich aber auch noch Mary den Link und leitete ihr Jeffs Mail weiter.

Dann hielt ich es in der Wohnung nicht mehr aus. Holte die »Tiger and Dragon«-DVD aus dem Rekorder und lief hinüber in die Merheimer zu Hotte.

Er öffnete die Tür leise, legte einen Finger an die Lippen und schloss die Tür vorsichtig hinter sich.

Wir gingen hinunter auf die Straße. »Sie ist endlich eingeschlafen«, berichtete Hotte und seufzte.

Ich gab ihm die DVD. »Guck mal, dass sie sich die ansieht. Das tut ihr bestimmt gut. Sie hat bei mir den Anfang gesehen und war total begeistert. Aber dann kam der Anruf …«

»Wie isser denn gestorben?«

»Wie, weiß ich noch nicht«, antwortete ich. Und erzählte ihm, wie Marcos Leiche ausgesehen hatte. Er biss sich auf die Lippen. Kramte nach dem Tabakbeutel. »Kannste mir mal sagen, warum so ein Kurzer so leiden muss? Der hat doch keinem was getan.«

Konnte ich nicht. Ich bat ihn noch mal, Chantal so bald wie möglich den Film vorzuspielen.

»Dir wird er auch gefallen«, fügte ich hinzu. Dann fiel mir Nele wieder ein. Fragte, wie es ihr ergangen war.

»Ach weißte, da isse ja 'n Profi«, meinte er mit einem schiefen Grinsen. »Is ja nicht ihre erste Entgiftung, ne.«

Ich grinste zurück.

»Sie will das durchstehen, meintse. Dieses Mal will sie's packen.« Er nickte, wie zur Bestätigung.

»Dann lass uns mal Daumen drücken.« Ich erzählte ihm noch, dass Mary angeboten hatte, Chantal in ihre Kinder-Kung-Fu-Gruppe aufzunehmen. Er war beeindruckt.

»Das wär was für sie. Da kannse ihre Wut rauslassen.«

»Genau. Und auf eine gute Art.«

Wir schwiegen eine Weile gemeinsam. Dann nahm ich einen Anlauf. Die Idee hatte ich schon länger, aber nun, als ich sie aussprach, wurde es mir doch etwas mulmig.

»Hörma, Hotte.«

»Hm?«

»Würdste, äh … ich mein … äh, würdest du mir helfen, in eine Wohnung einzubrechen?«

»Hä?« Er sah mich an, als wollte er gleich nach dem Pfleger rufen. »Geht's noch?«

Ich erklärte ihm, was ich vorhatte. Er hörte konzentriert zu. Dachte nach. Sagte schließlich: »Das muss ich mir noch mal durch den Kopf gehen lassen.«

Auf dem Heimweg holte ich mir im Sapori ein Ciabatta-Brötchen mit Fenchelsalami. Als gute Buddhistin esse ich kein Fleisch, aber das war so ein Tag, an dem mir alles egal war. Also holte ich am Büdchen gleich noch ein paar Flaschen Bier für den Abend. Stefan trinkt gern ein kühles Kölsch, und heute würde ich ihm Gesellschaft leisten.

Ich aß das Brötchen, trank ein Glas Apfelschorle, checkte meine Mails, machte mir eine To-do-Liste:

Tina fragen, was bei den Ermittlungen wegen Grimme bisher herausgekommen ist. Gibt es einen Verdächtigen?

Tina fragen, ob es Neues zu dem ermordeten Mädchen gibt.

Hans Grimme anrufen.

Lanzing anrufen.

Mary anrufen wegen Kambodscha.

Dann drehte ich mir einen mittelstarken Joint, legte mich aufs Sofa, setzte mir den MP3-Player auf und klickte Billie Holiday an.

Sie kamen zu dritt. Tina vorneweg. Sie hielt mir eine Knarre vors Gesicht und sagte: »Ich nehme dich fest wegen des Verdachts, Maria Grimme ermordet zu haben.« Der eine von ihren Hiwis legte mir Handschellen an, der andere schlitzte meine Matratze auf und wühlte darin herum. Schrie: »Wo hast du den Stoff versteckt, du Junkienutte?« Ich schrie zurück: »Verpiss dich, Wichser!« Dann sah ich, dass Chantal in der Tür stand und sich eine brennende Zigarette in den Unterarm drückte. »Hör auf!«, brüllte ich, »Hör auf!«

Jemand packte mich, ich wehrte mich. »Katja, Katja, wach auf!«

Hertha schüttelte mich. Ich rieb mir die Augen. Starrte zur Tür, aber da war keine Chantal.

»Ich hab geträumt«, murmelte ich.

»Du hast geschrien wie am Spieß und um dich geschlagen«, erklärte Hertha und musterte mich kritisch. Sie nahm den Joint-Stummel aus dem Aschenbecher und roch daran. »Was issn das fürn Gras?«

»Das ist okay, das hab ich von Mary.«

»Na ja«, meinte sie und ließ sich in den Sessel fallen, »bei all dem Driss kriegste auch von alleine Alpträume.«

Wohl wahr.

»Hörma.« Sie beugte sich zu mir vor. »Da war so 'n Typ im Hausflur. Ja? So die Sorte ›anal ohne Gummi‹.«

Hertha hat auf der empirischen Grundlage ihrer langjährigen Erfahrung als Prostituierte eine Ranking-Liste für Männer erstellt: Stammi. Okay. Geht so. Normalo. Preisdrücker. Sozialfreier. Ohne Gummi. Pervers. Und ganz unten, auf dem vorletzten Platz der Rangliste: Anal ohne Gummi. Das war: Abschaum. Darunter kam nur noch: Kinderficker. Was, fragte ich mich also, hatte so einer in unserem Hausflur zu suchen? Hertha hatte sich die Frage offenbar auch schon gestellt.

»Erzähl das mal deiner Kommissarin. Ich tät der den beschreiben.«

Ich versprach ihr, Tina zu informieren. Wollte aber erst mal wissen, warum Hertha in meine Wohnung gekommen war. Das tat sie unaufgefordert nur in echten Notfällen.

»Ja, wie der Kerl weg war, also, wie ich dem deutlich gemacht habe, dass er sich aber zügig vom Acker machen soll, da hab ich dich brüllen hören. Und da hab ich gedacht, Scheiße, da is einer bei der Katja und tut der was an.«

Hertha ist eine alte Frau. Wenn sie das Rheuma in den Knien plagt, kann sie kaum gehen, und auch sonst ist sie nicht die Fitteste. Was sie aber nicht davon abgehalten hatte, den Typen aus dem Haus zu jagen und dann mich retten zu wollen. Ich war gerührt.

Sie wehrte meinen Dank ab.

»Willste nicht endlich mal aufstehen? Es is schon sechs Uhr durch.«

Ich schrak hoch. Gleich müsste Tina Gruber auf der Matte stehen. Und für die Konfrontation musste ich hellwach sein.

Ich riss das Fenster auf, kippte den Restjoint in den Mülleimer und wusch mir gerade noch das Gesicht mit kaltem Wasser, als es tatsächlich an der Tür läutete.

»Ich lenk die erst mal ab, bis es hier nicht mehr so riecht«, meinte Hertha und humpelte hinaus.

Es war aber nicht Tina Gruber. Es war Stefan. Er hatte den letzten beiden Klienten abgesagt, um früher bei mir zu sein. Er nahm mich in den Arm, und dann ging gar nichts mehr. Ich heulte mir die Seele aus dem Leib. Stefan hielt mich fest und ließ mich weinen, bis ich keine Tränen mehr hatte. Dann ging er zum Kühlschrank, sah rein und stellte irritiert fest: »Da ist kein Alkoholfreies drin.«

»Ja«, erwiderte ich verrotzt, »ich will 'n echtes.«

Ich sah, dass er kurz zögerte, ganz Suchttherapeut, ha, ha, ha. Dann stellte er zwei Flaschen und den Aschenbecher auf den Tisch. Ich erzählte ihm alles. Er hörte zu, ohne mich zu unterbrechen, zwischendrin zog er scharf die Luft ein oder gab einen entsetzten Laut von sich. Als ich fertig war, stand er auf und lief in der Küche herum.

»Tina Gruber«, sagte ich, »will heute Abend vorbeischauen. Sie verhält sich sehr, sehr merkwürdig. Da ist was oberfaul. Und ich werde keine Ruhe geben, bis ich weiß, was los ist. Die tun nichts. Die ermitteln nicht. Die kümmern sich um *gar* nichts.«

»Katja, das weißt du doch nicht. Vielleicht will sie dich einfach nicht in die Ermittlungen einweihen. Das darf sie ja auch gar nicht.«

»Quatsch!« Ich erzählte ihm von der SMS. »Die traut sich nicht, mit mir zu reden. Die hat Schiss. Und ich will wissen, vor was. Oder wem. Und wenn die den Mörder von Marco nicht suchen, dann suche ich den.«

»Katja, du lässt die Finger davon!«

»Vorsicht, ja? Du hast mir nichts vorzuschreiben.«

Er sah mich traurig an. Mir fiel ein, dass ich freundlicher zu ihm sein wollte. Dass ich unendlich dankbar für seine Liebe war. Dass ich ihn *liebte*.

»Tut mir leid«, sagte ich. »Ich bin so froh, dass du da bist. Es ist alles so schrecklich.«

Er nickte. »Wann will Tina Gruber denn kommen?«

»Keine Ahnung. Ich ruf mal an und frage sie.«

In dem Moment klingelte mein Handy. »Hallo? Tut mir leid,

ich schaffe das nicht. Wir machen garantiert bis Mitternacht durch, wenn nicht die ganze Nacht. Ich melde mich.«

»Aber …«

Sie war schon nicht mehr in der Leitung.

»Tina hat abgesagt.« Ich sah Stefan herausfordernd an. »Und sie klang schon wieder so komisch. So als sollte keiner mitkriegen, dass sie mit mir spricht.«

Bei Franco bekamen wir gerade noch einen Zweiertisch. Seit im Stadtanzeiger eine hymnische Kritik zu seinen Pizzas gestanden hatte, war er noch voller als ohnehin schon. Anita merkte, dass etwas nicht stimmte, und ließ uns in Ruhe. Ich nahm die Gnocchi mit Rucolapesto.

»Ein Kölsch, ein Bleifrei?«

»Nö, heute zwei Kölsch.«

Sie sah mich fragend an, sagte aber nichts. Drückte mich im Gehen leicht an der Schulter. Ich hätte schon wieder heulen können.

Wir konzentrierten uns auf die Gnocchi. Dann erzählte mir Stefan von seinen Sorgen. Alice, eine seiner ältesten Klientinnen, war gestorben. Nicht an einer Überdosis, sondern an Organversagen. Ihr Körper, verbraucht von Heroin, Alkohol, Tabletten und Junkfood, hatte einfach aufgegeben. Ich kannte Alice von früher, aus den alten Zeiten, und danach hatten wir uns immer mal wieder zufällig getroffen, wenn sie auf der Ehrenstraße die »Von Unge« verkaufte. Wir hatten ein bisschen miteinander geredet, sie hatte sich beschwert, dass »die Baum«, ihre Vergabeärztin, ihr kein Methadon gab, wenn sie zu viel Alkohol im Blut hatte – »Dabei hab ich kaum was getrunken, das musste dir mal vorstellen!« –, und ich hatte ihr eine Zeitung abgekauft. Ihr Tod tat mir weh. Und ich war heilfroh, dass Nele in der Entgiftung war.

FÜNFZEHN

Als ich aufwachte, war Stefan schon weg. Er hatte mir ein Liebesbriefchen und ein frisches Croissant hinterlassen, aber lieber wäre mir gewesen, er hätte mich geweckt. Andererseits, das Ausschlafen hatte mir gutgetan. Ich gönnte mir noch eine ausgiebige Dusche, samt anschließender Eincremeorgie, machte mir eine kräftige Tasse Assam und aß das Croissant. Dann fühlte ich mich für diesen neuen Tag gewappnet.

In meinem Arbeitszimmer blinkte der Anrufbeantworter. Die erste Nachricht stammte von meiner Lieblingsredakteurin. Sie habe heute früh auf dem News-Ticker die Meldung gefunden, in Köln sei ein Mann festgenommen worden, dem die Polizei den Mord an zwei Kindern vorwirft. Die zweite Nachricht stammte auch von ihr: Ein Kollege von WDR 2 sei auf der Pressekonferenz der Polizei gewesen. Und das sei seine Durchwahlnummer …

Ich musste mich erst mal hinsetzen. Damit hatte ich nun gar nicht gerechnet. Dann rief ich Tina Gruber an. *No reply*. Also versuchte ich es bei dem WDR-Kollegen. Der Festgenommene, erzählte er mir, sei ein zweiundsechzigjähriger Hartz-IV-Empfänger. Er wohne in einer Laube in der Schrebergartenkolonie am Nordpark. Nachbarn hätten beobachtet, dass er neuerdings einen kleinen Jungen bei sich hatte. Der Junge habe verstört und ängstlich gewirkt. Eine der Schrebergartennachbarinnen habe ihn schließlich als den vermissten Jungen wiedererkannt, dessen Foto neulich in der Zeitung war. Daraufhin habe die Polizei die Laube des Zweiundsechzigjährigen durchsucht und eindeutige Spuren des Jungen gefunden. Der Junge sei gestern im Nordpark ermordet aufgefunden worden. Der Festgenommene äußere sich nicht zur Tat.

»So ein Schwachsinn!«, entfuhr es mir.

»Wie meinen Sie das?«, fragte der Kollege neugierig.

»Der war's nicht«, erwiderte ich wütend.

»Das wissen Sie?« Seine Stimme troff vor Ironie.

»Ja, das weiß ich.«

»Dann sollten Sie das vielleicht der Polizei mitteilen.«

Genau das hatte ich vor. Aber Tina Gruber ging und ging nicht dran. Also rief ich Bruderherz an. Ließ mich zu ihm durchstellen, obwohl er im Mandantengespräch war. Seine Sprechstundenhilfe mag mich.

»Paul«, sagte ich knapp, »tut mir leid, dass ich störe, aber es muss sein. Der Mann, den sie wegen Marco verhaftet haben, war es nicht. Du musst ihn verteidigen. Du musst sofort zu ihm in den Knast fahren!«

»Katja, ich rufe dich in circa einer Viertelstunde zurück, ja?«

Ja, klar. Ich hörte selbst, dass ich hysterisch klang.

Tina Grubers Handy spielte weiter »Ich bin tot«. Ich ging rüber zu Hertha und bat sie, zu mir zu kommen. Erzählte ihr von der Festnahme.

»Ich hab's grade im Radio gehört«, sagte sie wütend. »Deine Scheißbullentante brauchste mir hier nicht mehr anzuschleppen.«

Als es an der Tür schellte, hoffte ich einen Moment lang, es sei Tina Gruber. Es waren aber Hotte und Chantal. Chantal sah zum Gotterbarmen schlecht aus.

»Haste das gehört mit dem Typ in der Laube?«, fragte Hotte.

Ich nickte.

»Was'n das jetzt?«

Ich sagte ihm, ich hätte keine Ahnung. Ich sei mir aber hundertprozentig sicher, dass der Mann nicht der Mörder sei. So einen hätte die Grimme nicht in ihre Wohnung gelassen.

Das habe er sich auch gedacht, bestätigte Hotte.

»Warum sagen die dann, der wär's gewesen?«, fragte Chantal.

»Ich weiß es nicht, Süße. Da ist was faul. Aber ich bleib dran, okay? Wir kriegen die echten Täter. Ja?«

Sie schielte zu meiner Zigarettenpackung, die auf dem Küchentisch lag, sagte aber nichts. Erst freute ich mich darüber, dann wurde mir plötzlich der Grund dafür klar.

»Komm mal mit, Chantal«, sagte ich und ging in Richtung meines Arbeitszimmers vor. Sie schlurfte widerwillig hinter mir her. Ich schloss die Tür und lehnte mich an den Schreibtisch.

»Was is?«

»Ich weiß, warum du nicht mehr rauchst, Süße. Und ich will zwar nicht, dass du wieder damit anfängst, aber …« Ich wusste nicht, wie ich es ihr sagen sollte.

»Aber was?« Sie war die fleischgewordene Aggression.

»Aber Marco ist nicht abgehauen, weil du auf dem Balkon eine Kippe geraucht hast.«

»Ich hab die Wäsche aufgehängt!«, schrie sie und stampfte so heftig auf, dass Rosa mit einem Satz auf das Bücherregal flüchtete.

»Du hast eine Kippe geraucht. Und deshalb denkst du jetzt, du bist schuld dran, dass Marco tot ist. Das bist du aber nicht.«

»Ey Alte, du laberst eine solche Scheiße, ey …«

»Jetzt halt mal den Rand, ja?« Ich setzte mich auf den Schreibtischstuhl und zog ihr den Hocker ran. »Setz dich.«

Sie blieb stehen. Starrte mich mit nackter Wut in den Augen an.

Ich stand wieder auf und setzte mich auf den Boden. Sah zu ihr hoch.

»Chantal, einer der Männer, die Marco missbraucht haben, ist möglicherweise ein Arzt. Das konntet ihr nicht wissen. Ihr habt nur gesehen, dass der Kleine unbedingt untersucht werden muss, dass er zum Arzt muss, dass seine Wunden behandelt werden müssen. Ja?«

Sie setzte sich auf den Schreibtischstuhl. Hielt sich an den Armlehnen fest.

»Und als es dann immer schlimmer mit ihm wurde, da hat dann Hotte gesagt: ›Jungchen, wir gehen morgen zum Arzt‹, ja?«

Sie nickte kaum merklich.

»Und deshalb ist der Marco abgehauen. Weil er solche Angst vor Ärzten hatte. Haben musste. Aber das konntet ihr nicht wissen. Und er wäre auf jeden Fall abgehauen. Er hätte genauso gut abhauen können, als du unter der Dusche warst oder aufm Klo. Weißte? Und dann ist er halt weg, als du gerade eine rauchen warst. Wenn du das nicht getan hättest, dann hätte er eine andere Gelegenheit genutzt. Aber er wäre auf jeden Fall weg.«

Sie hatte die Augen geschlossen. Die Finger um die Armlehnen gekrampft.

»Chantal?«

Sie öffnete kurz die Augen und nickte. Dann rannen ihr die Tränen über die Wangen. Ich ging zu ihr hin und nahm sie in die Arme. Sie ließ es geschehen. Ich hielt sie und wiegte sie, hielt sie, wiegte sie. Irgendwann machte sie sich von mir los und sagte mit einem schiefen Grinsen: »Gibste mir 'ne Kippe?«

»Nö, komm, bleib jetzt dabei. Rauchen in deinem Alter ist wirklich total ungesund.« Ich seufzte. »Ist es sowieso. Ich hör auch auf.«

»Wie? Wann?«

Damit brachte sie mich schwer in die Bredouille.

Hertha und Hotte sahen uns fragend an. Ich brauchte allerdings nichts zu sagen, denn mein Handy klingelte. Ohne Vollmacht, sagte Paul, könne er den Mann nicht vertreten.

»Dann besorg dir eine!«, fauchte ich und bereute es sofort. Paul konnte nun wirklich gar nichts dafür. Ich entschuldigte mich. Und dann sagte mein großer Bruder, der sonst keine Gelegenheit auslässt, mich zurechtzuweisen:

»Lass mal, ich versteh dich gut. Kannst du deine Kommissarin fragen, ob sie dem Mann einen Anwalt besorgt haben?«

»Ja, wenn ich sie erreiche. Ich komme seit gestern nicht mehr an sie ran.«

»Dafür gibt es garantiert einen Grund«, knurrte Paul.

Manchmal liebe ich meinen Bruder. Als alter Revoluzzer hat er ein gesundes Misstrauen gegen unsere Freunde und Helfer.

Ich versuchte es erneut bei Tina. Sagte ihr auf die Mailbox: »Mein Bruder will euren Verdächtigen verteidigen. Besorg ihm eine Vollmacht. Oder den Namen des Pflichtverteidigers, wenn ihr ihm einen verpasst habt. Und wenn du das nicht tust, Tina Gruber, dann brauchst du dich bei mir nicht mehr zu melden. Und zwar *nie* wieder.«

Eine halbe Stunde später rief Paul an: »Ich habe ein anonymes Fax erhalten, mit dem Namen eines Kollegen drauf und sonst nichts. Hast du ...«

»Ja«, sagte ich nachdenklich.

»Gut, dann setze ich mich mal mit dem Kollegen in Verbindung.«

Ich brachte gerade Hertha auf Stand, als ich eine SMS von Paul bekam: »Bin auf dem Weg nach Kalk. Er ist noch im PG.«

»Der Typ aus der Laube ist noch im Polizeigewahrsam«, klärte ich Chantal, Hotte und Hertha auf. »Paul fährt jetzt zu ihm.«

»Wie wär's mit was zu essen?«, fragte Hertha.

Niemand hatte Einwände. Als ich meine Tür abschloss, sagte

Hotte: »Ich soll dich von der Nele grüßen. Ich hab ihr kurz erzählt, dass du auf Mörderjagd bist. Sie meinte, du sollst dir kein' Stress machen wegen Anrufen und so.«

»Wie geht's ihr denn?«, fragte ich beschämt, denn ich hatte sie glatt vergessen.

»Gut«, lachte Hotte. »Sie hat sich tierisch über die ganzen Russen aufgeregt, die grade da sind. Aber sie hat 'ne nette Frau aufm Zimmer, 'ne Exkollegin.«

Hertha hatte sich nach dem Essen hingelegt, Hotte und Chantal waren nach Hause gegangen, ich setzte mich an den Schreibtisch. Rief als Erstes Frau Lanzing auf dem Handy an.

»Ach Sie …«, sagte sie gedehnt. Sie klang, als sei sie betrunken.

»Frau Lanzing, ich muss mit Ihnen reden. Wann können wir uns sehen?«

»Tja«, meinte sie schnippisch, »da müssen Sie eben vorbeikommen. Ich bin in Merheim.«

»In Merheim?«, fragte ich betröppelt.

»Station 34. Bis acht Uhr abends ist Besuchszeit.«

Jetzt wusste ich, wie sie klang: sediert.

»Was ist passiert?«

»Das fragen Sie *mich*?« Sie lachte bitter.

»Ich meinte: Was ist *Ihnen* passiert?«

»Ich hatte einen Nervenzusammenbruch. Da bin ich nicht die Erste in meiner Branche.« Hämisches Kichern. Sie wirkte gleichzeitig aufsässig und komplett neben der Spur.

»Dann mache ich mich jetzt gleich auf den Weg, ist das für Sie okay?«

»Aber ja doch. Und bringen Sie ruhig ihr Aufnahmegerät mit.«

Ich war platt. Raste los, damit ich da war, bevor die Wirkung der Tabletten oder was auch immer man ihr gegeben hatte, nachließ.

In der 1 informierte ich Paul per SMS, dass ich eine Weile nicht zu erreichen wäre, ich würde mich später bei ihm melden. In Merheim lief ich erst mal kreuz und quer über das Gelände, bis ich endlich Station 34 fand. Frau Lanzing saß angezogen auf dem Bett.

»Lassen Sie uns in die Cafeteria gehen«, schlug sie vor und wankte los, ohne eine Antwort abzuwarten.

Wir fanden einen Tisch, der ein wenig abseitsstand. Ich holte uns Kaffee, Kuchen mochte sie keinen. Mir war auch nicht danach. Ich wollte dieses Gespräch so schnell wie möglich hinter mich bringen. Die ganze Umgebung flößte mir Unbehagen ein, Psychiatrien machen mir Angst, seit ich einmal von einem Trip fast nicht mehr runtergekommen bin und beinahe in einer gelandet wäre. In der Cafeteria saßen nicht viele Leute, ein paar Pfleger, die an ihren Kitteln erkennbar waren, und eine Handvoll »Zivilisten«. Ich hätte nicht sagen können, ob sie Patienten, Ärzte oder Besucher waren.

Frau Lanzing sah erschöpft aus, sie war ungeschminkt, was sie fast hässlich machte, und da war auch noch diese unterschwellige Wut. So als hielten die Medikamente mühsam einen brodelnden Vulkan unter Kontrolle.

»Sie hassen mich, nicht wahr?«

Das kam so unvermittelt, dass ich sie erst mal nur erstaunt anstarrte.

»Nun ja. Ich habe veranlasst, dass ein Kind gefoltert und ermordet wurde. Oder vielleicht sogar zwei Kinder.«

»So würde ich es nicht sehen. Sie haben …«

»Sagen Sie mir nicht, was ich getan habe.«

Ich konzentrierte mich auf meinen Kaffee. Rührte den Zucker darin um, der sich längst aufgelöst hatte. Nahm einen Schluck. Stellte die Tasse ab. Sah die blasse, gealterte, angespannte Gestalt an, die mir gegenübersaß und ihre Nagelhäute malträtierte.

»Wollen Sie ihr Gerät nicht auspacken?«

Ich verkniff mir zu sagen, dass es in der Cafeteria zu viele Nebengeräusche gab, dass ich die Aufnahme lieber in ihrem Zimmer machen würde oder an sonst einem ruhigen Ort. Nimm, was du kriegst, Leichter, ermahnte ich mich und baute auf. Kaum hatte ich das Mikro angestellt, legte sie auch schon los.

»Ich habe mich von ihr einwickeln lassen wie eine dumme blutjunge Anfängerin. Gute Wohngegend, schöne Wohnung. Gut ausgestattetes Kinderzimmer, gepflegte Verhältnisse. Der Mann Akademiker. Was will man mehr?«

Ich hielt ihrem Blick stand.

»Endlich mal Leute«, habe ich gedacht, »die sich kein Pflegekind nehmen, weil sie das Geld brauchen. Die Grimmes, habe ich gedacht, haben das nicht nötig. Die stehen finanziell gut da. Denen geht es wirklich darum, den Kindern zu helfen.« Sie stieß ein bitteres Lachen aus. »Ich betreue zweiundfünfzig Pflegefamilien. Zweiundfünfzig. Und jede davon soll ich mindestens zweimal pro Jahr kontrollieren. Und das habe ich auch gemacht. Das habe ich treu und redlich gemacht. Ich habe die Leute auch immer schön überprüft, bevor ich ihnen Kinder zugewiesen habe. Und Sie müssen nicht meinen, ich wäre von dem, was ich da gesehen habe, immer begeistert gewesen. Ich habe auch schon mal Bewerbungen abgelehnt.« Sie hob die Stimme, die vor Hohn schrill wurde. »Damit stößt man bloß im System auf keine Gegenliebe. Da geht es nämlich nicht um die Kinder. Da geht es um Finanzen. Eine Pflegefamilie bekommt pro Kind eintausendfünfzig Euro im Monat. Ein Heimplatz kostet an die fünftausend Euro im Monat. Noch Fragen?«

Sie schob ihre Kaffeetasse über den Tisch und wieder zurück. »Und das kommt alles im Radio, was ich Ihnen jetzt sage?«

Ich nickte stumm.

»Ich werde kündigen«, fuhr sie fort. »Ich habe also nichts mehr zu verlieren. Ich kann nicht nächste Woche oder auch in zwei oder drei Wochen wieder an meinem Schreibtisch sitzen und Kinder an Pflegeeltern vermitteln.« Sie kramte umständlich nach einem Taschentuch und knüllte es zusammen. »Könnten Sie das?«

»Vermutlich nicht.«

»Es kommt vor, dass Pflegekinder sexuell missbraucht werden. Wer sagt, das stimmt nicht, der hat keine Ahnung oder er lügt. Und es kommt vor, und zwar gar nicht selten, dass Pflegekinder weglaufen. Die finden wir dann auf der Domplatte wieder oder gar nicht mehr. Aber über all das darf man nicht reden. Pflegeeltern sind heilige Kühe. Die sind ja sooo großartig, die retten diese armen, armen Kinder! Aber fragen Sie lieber nicht nach den Motiven. Bei den einen ist es das Geld, bei den anderen die Sehnsucht nach Beziehung. Um das Kind selbst geht es längst nicht so oft, wie behauptet wird. Natürlich, es gibt auch gute Pflegeeltern, für die die Bedürfnisse des Kindes Priorität haben und nicht die eigenen. Aber es gibt eben auch all die anderen. Und gar nicht so wenige. Oft …«, sie sah mich herausfordernd an, »oft wären die Kinder im Heim besser untergebracht. Das will bloß keiner hören.«

Sie sah mich wieder herausfordernd an. Dann griff sie nach dem Mikro, hielt es sich direkt vor die Lippen und sagte: »Aber jetzt hören Sie es, werte Hörerinnen und Hörer! Schalten Sie das Radio nicht aus. Hören Sie einer zu, die weiß, wovon sie spricht.«

Der Pegel spielte verrückt. Ich sah nur noch rot. Nahm ihr sachte das Mikro aus der Hand und stellte es wieder auf den Tisch.

»Entschuldigung«, murmelte sie, »das war wohl zu laut. Entschuldigung.«

Ich nutzte die Unterbrechung. »Frau Lanzing, haben Sie je Herrn Grimme gesehen?«

»Nein. Als wir den Hilfeplan gemacht haben, war er in Asien, er macht da irgendwelche Ausgrabungen. Und als ich zum Kontrollbesuch gekommen bin, war er in den Staaten. An einer Uni, wenn ich mich recht erinnere.«

»Apropos: Wenn Sie Ihre Kontrollbesuche gemacht haben, ist Ihnen da an den Kindern nichts aufgefallen?«

»Nein. Sonst wäre ich jetzt nicht hier.« Sie legte die Handflächen flach auf den Tisch, als würde sie endgültig kapitulieren. »Als ich ihr Tamara übergeben habe, hatte ich, wie schon gesagt« – höhnisches Auflachen – »einen so unglaublich guten Eindruck.«

Sie hatte also auch Tamara an Grimmes vermittelt. Endlich hatte ich die Bestätigung für meine Vermutung.

»Ich bin zweimal zur Kontrolle gekommen, denn Tamara war ihr erstes Pflegekind. Wegen Marco war ich nur einmal da.«

Hätte sie sich selbst anspucken können, sie hätte es getan.

»Sie haben Frau Grimme ja kennengelernt. Sie sprach so liebevoll über die Kinder. Sie hat mir einen vorgesäuselt, wie schlecht es Marco noch immer geht, wie schwer er traumatisiert sein muss und dass sie schon mit dem Kinderschutzbund in Verbindung steht, wegen eines *wirklich* guten Therapeuten.« Sie hob kurz den Blick und starrte dann wieder auf die Tischplatte. »Der Junge stand vor mir, klein, zu klein für sein Alter, dünn, Ringe unter den Augen … Er wirkte verstört, verschüchtert, er sagte: ›Danke, mir geht es hier gut‹, und zwar auf eine Art, die bei mir alle Alarmglocken hätte schrillen lassen müssen.« Sie zuckte müde die Achseln.

»Aber ich habe alles seiner Traumatisierung zugeschrieben. Und war froh, dass er es jetzt endlich gut hat.« Sie lachte wieder auf, kurz und bitter. »Und mit Tamara war es vermutlich genau das Gleiche.« Sie zerknüllte wieder das Taschentuch und versuchte durchzuatmen. »Das Mädchen war hochgradig aggressiv, ich nehme an, sie hatte auch ADHS, ich war – soll ich ganz ehrlich sein?«

Ich erwiderte ihren Blick so ruhig ich konnte.

»Ich war froh, dass ich sie los war. Dass ich eine Familie für sie gefunden hatte. Dass ich mich nicht mehr um sie kümmern musste. Und dann fragt man sich auch nicht, warum so ein Mädchen immer noch aggressiver wird. Nicht wahr?« Sie holte kurz Luft. »Rauchen Sie?«

»Äh, ja, warum?«

»Können wir rausgehen, eine rauchen?«

Ich klemmte mir den Rekorder unter den Arm und ging mit dem Mikro in der Hand neben ihr her. Betete, dass die Aufnahme brauchbar wäre. Wir liefen ein Stück über das Gelände, bis wir eine Bank fanden, neben der ein Aschenbecher stand.

»Tamara ist weggelaufen«, sagte Frau Lanzing, nachdem sie gierig inhaliert hatte. »Ich muss Ihnen ja nicht sagen, wie tief betroffen und verzweifelt die liebe Frau Grimme war. ›Ich habe versagt‹, hat sie mir vorgeheult. ›Ich habe dem Mädchen all meine Liebe gegeben, aber es hat nicht gereicht.‹ Und ich verblendete Idiotin habe sie noch getröstet!«

»Sie hat nach dem Mädchen gesucht. Mir hat sie im Interview gesagt, Tamara sei an ihre Mutter zurückgegeben worden.«

»Tamaras Mutter liegt auf dem Friedhof.«

»Diese Kinderleiche, die sie aus dem Rhein gefischt haben, könnte es sein, dass das Tamara ist?«

»Woher soll ich das wissen?« Jetzt richtete sich ihre Aggression plötzlich gegen mich. Sie trat ihre Kippe aus und wandte sich zum Gehen. Ich blieb stehen. Überlegte, wie ich sie mir wieder gewogen machen könnte. Schließlich lief ich ihr hinterher.

»Frau Lanzing?«

Sie wandte sich um. Ihre Wut war verflogen. Sie wirkte nur noch todmüde. Ließ sich auf die Parkbank vor dem Eingang fallen und kramte nach einer neuen Zigarette. Ich bot ihr eine von meinen an und gab ihr Feuer.

»Diese Grimme«, sagte sie nachdenklich, »hat sich gezielt Kinder ausgesucht, die keine Angehörigen haben.«

»Und von Hotte hat sie nichts gewusst«, murmelte ich vor mich hin. Dann gab ich mir einen Ruck. »Frau Lanzing, eins noch. Sie können das, was mit Marco geschehen ist, nicht wiedergutmachen. Das ist klar. Aber sie können wenigstens Chantal helfen.«

Jetzt war sie auf der Hut.

Sie müsse, erklärte ich ihr, dafür sorgen, dass Chantal bei ihrem Großvater bleiben könne, ganz offiziell, mit Anmeldung, Unterhaltsgeld und allem Drum und Dran. »Und wenn das ein, zwei Monate gut geht, dann soll er das Sorgerecht bekommen.«

»Es tut mir leid, Frau Leichter, aber solche Entscheidungen müssen Sie schon den zuständigen Stellen überlassen.« Sie klang beleidigt und alarmiert.

»Die für Marco die ultimativ beste Entscheidung getroffen haben?«

Sie zuckte zusammen. Ich konnte dabei zusehen, wie sie sich verschloss.

»Frau Lanzing, es geht hier um ein Mädchen, dessen Bruder, wie Sie wissen, vergewaltigt, gefoltert und ermordet wurde. Chantal hat schon für Marco gesorgt, als die beiden noch bei ihrer Mutter lebten. Sie hat Marco vor Grimme und Co gerettet. Und dann war alles umsonst. Wissen Sie, wie es diesem Mädchen jetzt geht? Sie ist zwölf. *Zwölf*. Wollen Sie ernsthaft, dass man dieses Mädchen jetzt ins Heim zurückbringt? Um es vielleicht in eine Pflegefamilie zu geben?«

Sie schnappte nach Luft und verschränkte die Arme vor der Brust.

»Chantal würde das auch gar nicht mitmachen. Sie würde abhauen. Herr Schulz ist ihr Großvater. Er liebt sie. Und sie liebt ihn. Er ist der einzige Mensch, dem sie vertraut. Muss ich Ihnen sagen, was alles mit ihr passieren kann, wenn sie nicht bei ihm bleiben darf?«

»Das müssen Sie mit dem Kollegen besprechen, der dafür jetzt zuständig ist, Frau Leichter.« Sie stand auf und setzte sich in Bewegung. »Ich bin jetzt im Krankenstand, danach nehme ich meinen Urlaub, und das war es dann. Ich kündige, das habe ich Ihnen bereits gesagt.«

Meine Erwiderung fiel mir nicht gerade leicht. Schließlich war die Frau in der Psychiatrie, die Fehler, die sie begangen hatte, hatten ihr ganz offensichtlich zugesetzt. Aber ich musste mir nur kurz Chantal vor Augen holen, und es ging.

»Mein Vorschlag wäre«, sagte ich sanft und bestimmt, »dass Sie entweder mit diesem Kollegen verbindlich klarmachen, dass Chantal bei Herrn Schulz bleibt und er das Sorgerecht bekommt. Oder dass Sie selbst dafür ins Amt zurückkehren.« Ich gab mir einen Ruck, jetzt kam das Schwerste: »Ich kann auch mit Ihrem Vorgesetzten sprechen beziehungsweise mit dem Leiter des Jugendamtes. Ich könnte mir vorstellen, dass niemand sonderlich daran interessiert ist, dass diese Geschichte allzu breit an die Öffentlichkeit kommt.«

»Das ist Erpressung.«

»Ja.«

Plötzlich blieb sie stehen und fing an zu lachen. »Sie haben wirklich keine Ahnung«, sagte sie, immer noch lachend. »Sie haben nicht den Schimmer einer Ahnung.« Sie musterte mich von oben bis unten und wieder zurück. Ich schwieg vorsichtshalber.

»Sie müssen mich nicht erpressen«, sagte sie schließlich. »Das ist überhaupt nicht nötig. Das Mädchen kann bei ihrem Großvater bleiben, er wird das Sorgerecht bekommen, man wird ihm drei oder vier Stunden Familienhilfe gewähren.«

Sie sah mich herausfordernd an, als warte sie auf eine Entgegnung. Ich schwieg weiter.

»Und wissen Sie, warum?«, fuhr sie endlich fort. »Weil alle froh sein werden, dass das Mädchen untergebracht ist. Dass es nicht ins Heim muss. Sprich dass es keine größeren Kosten verursacht. Dass man keine Arbeit mehr mit ihm hat. So ist das.«

»Okay«, sagte ich. »Dann rufen Sie Ihren Kollegen jetzt bitte an und avisieren Sie Herrn Horst Schulz und mich zu einem Gespräch. Und sagen Sie ihm, dass Herr Schulz für Chantal erziehungsberechtigt sein soll. Oder wie auch immer das in Ihrem Fachjargon heißt.«

Ich reichte ihr mein Handy. Sie zögerte einen Moment. Dann kramte sie ihres aus der Jackentasche und wählte die Nummer.

Die 1 fuhr mir vor der Nase weg, also lief ich ein paar Minuten den Bahnsteig auf und ab. Ich fühlte mich zu Tode erschöpft. In der Bahn warf ich das Handy wieder an. Ich hatte drei SMS. Die erste war von Paul: »Ruf mich an!« Die zweite von Stefan: »Wo steckst du, Liebste? Alles okay bei dir?« Die dritte kam von einem anonymen Anrufer: »8 hayal«. Ich nahm an, es war eine Nachricht von Tina Gruber und bedeutete, ich sollte um acht Uhr abends im Hayal sein. Offenbar steckte sie wirklich in Schwierigkeiten. Aber warum?

Zuerst rief ich Stefan an, dann Paul. »Ich bin im Büro«, sagte er knapp, »kannst du gleich vorbeikommen?«

Aysche, Pauls Sprechstundenhilfe, bot an, mir einen Kaffee zu kochen, Paul sei noch in einer Besprechung, und die könne dauern. »Ist aber echt wichtig«, fügte sie hinzu.

Ich lehnte den Kaffee ab, nahm aber ein Glas Wasser dankend an. Trank es in einem Zug aus und ließ mir nachschenken.

»Was ist das für eine Geschichte mit dem kleinen Jungen und dem Mann, den sie festgenommen haben?«, fragte sie vorsichtig.

»Hast du grade jede Menge Zeit?«, fragte ich zurück.

»Nein«, erwiderte sie lächelnd, »aber ich nehme sie mir.«

Ich erzählte ihr die ganze Geschichte von A bis Z. Als ich damit fertig war, kam Paul die Treppe herunter, im Schlepptau einen gepflegten älteren Herrn im dreireihigen Anzug. Und das bei achtundzwanzig Grad Außentemperatur.

»Darf ich vorstellen?«, wandte er sich an seinen Besucher. »Meine Schwester, Katja Leichter. Sie arbeitet für den WDR. Katja, das ist Oberstaatsanwalt Dr. Gorowski.«

»Sehr erfreut«, sagte Gorowski.

»Ebenso«, antwortete ich mit meinem charmantesten Lächeln.

»Was war das denn?«, fragte ich Paul, nachdem er seine Bürotür hinter uns geschlossen hatte.

»Das wird sich noch rausstellen«, erwiderte er kryptisch.

Ich fläzte mich in seinen Besucherstuhl und fühlte mich hundemüde. Obwohl ich doch so lange geschlafen hatte. Paul setzte sich gleichfalls. Er wirkte irgendwie traurig. Und sehr nachdenklich.

»Der Mann heißt Otto Mansfeld«, fing er an. »Er ist tatsächlich zweiundsechzig Jahre alt und bezieht ALG II.« Paul nahm einen Schluck Wasser und schob das Glas dann auf der Schreibtischplatte im Kreis umher. So hatte ich ihn noch nie erlebt.

»Er hat kaum etwas gesagt. Ich habe ihm erklärt, warum ich ihn verteidigen möchte, dass wir davon überzeugt sind, dass er unschuldig ist, dass er mir nichts dafür bezahlen muss und was weiß ich noch alles. Ich hab mir den Mund fusslig geredet. Aber das Einzige, was dann kam, war: ›Jetzt habe ich zwei Kinder auf dem Gewissen.‹ Betonung auf dem ›zwei‹.«

Ich starrte ihn erschrocken an.

»Ich bin mir sicher«, sagte Paul, »er hat damit nicht gemeint, dass er Marco ermordet hat. Oder sonst ein Kind. Ich habe keine Ahnung, was er damit gemeint hat. Aber wenn er das so in der Vernehmung gesagt hat, dann ist er geliefert.«

Paul stand auf und lief nervös hin und her. Ich schloss die Augen, lehnte mich zurück und dachte: Bitte nicht!

Paul beendete seinen Rundgang und setzte sich wieder hin. »Der Mann trauert. Das kann man sehen, das kann man riechen. Ich habe noch nie einen Menschen gesehen, der so tief in Trauer versunken ist. Ich fürchte, er ist abgesoffen in seiner Trauer, und alles andere ist ihm egal. Auch, was aus ihm wird.«

Paul stand wieder auf, ging zum Fenster und zog die Rollos hoch. Gleißendes Sonnenlicht brach in den Raum ein, Paul kniff die Augen zusammen und ließ die Rollos wieder herunter. »Wie soll man so jemanden verteidigen?«

»Denkst du, er trauert um Marco?«

»Ja. Und vermutlich noch um dieses zweite Kind.«

»Vielleicht hat ihn ja der Tod dieses Kindes aus der Bahn geworfen. Vielleicht hat er was damit zu tun und glaubt, er wäre dafür verantwortlich.« Ich erzählte ihm von Chantals Schuldgefühlen wegen Marcos Tod.

»Och Mensch«, seufzte er und schüttelte den Kopf. »Was wird denn aus ihr? Traust du diesem Hotte wirklich zu, dass er sich gut um sie kümmert?«

»Ja. Ich hab das schon geregelt.«

»Wie, geregelt?« Jetzt schlug er endlich wieder den Großer-Bruder-Ton an. Ich war fast erleichtert. Erzählte ihm kurz von meinem Treffen mit Frau Lanzing.

»Meine Fresse!« war alles, was Paulemann dazu einfiel.

»Aber zurück zu dem Mann. Wie heißt er noch mal?«

»Otto Mansfeld.«

»Hat er denn sonst gar nichts gesagt?«

»Doch. Deshalb wollte ich auch, dass du gleich kommst. Er sagte: ›Der Hund kann nichts dafür. Es ist ausschließlich meine Schuld.‹ Darauf ich: ›Welcher Hund?‹ Und stell dir vor, er hat tatsächlich geantwortet. Er hat gesagt: ›Er wird bei Grete sein. Sie soll ihn nehmen!‹ Und als ich nachfragte: ›Bei welcher Grete?‹, meinte er: ›Meiner Nachbarin.‹ Und das war's dann. Von da an war kein Wort mehr aus ihm herauszubringen.«

Ich stand auf. »Also gehen wir jetzt zu dieser Grete.«

»Genau.«

Wir parkten auf der Nordstraße und liefen zu Fuß weiter zur Schrebergartenkolonie.

Der dritte Garten links war aufgewühlt, aber nicht so, wie ein Gärtner das tun würde. Das sah eher nach Spurensicherung aus. Die Laube war ein kleines Holzhäuschen. Als ich mich über den Zaun beugte, konnte ich erkennen, dass die Tür versiegelt war.

»Abmarsch!«

Die Frau, die zu der rauen dunklen Stimme gehörte, stand im Garten gegenüber und funkelte uns böse an. Sie war um die siebzig oder auch Mitte siebzig und stützte sich auf einen Rollator. Aus der offenen Tür ihrer Laube raste ein kleiner schwarz glänzender Ball an den Zaun und kläffte, was das das Zeug hielt.

»Hier gibt es nichts zu gaffen.«

Ich ging zu ihr hinüber und strahlte sie erleichtert an. »Sind Sie Grete?«

»Und das ist der Hund!«, rief Paul.

Jetzt sah sie uns zwar misstrauisch, aber nicht mehr nur wütend an. »Und wer sind Sie?«

Im Nachbargarten spitzte eine Rentner-Skat-Runde die Ohren.

»Ich bin der Anwalt von Herrn Mansfeld«, sagte Paul leise.

»Otto hat keinen Anwalt«, erwiderte sie, gleichfalls in gedämpftem Ton. »So etwas kann er sich nicht leisten.«

»Wissen Sie«, mischte ich mich nun ein, »das ist eine lange Geschichte. Wir würden sie Ihnen gerne erzählen. Ihnen, aber nicht unbedingt Ihren Nachbarn.«

Sie musterte mich mit dem Blick einer altgedienten Lehrerin. Drehte sich schließlich um, verschwand in ihrer Laube, kam mit einer Leine wieder heraus und gurrte: »Komm, Sunny-Schätzchen, komm bei Fuß!« Sunny-Schätzchen war hin- und hergerissen zwischen der Aufgabe, uns zu verbellen, und der Aussicht auf einen Spaziergang. Er entschied sich dann doch für Letzteren. Grete leinte den Hund an, schloss Haus- und Gartentür ab, hob Sunny in den Korb an ihrem Rollator und setzte sich Richtung Nordpark in Bewegung.

»Hat die Polizei das Fahrrad? Das müssen sie mir zurückgeben, das gehört meiner Enkelin.«

Wir sahen sie ratlos an.

»Ich dachte, Sie sind Ottos Anwalt?« Sie blieb abrupt stehen, nun ganz Misstrauen.

»Ich habe Herrn Mansfeld im Polizeigewahrsam besucht. Mit der Polizei konnte ich noch nicht sprechen«, erklärte Paul mit seiner hochseriösen Berufsstimme. »Die Polizei hat für Herrn Mansfeld einen Pflichtverteidiger bestellt, und dieser Kollege hat den Fall an mich abgegeben.«

»Warum?« Sie setzte sich wieder in Bewegung.

»Er meinte, er würde aus Prinzip keine Pädophilen vertreten.«

»Und Sie tun das?« In Gretes Stimme klirrte das Eis.

»Nein. Ich tue das auch nicht. Aber ich gehe davon aus, dass Herr Mansfeld weder pädophil noch ein Mörder ist.«

»Warum?«

Paul sah mich an. Ich sah fragend zurück. Konnte man dieser Grete trauen? Sie erinnerte mich an eine Gewerkschaftskollegin meiner Eltern, die mir manchmal Bücher geliehen hatte. Aber das reichte mir nicht.

»Frau – äh – Grete?«

Sie würdigte mich keiner Antwort.

»Sie sind zu Recht misstrauisch, was uns betrifft. Sie kennen uns nicht, Sie wissen nichts über uns und unsere Gründe, Herrn Mansfeld zu helfen. Aber umgekehrt ist es genauso. Wenn wir ihm wirklich helfen wollen, dann können wir nicht einfach mit jedem Beliebigen über ihn plaudern.«

»Setzen Sie sich.«

Sie wies auf die Bank, an der wir inzwischen angelangt waren. Paul und ich nahmen Platz wie zwei brave Schüler, sie selbst setzte sich uns gegenüber auf den Sitz ihres Rollators. Sie schloss die Augen und ließ die Schultern sinken, die sie die ganze Zeit über hochgezogen hatte.

Ich nutzte die Verschnaufpause und sah mich um. Der Park war eine Orgie von Grüntönen, sattem, fettem, schimmerndem Grün. Die Vögel zwitscherten, als würden sie sich bei einem Vogel-Casting bewerben, zwei Kaninchen rannten über die Wiese, ein drittes, kleineres raste ihnen hinterher, und ein junger Boxermischling zerrte aufgeregt an der Leine, die sein Herrchen mit eiserner Faust festhielt. Sunny dagegen döste selig in seinem Körbchen und ließ sich die Sonne aufs Fell brennen. Zwei junge Mütter mit Kinderwagen gingen an uns vorbei, erblickten das Hundebaby und riefen im Chor, »Ooooh, ist der süüüüß!« Ich lächelte ihnen huldvoll zu, als wäre ich die Erzeugerin.

Grete öffnete die Augen und musterte uns noch einmal kritisch. »Also. Ich heiße Grete Lehner und bin pensionierte Lehrerin. Englisch und Deutsch. Otto hat den Garten neben mir von seiner Schwester geerbt, die letztes Jahr verstorben ist. Und weil er grade keine Wohnung hatte, ist er hier eingezogen. Otto war auch Lehrer. Mathe. Bis ihn das Leben aus der Bahn geworfen hat.«

Sie langte nach hinten und legte sich Sunny auf den Schoß. Kraulte ihn an seinen winzigen Öhrchen. Sunny öffnete ein ganz klein wenig sein Minimaul und schob eine leuchtend rosa Zunge vor. Eine Stimme in mir sagte: »Will haben!« Aber ich hatte Rosa. Und Rosa duldet keine Eindringlinge.

»Eines Tages kam Otto mit dem hier an.« Sie stupste Sunny sanft in die Flanken. »Er hat ihn den Punks vor dem Gulliver abgenommen, das ist die Überlebensstation für Obdachlose am Bahnhof …«

»Ja«, sagten Paul und ich gleichzeitig.

»Die hatten Junge, also deren Hündin hatte Junge, und sie wussten nicht, wohin damit.«

Sie hielt Sunny ihren Zeigefinger hin, er knabberte lustvoll daran herum. Ich muss gestrahlt haben wie ein kleines Mädchen, denn Grete lächelte mich plötzlich an.

»Würden Sie denn gleich noch eine Runde mit ihm drehen? Er bekommt nicht genug Bewegung …« Sie wies auf ihren Rollator. »Damit ist man nicht so flott unterwegs.«

»Ja klar, gerne!«, rief ich und streckte die Hand nach Sunny aus. Er blinzelte kurz zu mir hoch, dann ließ er sich streicheln. Ich klaubte ihn von Gretes Schoß und legte ihn auf meinen. Aber Sunnyboy blieb nicht liegen. Er stakste auf meinen Oberschenkeln herum, schnupperte an meinen Klamotten und sabberte mir die Jeans voll. »Er riecht meine Katze«, erklärte ich Grete und gab ihr den Hund zurück.

»Otto.« Paul brachte uns zurück zum Thema.

»Otto. Der Hund war sein Ein und Alles. Und dann kam der Junge.« Sie strich mit einer langsamen Bewegung über Sunnys Rücken. Dann sah sie zu uns hoch. »Und wer sind Sie?«

Ich erzählte ihr die Geschichte von Marco und Chantal, von Grimme und ihrem Notizbuch, von Hotte, allerdings ohne seinen Namen zu nennen, von meinen Recherchen. »Die Männer, an die Frau Grimme Marco verkauft hat«, schloss ich meinen Vortrag, »sind, da bin ich mir sehr sicher, ehrenwerte Mitglieder dieser Gesellschaft. Das sind keine Obdachlosen, die in einem Schrebergarten hausen. Die Polizei hat sich aber auf Otto eingeschossen. Und deshalb versuchen wir, mein Bruder, ich und ein paar Freunde, die wirklichen Mörder zu finden. Und Otto aus dem Knast zu holen.«

»Und dafür«, klinkte sich Paul nun ein, »brauchen wir Ihre Hilfe. Herr Mansfeld hat leider kaum mit mir gesprochen. Er wirkt wie ein Mann, der an seinem Schmerz zerbrochen ist.«

Grete nickte.

»Aber er hat mir gesagt«, fuhr Paul fort, »der Hund sei bei Ihnen. Sie sollten ihn behalten.«

Grete nickte erneut.

»Wir müssen Herrn Mansfeld so schnell wie möglich aus dem Gefängnis holen.«

»Aber Sie sagten doch, er ist noch bei der Polizei.«

»Ja, das war er noch, als ich mit ihm gesprochen habe. Aber mittlerweile haben sie ihn vermutlich in die JVA überführt. Und dort …« Paul zögerte.

»… geht man mit Kinderschändern auf eine ganz bestimmte

Art um«, ergänzte Grete seinen Satz. »Ich bin alt, aber nicht weltfremd.«

Ein Golden Retriever kam angetrabt und blieb neben Gretes Rollator stehen. Sunny fauchte wie eine Katze. Der Retriever trollte sich beleidigt.

»Der Junge«, sagte Grete so leise, dass ich sie nur mit Mühe verstehen konnte, »war ein völlig verstörtes, gequältes kleines Wesen. Er trottete den Weg entlang, als ginge er zu seiner Hinrichtung.« Sie zog die Luft ein. »Mein Gott, so war es ja auch!« Nach einer Weile sprach sie weiter. »Ich wollte schon fragen: ›Wo ist denn deine Mama?‹, oder: ›Wo willst du hin?‹, da kroch Sunny unter Ottos Zaun durch. Der Junge sah ihn – und er war wie ausgewechselt. Ein Lächeln breitete sich in seinem Gesicht aus …« Sie brach ab. Zog mit steifen Fingern ein Taschentuch aus ihrer Weste und schnäuzte sich. »Verzeihung.«

Sie räusperte sich ein paarmal, dann fuhr sie fort: »Es war, wenn Sie so wollen, Liebe auf den ersten Blick. Und von da an waren die beiden unzertrennlich. Otto hat den Jungen bei sich wohnen lassen. Ich habe ihm gesagt, das kannst du nicht machen, der wird gesucht – ich habe ja am nächsten Tag das Foto in der Zeitung gesehen – aber er hat nur gemeint: ›Den sucht keiner wirklich. Den will keiner. Der soll jetzt hier erst mal was verschnaufen. Dann sehen wir weiter.‹ In der Zeitung stand ja, der Kleine wäre ein Pflegekind und seine Pflegemutter tot. Also dachte ich, nun ja, vielleicht hat Otto recht.« Sie schüttelte den Kopf. »Ich weiß nicht, warum ich das getan habe. Es war unverantwortlich! Wir hätten sofort das Jugendamt verständigen müssen.«

»Nein«, erwiderte ich, »das hätte nichts gebracht. Dann wäre er weggelaufen. Das Jugendamt hat ihn ja zu dieser Frau Grimme gebracht.«

»Das kann man sich gar nicht vorstellen. Dass so etwas passieren kann!« Sie massierte sich das Knie. Ihre Finger waren gichtig, sah ich, und sie hatte offenbar Schmerzen. »Ich habe Marco das Fahrrad meiner Sarah geliehen, das ist meine Enkelin. Sie sind noch eine Woche auf Kreta, und ich dachte, der Kleine hätte eine Freude damit.« Sie lächelte. »Die hatte er auch. Otto hat ihm das Fahren beigebracht.«

»Herr Mansfeld«, meldete sich Paul zu Wort, »hat mir gesagt:

›Jetzt habe ich zwei Kinder auf dem Gewissen.‹ Was könnte er damit gemeint haben?«

»Hat er das so gesagt?« Sie schüttelte traurig den Kopf. »An seinem vierzigsten Geburtstag ist Otto mit seiner Frau und seinem kleinen Sohn zu seinen Eltern nach Manderscheid gefahren. Manuel, sein Sohn, war am Vortag zehn geworden, und das wollten sie gemeinsam feiern. Haben sie auch. Otto hat zwei Glas Sekt und dann wohl noch ein Bier getrunken, es hat geschneit, die Straße war glatt, es war stockdunkel auf dem Heimweg … Manuel lag noch ein halbes Jahr im Koma. Dann ist er gestorben. Ottos Frau hatte ein Schädeltrauma und eine gebrochene Schulter, er selbst war nur leicht verletzt. Er wurde zu einer Bewährungsstrafe verurteilt. Seine Frau ließ sich von ihm scheiden. Er musste den Schuldienst quittieren … Und dann hat er sich auf den Weg gemacht. Er ist gegangen. Und nie mehr irgendwo angekommen. Bis ihm seine Schwester die Laube vererbt hat. Da hat man ihn irgendwie aufgespürt. Er ist gekommen, hat sich den Garten und das Häuschen angeschaut und ist geblieben.«

Sie rieb sich erneut das Knie. »Ich muss jetzt nach Hause.«

Paul stand auf und half ihr von dem kleinen Sitz hoch. »Frau Lehner, nur noch eins: Herr Mansfeld hat mir noch gesagt, der Hund könne nichts dafür. Es sei allein seine Schuld. Was meinte er damit?«

Grete stützte sich auf den Rollator, sie sah aus, als würde sie nun mit heftigen Schmerzen kämpfen. Nach einer Weile sagte sie: »Das weiß ich nicht. Aber vielleicht … Marco ist gerne mit Sunny spazieren gegangen. Oder gefahren. Er hat ihn in den Fahrradkorb gesetzt und ist dann losgestrampelt. Es war uns aber klar, dass der Kleine vor jemandem Angst hatte. Und einmal hat Otto zu ihm gesagt: Bleib abends hier, geh nicht in den Park, auch nicht mit dem Hund. – Aber genau das hat er wohl getan.«

»Frau Lehner, wo wohnen Sie?«, fragte Paul. »Darf ich Sie nach Hause fahren?«

Sie nahm das Angebot an. Ich ging langsam mit ihr zurück auf die Straße, dann warteten wir auf Paul, der vorgegangen war, um das Auto zu holen.

»Was für ein Hund ist er denn?«, fragte ich, um sie ein wenig von den Schmerzen abzulenken.

»Ich würde sagen, ein Labrador. Es kann aber noch etwas beigemischt sein. Das sieht man dann erst, wenn er größer ist.«

»Und warum heißt er Sunny?«

»Das«, seufzte Grete lächelnd, »müssen Sie die Punks fragen.«

Paul stellte sich auf den Bürgersteig und öffnete die Tür für Grete.

»Ach«, sagte sie plötzlich zu mir, »Sie wollten doch mit Sunny noch eine Runde laufen. Wie machen wir das denn?«

»Ich fahre Sie nach Hause, dann hole ich Katja und Sunny im Park ab, und wir bringen Ihnen den Hund zurück«, bot Paul an.

Aber mir fiel etwas Besseres ein. Ich überlegte einen Moment, ob ich mich trauen sollte, ihr das vorzuschlagen. Fasste mir schließlich ein Herz.

»Frau Lehner?«

Sie wollte gerade einsteigen und richtete sich noch einmal mühsam auf.

»Ich ... ich hatte gerade eine Idee. Darf ich Ihnen die einfach erzählen, und Sie können dann natürlich nein sagen?«

»Ja, aber machen Sie schnell, junge Frau. Ich kann nicht mehr lange stehen.«

»Oh, Verzeihung, nein, steigen Sie bitte ein.«

Paul half ihr, dann klappte er den Rollator zusammen und verstaute ihn ihm Kofferraum. Paul hat für einen linken Anwalt ein ziemlich großes, ziemlich repräsentatives Auto. Das hat ihm seine Frau aufgeschwatzt, die ist Notarin und was »Besseres«. Meint sie zumindest. Aber manchmal hat so ein Schlitten ja auch Vorteile. Auf meinem Fahrrad könnte ich keinen Rollator transportieren.

»Also, was wollten Sie sagen?«, fragte Grete Lehner aus dem Auto heraus. Ich kniete mich hin, um mit ihr auf Augenhöhe zu sein. »Chantal, Marcos Schwester ... sie ... sie hat Marco vor Grimme gerettet, sie ...«

»Ja?«

»Sie ist wunderbar. Und sie ist sehr, sehr verletzt. So ein Tier ... so etwas wie Sunny ...«

»Könnte ihr helfen, den Schmerz zu überwinden?«

Ich nickte.

»Wie alt ist Chantal?«

»Zwölf.«

»Wenn ich das recht verstanden habe, kommt sie aus unstabilen Verhältnissen?«

»Ja. Aber sie hat ihren Bruder mit großgezogen. Sie hat ihm geholfen, von dieser Pflegefamilie wegzukommen, Und sie hat sich um Marco gekümmert wie eine richtig tolle große Schwester.«

»Dann nehmen Sie ihn erst mal mit. Geben Sie ihn dem Mädchen. Und morgen kommen Sie mit ihr und Sunny zu mir. Dann schaue ich mir das an.«

Ich konnte mein Glück kaum fassen. »Danke!«

Sie drückte mir das kleine Hundeknäuel samt Leine in die Hand, Paul half ihr, sich anzuschnallen, dann fuhr er los.

Hotte öffnete mir die Tür. Als er Sunny sah, begann er zu strahlen. »Wat is dat dann?« Sunny schnappte nach seinem Finger und fing an, daran herumzukauen. Hotte entzog ihm den Finger vorsichtig und rief: »Guckma, Chantal!«

Wir gingen in die Küche, Chantal saß am Tisch und aß eine Käsestulle.

»Boah, Wahnsinn!« Sie sprang auf und kam zu mir. Respektive Sunny. »Ooooh! Kann ich mal halten?«

Ich reiche ihr das Objekt des allgemeinen Entzückens.

»Wo hast'n den her?« Sie wartete meine Antwort nicht ab, sondern trug Sunny zum Tisch und legte ihn darauf ab. Riss ein Stück Käse ab und hielt es ihm hin. »Magste?« Dann zu mir: »Mag der das?«

Sunny war sich noch nicht ganz sicher, ob er »das« mochte. Erst mal dran riechen. Er nahm den Käse schließlich ins Maul und ließ ihn wieder herausfallen. Das Spiel spielte er noch ein paarmal, und Chantal sah ihm zu, als würde er die faszinierendsten Kunststücke vorführen.

»Wem is der?« Lauernder Blick. Unausgesprochen: Kann ich den haben?

Ich erzählte ihr, wo ich den Hund herhatte. Und was Grete mir aufgetragen hatte.

»Boah, das is ja der Hammer. Mit dem hat der Pico gespielt!« Sie starrte Sunny an, als sähe sie ihn jetzt erst richtig. »Ey, Katja, hörma, wir gehen direkt da hin, zu der alten Frau, dann sieht die, dass der mich mag. Und dass ich gut auf den aufpassen kann. Komm!«

Ich erklärte ihr, dass Grete dafür jetzt zu erschöpft war. »Und außerdem musste erst mal Hotte fragen, ob das für ihn okay ist.«

»Ooooopaaaaa ...«

»Ja, lass mal, is jot. Aber du gehst mit dem Gassi. Der is dann dir. Da haste dann auch die Verantwortung.«

»Ja klar!«

»Dann laufen wir jetzt gleich mit Sunny eine Runde durch das Nippeser Tälchen«, schlug ich vor.

Chantal hob den Hund vom Küchentisch. »Sunny! Komm, wir gehen spazieren!«

Ich gab ihr die Leine, half ihr, sie an Sunnys Halsband zu befestigen, dann marschierten wir los.

»Und was frisst der?«, rief Hotte uns hinterher.

Mist! Daran hatte ich nicht gedacht. »Äh ...«

»Sie sind gar nicht vom Jugendamt!« Hottes Nachbarin stand plötzlich in ihrer Tür, in lindgrünen Caprihosen und einem rosaroten Top. »Ich werde das Jugendamt informieren, dass hier unrechtmäßig ein Kind ist. Und Haustiere sind verboten!«

»Sonst noch was?«

»Sie werden sich noch wundern!« Die Lady bedachte erst Hotte und dann uns alle mit einem giftigen Blick, dann hievte sie ihre Massen zurück in die Wohnung und schlug die Tür zu.

»Ey, geht's noch, Alte!«, schrie Chantal ihr hinterher.

Ich schüttelte den Kopf und bedeutete ihr, still zu sein. Ärger mit dem Jugendamt konnten wir nun gar nicht gebrauchen.

Sunny fiepte und zog an der Leine. Wir machten uns auf die Socken.

SECHZEHN

Ich hatte mir die Finger wund gegoogelt. Umsonst. Ich konnte nichts finden zu dem Projekt dieser angeblichen Mönche in Kathmandu und natürlich auch keine Verbindung zwischen ihnen und irgendwelchen deutschen Förderern. Was ich fand, waren ein christliches Projekt, ein Buchhinweis, grauenerregende Berichte über betroffene Kinder und vor allem Maiti, die offenbar weltweit anerkannte nepalesische Hilfsorganisation für Mädchen, die zur Prostitution gezwungen werden. Pro Jahr, las ich auf der Website von Maiti, werden an die zwanzigtausend nepalesische Mädchen im Alter zwischen neun und sechzehn Jahren in indische Bordelle verkauft. Eine Schweizer Seite gab an, es seien zwischen zehntausend und zwölftausend junge Mädchen im Alter zwischen acht und zwanzig Jahren. Aber alle redeten von Mädchen. Hinweise auf Jungen fand ich, im Gegensatz zu Kambodscha, kaum.

Ich rief Mary an und bat sie, ihren *cousin George* nach Infos zur Seriosität von Maiti zu fragen. Inzwischen traute ich niemandem mehr. Mary wiederum bat mich, Chantal zu sagen, sie könne morgen um sechzehn Uhr an ihrem Kinderkurs teilnehmen. Ich gab ihr Hottes Nummer, sie sollte es ihr selbst sagen, mir wuchs gerade alles über den Kopf.

Als Nächstes rief ich Hans Grimme an, den trauernden Witwer. Er ging dran. Meldete sich mit »Professor Grimme«. Sanfte, etwas hohe Stimme. Ich stellte mich vor, sagte ihm, ich sei die Journalistin, mit der seine Frau mehrfach gesprochen und bei der sie das Notizbuch versteckt habe. Mein Beileid sprach ich ihm nicht aus. Es ging mir nicht über die Lippen.

»Und wie kann ich Ihnen helfen, Frau – äh …?«

»Leichter.«

»Frau Leichter?« Jetzt klang er ziemlich arrogant.

»Herr Grimme, Sie waren im Vorstand von F.I.C. Ich wüsste gerne: Was ist das für eine Organisation, und warum sind Sie ausgetreten?«

»Da sind Sie falsch informiert.« Sein Tonfall war jetzt schneidend, die Stimme noch höher.

»Okay. Dann ist die UNESCO gleichfalls falsch informiert. Aber dann wäre es doch interessant, zu wissen: Woher kommt diese Fehlinformation?«

»Jetzt hören Sie mir gut zu: Ich bin in Trauer. Meine Frau wurde brutal ermordet. Ich habe andere Sorgen.«

»Das verstehe ich«, säuselte ich. »Aber vielleicht könnten Sie mir noch sagen, wo ich Ihren Schwager und Ihren Schwiegervater finden kann? Ich würde ihnen gerne mein Beileid ausdrücken.« Ich hatte es noch nicht ganz zu Ende gesagt, da wusste ich, das war ein verdammter Fehler. Ich hätte mich in den Hintern beißen können. Immer wieder sage ich mir: Leichter, erst denken, dann reden. Und dann baue ich einen solchen Mist.

»Da kann ich Ihnen leider nicht weiterhelfen. Ich habe zu den beiden keinen Kontakt. Und sollten Sie mich noch einmal belästigen, werde ich mich an Ihre Vorgesetzten im Westdeutschen Rundfunk wenden.«

Von Journalisten und unserem Gewerbe hatte er offenbar keine Ahnung. Dafür hatte er eindeutig Dreck am Stecken. Aber welchen? Ich protokollierte das Telefongespräch und mailte Mary die Datei, einschließlich Grimmes Telefonnummer.

Als Nächster war Martin dran. Er sei gerade in der Produktionsfirma in einer Arbeitsbesprechung, sagte er, ob es dringend sei? Ja, meinte ich trocken. Es war mir dringend.

»Moment.«

Ich hörte ihn etwas murmeln, dann Schritte und eine Tür.

»Katja, was ist los, du klingst schrecklich?«

»Es geht um Marco, den toten Jungen. Und um einen Mann, den sie zu Unrecht beschuldigen, er sei der Mörder.«

»Aber …«

»Martin, hör mir bitte einfach mal nur zu, ja? Ich muss mit dem Typen reden, mit dem du den Film über die Kinderprostitution in Kambodscha machst. Und zwar am besten jetzt sofort. Bitte.«

»Sebastian ist hier. Warte, bleib dran.«

Offenbar legte er das Handy irgendwo ab, ich hörte wieder Schritte und eine Tür. Nach einer Weile war er zurück.

»Wir sind in der Gocher Straße. Wir werden noch circa eine Viertelstunde brauchen. Dann können wir bei dir sein.«

»Danke. Danke, Martin!«

Ich nutzte die Zeit, um Rosa und mich selbst zu füttern. Sie bekam eine Dose mit Lammragout, ich eine Käsestulle. Sie spielte mal wieder die beleidigte Leberwurst, denn Dosen verachtet das gnädige Fräulein. Ich ignorierte sie einfach, verschlang mein Brot und durchwühlte hektisch meine Schreibtischschublade nach etwas Süßem. Hinter den DVD-Hüllen fand ich die Ingwerkekse. Fragte mich, wie sie dahin gekommen waren. Aber nur ganz kurz, dann machte ich mich darüber her. Ich zündete mir eine an und wählte die Nummer von Düren. Es dauerte eine Weile, dann hatte ich endlich Nele dran.

»Mensch, Süße, wie geht's dir?«

»Oooch, geht so. Ich bin schon auf vier Meter runter.«

»Hey, machst du jetzt Turboentgiftung?«

»Ich will hier raus, Katja. Wenn ich so weitermache, dann hab ich nächste Woche meinen ersten Clean-Tag. Und dann bin ich hier weg.«

»Aber du bist doch erst für später in der Therapie angemeldet. Was machste denn, wenn die da noch keinen Platz für dich haben?«

»Haben die aber. Das hab ich schon mit der Sozialtante hier geklärt.«

»Nele, mach nicht zu schnell. Das kann nach hinten losgehen.«

Sie lachte. Erzählte von ihrer Zimmergenossin, von den anderen Patienten – »Boah, die Russen, hörma, die sind drauf!« –, und dass Hotte sie heute schon angerufen und auf den Stand der Dinge gebracht hatte. »Das mit dem Hund, das ist super. Der tut der Chantal total gut. Hörma, Katja, du musst gucken, dass die den behalten kann!«

»Mach ich.«

Es läutete an der Tür.

»Süße, ich muss aufhören, ich krieg Besuch. Ich melde mich wieder, okay?«

»Ja, klar, hinter mir stehen sie schon die Schlange, die wollen alle ans Telefon. Tschö, und grüß die Hertha von mir!«

Mr. Regie sah sich neugierig in meiner Küche um. Kaffee oder Tee hatten sowohl Martin als auch der ominöse Sebastian abgelehnt, also kriegten sie gar nichts. Das Gespräch verlief zäh. Ich fragte nach den Drehs, die sie in Kambodscha vorhatten. Wer ihre Gewährsleute dort seien. Martin antwortete auf meine Fragen, irritiert und genervt. Sebastian hüllte sich in Schweigen. Schließlich kam ich zur Sache. Fragte ihn geradeheraus, was er mit den Strichern auf dem Bahnhof zu tun hatte. Warum er dem einen Jungen so viel Geld gegeben hatte. Martin hielt die Luft an.

Sebastian, dessen Nachnamen ich noch immer nicht wusste, sagte gedehnt und noch arroganter, als ich ihn schon kennengelernt hatte: »Und das geht Sie was genau an?«

»Ein kleiner Junge, den ich kenne und um dessen Schwester ich mich mit kümmere, wurde von Pädophilen ermordet. Vorher haben sie ihn systematisch gefoltert, ›missbraucht‹ wäre ein geradezu verharmlosender Ausdruck dafür. Ich gehe davon aus, dass mindestens einer der Männer etwas mit Kinderprostitution in Kambodscha zu tun hat. Und dann erfahre ich, dass Sie einen Film zu diesem Thema drehen. Und sehe, wie Sie auf dem Bahnhof einem jugendlichen Stricher Geld geben. Reicht Ihnen das als Grund für mein Interesse?«

Er sah ziemlich erschrocken aus. Eine ganze Zeit lang sagte er kein Wort. Dann kramte er in seinem Rucksack herum. Zog ein Foto heraus und reichte es mir. Der Junge auf dem Foto sah aus wie ein vom Himmel gestiegener Engel. Oder genauer gesagt, wie sich der Produzent eines Fantasy-Films vermutlich einen solchen Engel vorstellte. Schlaksiger, schmaler Körper, güldene Locken, Stupsnase, riesige veilchenblaue Augen. Ich sah genauer hin. Konzentrierte mich auf den Blick des Jungen. Korrigierte mich: Nein, nicht ein Fantasy-Produzent. Ein Softporno-Produzent. Ich reichte Sebastian schweigend das Foto zurück.

»Das ist Emil, mein Neffe. Er ist dreizehn. Und geht vermutlich in Köln anschaffen. ›Vermutlich‹ bezieht sich auf Köln, nicht auf Anschaffen. Deshalb bin ich hierhergezogen. Ich versuche, ihn zu finden. Meine Schwester fürchtet, er ist tot. Ich habe ihr versprochen, ihn zu suchen. Der junge Mann auf dem Bahnhof hat mir angeboten, mir bei der Suche behilflich zu sein.« Er verstaute das Foto wieder im Rucksack. »Stört es Sie, wenn ich rauche?«

Ich stellte den Aschenbecher vor ihn hin und verkniff es mir, eine mitzurauchen.

»Ich bin verheiratet und habe eine vierzehnjährige Tochter und einen Sohn in Emils Alter. Aber wie Sie vermutlich wissen, bedeutet das gar nichts.«

Ich nickte. »Der Junge hat Sie vermutlich abgezogen.«

»Abwarten.«

Ich sah ihn mir genau an, seinen Gesichtsausdruck, seine Körperhaltung, versuchte zu spüren, was er ausstrahlte. Es war jedenfalls nichts eindeutig Negatives. Ich beschloss, ihm zu glauben.

»Danke für Ihre Offenheit.«

»Mir geht die Sache mit dem Jungen – Ihrem Jungen – nahe. Wie Sie vielleicht verstehen können. Und ich dachte, der Täter sei gefasst?«

Ich erzählte ihm in einer sehr verkürzten Version, warum ich den Mann für unschuldig hielt.

Martin gab einen knurrenden Laut von sich. »Hat die Polizei dieses Notizbuch, Katja? Hast du das der Polizei gegeben?«

»Ja, natürlich.«

»Aber warum sagen sie dann, dieser Obdachlose sei der Täter?«

»Das weiß ich nicht, Martin. Und ich finde es ziemlich beunruhigend.«

»Vermuten Sie etwas Bestimmtes?«, fragte Sebastian.

Ich rang kurz mit mir und beschloss dann, Tina Gruber vorläufig noch zu schützen. Behauptete also, ich hätte keine Ahnung. »Aber ich wäre Ihnen sehr dankbar«, fügte ich hinzu, »wenn Sie Ihre Kambodscha-Connections nach einem Hans Grimme, nach einer Hilfsorganisation, die sich F.I.C. nennt, und nach einem alten und einem mittelalten Mann namens van Maarsens fragen könnten.«

»Van Maarsens?«

»Ja. Ich kann und möchte noch nicht mehr dazu sagen. Und Sie müssen vorsichtig sein. Es darf sich nicht herumsprechen, dass sich jemand für diese Namen interessiert.«

»Wissen Sie was, Katja? Ich sage der Autorin, dass Sie sich bei ihr melden werden. Ich mache nur die Regie. Die Expertin ist sie, und sie hat auch die Kontakte.«

Er gab mir ihre Telefonnummer, und als er ging, war er mir fast sympathisch.

Martin stand an meinem Küchenfenster und trommelte mit den Fingern auf das Fensterbrett.

»Was ist das für eine Horrorgeschichte?«

Ich sagte ihm, ich hätte jetzt keine Zeit, wüsste nicht, wo mir der Kopf stünde vor lauter Arbeit, ich würde ihm irgendwann alles erzählen, bloß nicht jetzt.

»Katja, bist du gerade dabei, dich in Gefahr zu bringen?«

»Quatsch!« Dann fiel mir der »Anal-ohne-Gummi«-Typ ein, der sich in unserem Hausflur herumgetrieben hatte. »Ich weiß es nicht, Martin. Aber es geht nicht, dass diese Dreckschweine einfach weitermachen können, mit dem nächsten Kind, das ihnen in die Hände fällt. Und dass ein Mann, der Marco geholfen hat, für sie in den Knast geht.«

Martin umarmte mich und drückte mich fest an sich. »Pass auf dich auf, Mädchen. Und grüß meinen Bruder, falls du ihn mal siehst.«

Ich schob ihn zur Tür raus. Und sah gerade noch, wie ein glatzköpfiges Muskelpaket durch die Haustür verschwand. Ich klopfte bei Hertha.

»Was'n los?« Sie war so breit, dass sie kaum geradeaus gucken konnte.

»Nichts. Leg dich hin, ja?«

»Mhm.«

Scheiße, dachte ich. Sie verkraftet es nicht, dass sie jetzt wieder allein ist. Nahm mir vor, öfter bei ihr vorbeizuschauen. Als ich meine Wohnungstür absperren wollte, klingelte es. Sicherheitshalber fragte ich erst mal, wer da war. Der Typ im Hausflur machte mir irgendwie Sorgen. Es war Gitta. Ich drückte auf den Summer und freute mich total, sie zu sehen. Sank in ihre Arme und ließ mich von ihr halten. Dann wollte ich lossprudeln, ihr alles erzählen, was seit unserem letzten Treffen passiert war, aber sie ließ mich nicht zu Wort kommen.

»Hast du die Nachrichten gehört?«

Hilfe!, dachte ich. Was ist jetzt schon wieder? »Nein?«

»Der Mann, den sie verhaftet haben wegen Marco – er hat sich in der Zelle erhängt.«

»Nein!« Ich schrie so laut, dass Gitta zusammenschrak. »Nein!« Ich schlug mir die Hände vors Gesicht und schüttelte verzweifelt den Kopf. »Komm!« Gitta schob mich in das Wohnzimmer und drückte mich aufs Sofa. »Ich mach uns Tee.«

»Bring mir das Telefon!« Ich rief Paul an.

»Jetzt geht es grade gar nicht, Katja«, sagte Aysche.

»Muss aber.«

»Sagst du mir, was los ist, und ich informiere ihn, sobald es geht?«

Ich sagte es ihr.

»Oh nein.«

»Doch. Er soll mich anrufen. Ich bin bis kurz vor acht zu Hause.« Ich hängte ein und versuchte, Tina Gruber zu erreichen. Vergeblich wie immer.

»Schwarz oder grün?«, rief Gitta aus der Küche.

»Egal.« Rosa sprang aufs Sofa und suchte sich einen Platz auf meinem Körper. Ließ sich schließlich quer über meinem Bauch nieder und schnurrte. »Wenn ich dich nicht hätte«, flüsterte ich und kraulte sie zerstreut hinter dem linken Ohr. Das Telefon klingelte.

»Machma die Glotze an«, sagte Hotte atemlos. »WDR.«

Ich langte nach der Fernbedienung. Rief Gitta.

»... hat auch den Mord an dem bislang noch nicht identifizierten Mädchen gestanden, dessen verstümmelte Leiche Mitte des Monats aus dem Rhein geborgen wurde. Staatsanwalt Völcker hat für morgen früh eine Pressekonferenz anberaumt. Außerdem bittet die Staatsanwaltschaft ehemalige Schüler von Otto Mansfeld, die er möglicherweise missbraucht hat, sich bei der Polizei zu melden. Und nun zum Wetter ...«

Ich machte die Glotze aus und schmiss die Fernbedienung in die Ecke. »Arschlöcher! Verdammte miese Arschlöcher!« Rosa jumpte vom Sofa und schoss wie ein Blitz aus dem Zimmer. Ich sprang gleichfalls auf. »Ich bring sie um. Ich bringe Tina Gruber eigenhändig um.«

»Erst mal trinkst du eine Tasse Tee.« Gitta stellte das Tablett auf dem Beistelltisch ab und zog sich den Sessel ran.

»Ich hab keine Zeit!«

»Doch. Ich denke, im Moment kannst du nichts tun, Katja. Also erzähl mir, was das alles zu bedeuten hat.«

Das Telefon klingelte. »Ich kann heute niemanden mehr erreichen«, sagte Paul. »Morgen reiche ich Beschwerde gegen die Haftanstalt ein. Und dann knöpfe ich mir den Staatsanwalt vor. Und du unternimmst jetzt nichts, Katja. Hörst du? *Nichts.* Lass mich erst mal etwas versuchen. Wenn das nicht klappt, bist du dran. Okay?«

»Was willst du versuchen?«

»Das erzähle ich dir ein andermal. Ich rufe jetzt Frau Lehner an. Ich sage ihr auch in deinem Namen, wie leid es uns tut, ja?«

»Wen?«

»Frau Lehner. Grete. Die Lehrerin.«

»Ach Paul, ja, danke. Sag ihr, es tut mir *schrecklich* leid.«

Ich hatte kaum eingehängt, da klingelte es erneut. Noch mal Hotte. Ich verabredete mich zum Frühstück mit ihm. Dann erstattete ich meiner alten, pragmatischen, erdnahen Freundin Gitta Bericht, in der Hoffnung, dass ihr etwas auffallen würde, was ich in dem ganzen Kuddelmuddel übersehen hatte.

»Dieser Staatsanwalt«, sagte sie, »der verhält sich sehr merkwürdig.«

»Das sehe ich ähnlich«, knurrte ich.

»Aber man kann das Ganze natürlich auch anders sehen, als wir das tun.«

»Das könnte man vielleicht, Gitta, aber nicht, wenn man das Grimme-Notizbuch gelesen hat.«

Gitta wiegte den Kopf hin und her. »Jein. Das sind ja keine Aussagen, die sie da reingeschrieben hat. Man könnte es auch für Fiktion halten. Notizen für einen Roman oder so etwas.«

»Und Marcos Verletzungen? Sein aufgerissener After? Diese einzige schwarze blutende Wunde, die sein Unterleib ist?«

»Dafür fällt mir tatsächlich keine andere Erklärung als Missbrauch ein. Aber wenn ich weiter den Advocatus Diaboli für dich spielen soll, denke ich auch darüber nach.«

»Mach das. Ich muss wissen, wie dieser Staatsanwalt tickt. Ob der wirklich so denkt, wie du es jetzt beschrieben hast, oder ob der Dreck am Stecken hat.«

»Was meinst du mit Dreck am Stecken?«

Das hatte ich mir so genau noch nicht überlegt. »Ich treffe um acht Tina Gruber. Vielleicht weiß ich danach mehr.«

»Um acht? Dann musst du los. Es ist fünf vor.«

Ich sprang auf, griff mir den Rucksack, schlüpfte in die Sandalen und schloss das Fenster.

An der Haustür sah sich Gitta um und sagte leise: »Sei ein bisschen vorsichtig. Ich will dich nicht paranoid machen, aber dieser Mann im Hausflur, von dem du mir erzählt hast ... das gefällt mir nicht.«

»Mir auch nicht«, stimmte ich ihr zu.

Als ich im Hayal ankam, saß Tina bereits hinten auf der Terrasse und studierte die Karte. Ich setzte mich dazu.

»Hi!«

»Hi!«, gab sie zurück. »Willst du was essen?«

»Nö.«

Sie bestellte die kalten Vorspeisen und ein Glas Rotwein. Ich entschied mich für alkoholfreies Bier.

»Und?«

Sie sah mich an. Sie war blass, hatte Ringe unter den Augen, und ihr Gesicht wirkte irgendwie verzerrt.

»Wir haben den Mörder«, sagte sie schließlich zur Tischplatte. »Und er hat sich selbst gerichtet. Der Fall ist gelöst.«

»Das heißt, ich kann direkt wieder gehen?« Ich stand halb auf.

»Setz dich«, zischte sie. »Wir haben Marco im Gebüsch an der Bahnüberführung gefunden. Ein paar Meter weiter lag ein Kinderfahrrad. Marco war bei Mansfeld in der Laube. Daran gibt es keinen Zweifel. Wir haben die Aussagen von Nachbarn, die Marco bei Mansfeld gesehen haben. Wir haben überall Marcos Fingerabdrücke gefunden, Haare, alles, was du willst. Auch auf dem Kinderfahrrad sind Mansfelds Fingerabdrücke.« Sie hielt inne und sah mich an.

»Und?«

»In der Vernehmung hat Mansfeld gesagt: ›Ich habe jetzt zwei Kinder auf dem Gewissen.‹ Wörtlich. Ich habe ihn gefragt, was er damit meint. Aber es war das Einzige, was er überhaupt gesagt hat. Wir gehen davon aus, dass er damit das Mädchen aus dem Rhein und Marco meint.«

»Wir?«

Sie schlug die Augen nieder.

»Und wer hat die Grimme umgebracht?«

»Marco.«

»Bitte?«

»Hast du eine Zigarette?«

»Nein.«

»Katja, bitte.« Sie klang, als würde sie gleich in Tränen ausbrechen. Ich schmiss ihr die Packung hin. Lejlan kam mit den Getränken und einem Aschenbecher. Tina trank ihren Wein in einem Zug aus und orderte ein neues Glas. Als Lejlan wieder außer Hörweite war, zündete sie sich die Zigarette an, nahm einen tiefen Zug und sagte dann leise: »Marco war als Stricher unterwegs. Er hat angeschafft. Grimme ist ihm dahintergekommen. Sie wollte ihn zurück in das Heim schicken. Daraufhin hat er sie umgebracht.«

Ich holte Luft, aber sie winkte ab. »Als Grimme ihm dahintergekommen ist, hatte sie die Idee zu einem Roman über Kinderprostitution. Sie hat auch Kurzgeschichten geschrieben.«

»Sagt wer?«

»Ihr Mann. Für den Staatsanwalt ist der Fall gelöst. Die Akte ist geschlossen.«

Lejlan brachte Tinas zweites Glas Wein und das Essen. Sie schob es von sich weg.

»Magst du?«

Ich schüttelte den Kopf.

»Katja, ich habe ein paar Jahre bei der Sitte gearbeitet. Da hatte ich jeden Tag mit Strichern zu tun. Marco war keiner.«

»Mir musst du das nicht sagen.« Ich trank einen Schluck von meinem Bier. Versuchte, das Durcheinander in meinem Kopf zu sortieren. »Als die Grimme ermordet wurde«, wandte ich mich wieder an Tina, »da war Marco schon gar nicht mehr bei ihr. Da war der längst abgehauen.«

Sie lächelte zynisch. »Das sagst du, Katja.«

»Und Hotte und Nele.«

»Eine heroinabhängige Prostituierte, die mit der Mutter des Jungen befreundet war. Und der Großvater des Jungen, der ein mehrfach vorbestrafter Krimineller ist. Und das Kind dem Jugendamt entzogen hat.«

Ich verkniff mir zu sagen, dass Hotte nicht Marcos Großvater war. Das hätte die Sache auch nicht besser gemacht.

»Die Gegenseite – um das mal so zu nennen – hat durchaus

Argumente, Katja. Auch wenn sie uns nicht einleuchten.« Tina schob ihren Vorspeisenteller an sich ran und dann wieder von sich weg. »Ich habe mit meinem Vorgesetzten gesprochen. Der denkt immer noch, Völcker – das ist der Staatsanwalt – pfuscht ihm rein, weil er schwul ist. Völcker hat wohl zu ihm gesagt, er solle mal darüber nachdenken, ob er in einem Fall, in dem es um sexuelle Perversionen geht, wirklich unvoreingenommen ist. Überleg mal!«

Sie sah sich kurz um, aber niemand achtete auf uns. »Das Problem ist«, fuhr sie fort, »Alex, also mein Vorgesetzter, lässt sich davon völlig einschüchtern. Er wehrt sich nicht, er versucht nicht, sich durchzusetzen. Und er blockiert mich mit. Er lässt mich nicht machen. Und das versteh ich nicht. Ich versteh's einfach nicht!«

Sie rieb sich die Augen, die ohnehin schon rot waren. Vor Müdigkeit vermutlich.

»Hast du in den letzten vierundzwanzig Stunden auch mal geschlafen, Tina Gruber?«

»Nö.« Sie hörte auf, ihre Augen zu misshandeln, und beugte sich zu mir vor: »Hör mal, ich hab manchmal echt Schiss, dass der Völcker ihn erpresst. Dass der etwas weiß über Alex.«

»Was denn?«

»Keine Ahnung, dass er es mit jugendlichen Strichern treibt oder so was. Das wär der Horror, Katja. Weil der ist gut, der Alex. Ich mag den. Der ist fair. Und kompetent. Wenn da jetzt so was rauskäme, ich ... ich würd die Welt nicht mehr verstehn.«

»Muss ja nicht. Er ist schwul, und er ist Polizist. Das reicht doch, um ihn immer noch zu verunsichern.«

»Ja, aber nicht hier, in Köln! Was meinst du, wie viele Schwule und Lesben wir bei der Polizei haben!«

»Auch in Führungspositionen?«

Sie dachte nach. »Na ja, vermutlich nicht ganz so viele. Aber trotzdem ...« Sie trank einen Schluck von ihrem Wein und schob sich einen kleinen Kebab in den Mund. Der ihr offensichtlich schmeckte. Ich klaute ihr den zweiten. »Es kann natürlich auch sein«, sagte sie nachdenklich, »dass Völcker einfach nur erfolgreich Psychoterror macht. Das ist ja 'ne Art von Mobbing. Und Axel, also mein Vorgesetzter, der ist nicht unangefochten auf die

Stelle gekommen. Da gab's 'n Konkurrenten, und es war ziemlich knapp. Und wenn den jetzt einer gezielt mobbt ...«

»Was ist denn der Völcker für einer? Du hast mal gesagt, der wurde hierher strafversetzt.«

»Ja, ne, das war bloß so 'n Spruch von Kollegen, die den nicht verknusen konnten. Der ist aus Wuppertal gekommen, aber freiwillig. Denk ich mal. Du wirst ja eher aus Köln in die Provinz strafversetzt als umgekehrt. Und was das für einer ist – keine Ahnung. Ich hab zum ersten Mal mit dem zu tun.«

»Aber was ist denn mit deinen anderen Kollegen? Wieso gucken die nicht genauer hin?«

»Wir sind doch grade so katastrophal unterbesetzt. Eine Kollegin ist im Schwangerschaftsurlaub, ihre Vertretung hat sich am Auge verletzt und kommt frühestens in zwei Wochen wieder, ein Kollege ist in Urlaub – tja. Wir haben drei Morde an der Backe und sind de facto zu zweit. Plus mein Vorgesetzter und zwei Hilos aus anderen Abteilungen. Die haben aber null Erfahrung mit Tötungsdelikten.«

Tina stocherte in ihren Vorspeisen herum, nahm sich ein wenig Auberginencreme auf die Gabel, sah sie an, als müsste man sie auf mögliche Kontaminierungen überprüfen, und legte die Gabel wieder ab.

»Schmeckt nicht?«, fragte Abidin, der sie im Vorbeigehen erschrocken beobachtet hatte.

»Doch, doch!«, riefen Tina und ich wie aus einem Munde. Tina schob sich die Gabel in den Mund, ich brach mir ein Stück von ihrem Fladenbrot ab und häufte mir Avocadocreme drauf.

»Der eine Kollege«, fuhr sie fort, »mit dem ich letztendlich alles mache, der kann oder will einfach nicht glauben, dass eine Pflegemutter so etwas tut. Der denkt, Pflegeeltern werden vom Jugendamt überprüft, das sind ganz tolle Leute, und wer die verleumdet, ist ein Arschloch, dem man kein Wort glauben darf.«

Sie legte die Gabel wieder ab und grübelte vor sich hin. »Ich denk mal, Völcker hat das gecheckt. Der hat sich den zur Brust genommen. Ich bin im Rang höher als der Kollege, und vielleicht hat ihm der Völcker ja einen erzählt von wegen, du musst dir von einer Frau nichts sagen lassen und so. Jedenfalls frisst der Kollege dem Völcker aus der Hand. Und mir gegenüber ist er ziemlich ...

ist er nicht so wahnsinnig kooperativ.« Sie senkte den Blick. »Und ich hab das Gefühl, er spioniert mir nach.«

»Und was machen wir jetzt?«

»Im Moment hab ich da noch keine Antwort drauf. Ich weiß nicht, warum sich Herr Staatsanwalt Dr. Völcker so verhält, wie er sich verhält. Ich würde am liebsten die Dienstaufsicht einschalten. Aber dafür muss man einen handfesten Verdacht haben. Sonst geht das nach hinten los.«

Jetzt war ich an der Reihe.

»Pass auf«, sagte ich, »ich habe ein paar Fragen, auf die hätte ich gerne eine Antwort. Erstens: Was ist mit dem Pathologiebefund? Die Pathologin muss doch sehen können, dass Marco außer den akuten Verletzungen auch alte hat. Zweitens: Alle Fachleute haben mir erklärt, so ein Kurzer wie Marco könnte nicht längere Zeit am Bahnhof oder sonst wo rumrennen. Der würde relativ bald eingesackt. Wie bitte soll Marco also unbeobachtet auf den Strich gegangen sein? Und wo? Drittens: Du hast mir gesagt, der Befund von der Grimme hat ergeben, dass sie von einem Stich getötet wurde, der viel heftiger ausgefallen ist als alle anderen. Und zwar so heftig, dass Marco zu schwach dafür gewesen wäre. Viertens: Waren auf dem Messer Fingerabdrücke? Fünftens …«

»Stopp! Eins nach dem anderen.« All das, erzählte Tina, hatte sie dem Staatsanwalt bereits vorgetragen. Aber er hatte ihre Einwände weggewischt: »Die alten Verletzungen, sagt er, kommen vom Strichen, Perverse würden nun mal grob mit Kindern umgehen, und solche Jungs wie Marco, die wüssten schon, wie sie an die Freier rankämen, ohne dass man sie dabei sieht. Den tödlichen Messerstich könnte Marco der Grimme durchaus beigebracht haben, zumal dieser Stich beidhändig ausgeführt wurde. Wut würde einem schließlich ungeahnte Kräfte verleihen. Und außerdem ist die Tatwaffe eines dieser hyperscharfen japanischen Profimesser, die schon schneiden, wenn du sie nur anguckst. So eines fehlt nämlich aus dem Messerset in der Grimme'schen Küche. Und der Täter hat damit die Aorta getroffen, er hatte also sozusagen Glück, und es war gar keine übermäßige Kraft nötig.«

Ich fuhr trotzdem mit meiner Fragenliste fort: »Habt ihr Frau Lehner vernommen?«

»Wen?«

Na, super. Ich erklärte ihr, wer Frau Lehner war. Sie schüttelte den Kopf. Die Befragung der Nachbarn hatte der Kollege durchgeführt. Eine Frau Lehner oder sonst jemand, der freundlich über Otto Mansfeld geredet hätte, war ihr in den Protokollen nicht untergekommen.

»So. Und was ist mit Hans Grimme? Der ist nicht koscher.« Ich berichtete ihr von meinem Telefongespräch mit ihm. »Und dann sind da noch der Vater und der Bruder von Frau Grimme. Die sie, wenn ihre Notizen stimmen, missbraucht haben. Sie und andere Kinder, und zwar vor allem Jungs. Und Mädchen, die noch nicht ihre Tage haben. Du erinnerst dich?«

»Ich wollte mir dieses Notizbuch noch mal richtig durchlesen.«

»Du *wolltest*?« Ich war so laut geworden, dass Leute an anderen Tischen zu uns hersahen.

Sie hielt den Kopf gesenkt. Schwieg. Dann murmelte sie etwas, das ich nicht verstand.

»Bitte?«

»Es ist weg. Das Notizbuch ist aus der Asservatenkammer verschwunden. Vermutlich wurde es verlegt oder ...« Sie brach ab und rieb sich wieder die Augen. Ich musste das erst einmal verdauen. Bevor ich etwas sagen konnte, klingelte mein Handy.

»Liebste, ich bin jetzt auf dem Neumarkt, die Bahn fährt gleich ein. Bist du schon zu Hause?«

»Äh, nö, äh ... kannst du zu unserem Türken kommen?« Ich hängte ein, bevor er reagieren konnte. Wandte mich wieder Tina zu. »Kannst du damit nicht zur Dienstaufsicht gehen?«

»Das reicht nicht. Dass Sachen aus der Asservatenkammer verschwinden – oder scheinbar verschwinden –, das kann schon mal vorkommen. Das meiste taucht wieder auf.«

»Das Grimme'sche Werk aber garantiert nicht.«

»Katja? Du hast nicht zufällig eine Kopie?«

Ich mochte Tina Gruber. Sie hatte mir im Winter das Leben gerettet. Ich hielt sie für anständig und integer. Aber ich dachte jetzt doch darüber nach, ob ich ihr wirklich trauen konnte.

»Ich hab welche. Aber nicht bei mir zu Hause. Ich kann dir morgen eine Kopie der Kopien geben.«

Sie nickte stumm. Tina ist nicht blöd. Sie hatte begriffen, dass ich ihr nicht hundertprozentig traute. Ich wollte sie nicht verletzten, aber Marco und all die anderen Kids, denen das Gleiche angetan wurde wie ihm, waren mir wichtiger.

»Was wirst du jetzt machen?«

Sie wich meinem Blick aus. »Gar nichts. Der Fall ist durch. Akte geschlossen.«

»Heißt?«

Lejlan räumte den Tisch ab. »Wollt ihr noch was trinken?«

Wir bestellten eine große Flasche Mineralwasser. Tina lehnte sich auf ihrem Stuhl zurück, ließ Schultern und Arme hängen und sah aus, als wollte sie nur noch schlafen. Vermutlich war es auch genau so. Sie tat mir leid. Ich versuchte, mich in ihre Lage zu versetzen. Es ging nicht. Ich bin nicht zufällig keine Polizistin geworden. Aber mir war klar, dass sie sich in einer höchst schwierigen Situation befand. Wenn sie diesem Staatsanwalt auf die Füße trat, ohne dass wir ihm etwas nachweisen konnten, riskierte sie vermutlich ihre Stelle.

»Und was könnte *ich* machen?«, fragte ich leise.

Sie sah mich wieder an. Lächelte schief. »Ich muss dir sagen: Du darfst gar nichts machen. Ja?«

»Und abgesehen davon?«

Jetzt lächelte sie breiter. »Keine Ahnung. Hast du Vorschläge?«

Ich hatte eine Idee, aber ich würde den Teufel tun und ihr davon erzählen. Stattdessen bat ich sie, zu Paul zu gehen und ihm all das zu erzählen, was sie mir gerade gesagt hatte. Ich versprach ihr, er würde das vertraulich behandeln und nur dann etwas mit den Informationen machen, wenn sie es wollte. Sie zögerte lange, dann nickte sie. Ich verdonnerte sie dazu, gleich morgen früh zu ihm zu gehen. Sicherheitshalber rief ich ihn an und fragte ihn, ob er da wäre und eine Klientin empfangen könnte. Er konnte.

Dann erzählte ich ihr von meinem Besuch bei Frau Lanzing in Merheim. Dass sie Tamara an Grimme vermittelt hatte. Und Tamara noch immer verschwunden war.

»Ihr müsstet die Grimme-Wohnung noch mal durchsuchen, nach Sachen von Tamara, nach einer DNA-Probe von ihr. Das hab ich dir schon vor einer Woche vorgeschlagen!« Ich wurde gerade wieder sauer.

»Wir haben Sachen aus der Wohnung«, dachte sie laut nach.

»Ich habe damals alles Mögliche mitgenommen, vor allem aus dem Badezimmer, aber auch aus dem Kinderzimmer. Das könnte ich jetzt abgleichen lassen …«

»Wenn es noch da ist.«

»Jetzt mach mal 'n Punkt.«

»Und dann versuch mal, rauszukriegen, wo der Vater und der Bruder von der Grimme stecken.« Ich berichtete ihr von meiner vergeblichen Telefon- und Internet-Recherche. Die Kambodscha- und die Nepal-Geschichte behielt ich erst mal für mich. Da konnte sie vermutlich ohnehin nicht viel unternehmen. Oder doch, fiel mir ein.

»Und recherchier mal, ob ein van Maarsen in Kambodscha oder Nepal mit dem Gesetz in Konflikt gekommen ist.«

»Warum?«

»Erzähl ich dir ein andermal.«

»So. Und was willst du unternehmen?«

»Du musst mir sagen, wo die Grimme wohnt. Ich will ihren Herrn Gemahl ein bisschen im Auge behalten.«

Sie gab mir die Adresse. Herderstraße in Lindenthal.

»Na, die Damen?«

Wir schraken hoch wie zwei Verschwörerinnen. Waren wir ja irgendwie auch. Stefan zog sich einen Stuhl ran und setzte sich zu uns. Er sah erschöpft aus und stank nach kaltem Rauch.

»Was ist passiert?«, fragte ich und drückte ihm einen Kuss auf die Wange.

»Wir haben schon wieder einen Toten.«

»Überdosis?«

Er schüttelte den Kopf. »Schlechter Stoff. Total verdreckt.«

»Ich lass euch dann mal«, sagte Tina und stand auf. »Du hast meine … äh … andere Nummer?«

»Ja«, erwiderte ich, »setz dich noch mal kurz hin.« Ich schrieb ihr meine Fake-Adresse bei Webmail auf den Bierdeckel. Brach ihn in der Mitte durch und hielt ihn ihr hin. »Du hast doch sicher auch so was?«

Sie grinste. »Noch nicht. Aber du kriegst bald eine Mail, *Ramona*.«

Wir sahen ihr nach. Sie bezahlte am Tresen und verschwand, ohne sich noch einmal umzublicken.

SIEBZEHN

Grete Lehner sah schlecht aus. Ich sagte ihr, wie leid es mir tue und dass Paul rechtliche Schritte einleiten würde. Das wisse sie bereits, erwiderte sie, aber es habe keinen Sinn: »Otto hat das getan, weil er sich schuldig fühlte. Dass man ihn zu einem Kinderschänder gemacht hat, das hat ihn sicher sehr getroffen und seine Verzweiflung vielleicht verstärkt. Aber wissen Sie, Otto trauerte seit Jahren um seinen kleinen Sohn. Und nun hat er gedacht, er sei auch schuld am Tod« – sie wandte sich Chantal zu – »deines Bruders. Weil er ihn nicht genügend beschützt hat oder warum auch immer. Ich weiß es nicht. Man sieht in einen Menschen nicht hinein.«

Chantal nickte abwesend. Sie hibbelte auf ihrem Stuhl und hielt Sunny auf dem Schoß fest.

»Und nun zu dir«, sagte Grete mit einem freundlichen, aber erschöpften Lächeln. »Wie ich sehe, hast du Sunny schon adoptiert.«

Chantal nickte mehrmals und drückte Sunny noch fester an sich.

»Weißt du denn, was das bedeutet, einen Hund zu haben? Ihn zu versorgen?«

Chantal sah mich hilfesuchend an. »Äh, ja, der Opa hat im Tierladen gefragt, was man so Welpen so gibt und so. Und dann hat er das gekauft. Und ich geh immer raus mit ihm, wenn er Pipi muss und so.« Sie legte die Stirn in Falten, dachte angestrengt nach wie bei einer Prüfung. »Ach so, ja, und ich geh mit ihm spazieren!«, verkündete sie schließlich, erleichtert, dass ihr das eingefallen war.

»Kannst du ihn denn auch erziehen?«

»Wie, erziehen?«

»Sie gehen mit ihm in die Hundeschule, sobald er dafür alt genug ist«, erklärte ich hastig und bekam einen Dich-habe-ich-nicht-gefragt-Lehrerinnenblick von Grete Lehner.

»Kann dein Opa denn eine Hundeschule bezahlen? Und den Tierarzt? Die Impfungen? Die Hundesteuer?«

Chantal schwankte zwischen Verzweiflung und Wut. Bevor sie womöglich à la »Ey, laber, Alte …« loslegte, sagte ich: »Die Hundeschule bezahle ich, den Tierarzt zur Not auch. Alles Übrige kann Herr Schulz sich leisten. Auch die Hundesteuer.«

Wieder der strafende Lehrerinnenblick.

»Und«, fügte ich hinzu, »die Punks, von denen Sunny stammt, sind auch nicht grade mit Geld gesegnet.«

»Deshalb haben sie ihn ja auch abgegeben.«

»An einen Penner. Der von Hartz IV gelebt hat.« Stopp!, mahnte ich mich, es geht jetzt nur darum, dass Chantal den Hund behalten kann.

Ich wollte mich gerade entschuldigen, da sagte Chantal leise: »Der Marco hat den Sunny gehabt. Kann ich den bitte behalten?«

Sie sah Grete Lehner unverwandt an. Minutenlang, so kam es mir wenigstens vor. Sunny begann zu fiepen. Er legte sich anders in Chantals Schoß zurecht und begann, ihre Hand abzulecken.

Grete Lehner schloss die Augen und seufzte. Dann murmelte sie: »Gut, behalte ihn.«

»Ey, Sunny, hörste?« Chantal zog den Rotz hoch, hob sich Sunny ans Gesicht und drückte ihm einen Kuss auf den Kopf.

»Schnäuz dich!«, sagte Grete Lehner.

Ich stand auf, wollte mich verabschieden, aber Grete Lehner hatte noch weitere Fragen auf Lager: Wo Chantal zur Schule ginge? – Aha, auf die Theodor-Heuss-Realschule in Sülz. Ob die nicht ein bisschen weit weg von Nippes sei? Ob Chantals Opa das denn nicht bedacht hätte?

Herr Schulz hätte das sehr wohl bedacht, wandte ich ein, wir hätten gerade vorhin darüber gesprochen. Was stimmte.

»Wie soll die Chantal denn jetzt jeden Tag nach Sülz fahren?«, hatte mich Hotte gefragt. »Kann die nicht hier in Nippes auf die Schule gehen?« Ich hatte mir vorgenommen, im Schulamt anzurufen, da kannte ich eine Frau, die mir schon mehrmals bei Recherchen geholfen hatte. Aber dann war mir alles über den Kopf gewachsen.

»Das haben Sie sich aber ein bisschen spät überlegt.« In ihrem Blick lag eine Selbstgerechtigkeit, die mich beinahe wieder auf die Palme brachte. Und dann setzte sie noch einen drauf: »Die Schule beginnt in Kürze wieder. Sie hätten Chantal längst ummelden müssen.«

Ich atmete einmal ein und einmal aus und sandte ein Stoßgebet zu Tara: »Hilf mir, mich wie ein Bodhisattva zu benehmen!« Dann sagte ich zwar kühl, aber nicht aggressiv: »Die Kinder sind erst vor zwei, drei Wochen zu ihrem Großvater gezogen. Sie waren auf der Flucht vor einer Pflegemutter, die Marco an Männer verkauft hat. Und vor diesen Männern. In der Zeit haben wir uns zuallererst um Marco gekümmert. Dann ist er weggelaufen, und wir haben ihn verzweifelt gesucht.« Das hab ich dir alles gestern schon erzählt, dachte ich wütend. *Cool down*, Leichter, ermahnte ich mich erneut. Und fügte hinzu: »Es gibt Prioritäten, Frau Lehner. Emotionale Prioritäten.«

Sie musterte mich schweigend. Ich schwieg gleichfalls und betrachtete ihr Wohnzimmer. Gediegenes Holz, verglaste Bücherregale, die Polstermöbel solide, aber abgenutzt, die Leselampe aus den fünfziger Jahren, Fotos von Berglandschaften an den Wänden, ein bisschen Nippes auf der Konsole, Familienfotos und eine goldgerahmte Aufnahme von Frau Lehner mit Willy Brandt.

»Und das Jugendamt hat Herrn Schulz das Sorgerecht übertragen?«, fragte sie schließlich misstrauisch.

»Ja. Und mit gutem Grund.« Das »Ja« war gelogen, denn Hotte und Chantal hatten den Termin bei dem zuständigen Sachbearbeiter erst am nächsten Tag. Aber Frau Lanzing hatte mir zugesichert, dass es keine Probleme geben würde. Und ich wollte um keinen Preis, dass Grete Lehner auf die Idee kam, sie könnte sich da noch einmischen.

Wir trugen ein kleines Blicke-Duell aus. Chantal kippelte auf dem Stuhl hin und her, sie wollte hier weg. Schließlich verkündete Grete Lehner, sie würde mit der Leitung der Peter-Ustinov-Schule reden. Vielleicht würden die Chantal noch aufnehmen. Obwohl es für eine Anmeldung längst zu spät war. Erneuter strafender Blick in meine Richtung.

»Meinste, die macht das echt?«, fragte Chantal, als wir endlich draußen waren.

»Ich glaub schon«, erwiderte ich.

»Und machen die das dann? Dass die mich nehmen?«

»Keine Ahnung«, antwortete ich ehrlich. »Ich trau dem alten Feldwebel aber einiges zu.«

Chantal drückte Sunny an sich. »Das wär ja voll cool. Dann muss ich nicht so weit fahren.«

»Jetzt lass den Hund mal runter. Der muss laufen lernen.«

Chantal setzte Sunny vorsichtig auf den Bürgersteig. »Du gehörst jetzt mir, Sunny«, sagte sie ernst, »und keiner kann dich mir wegnehmen. Hörste?«

Sunny machte ein paar tapsige Schritte, dann sah er zu Chantal hoch und jaulte.

»Du musst hart bleiben«, ermahnte ich sie lachend, »das ist ein Labrador, kein Schoßhund.«

»Haste gehört?«, fragte Chantal und zog an der Leine. Sunny folgte ihr widerstrebend bis zum nächsten Baum. Dann blieb er abrupt stehen und gab einen beachtlichen Strahl von sich. Wir sahen höflichkeitshalber weg.

»Guckma«, rief Chantal plötzlich und zog ein Handy aus ihrer Baggy-Hose. »Hat mir der Opa geschenkt.«

Ich speicherte mir ihre Nummer ein. »Meine Nummer hast du?«

»Ja klar.«

Als wir in die Merheimer Straße einbogen, peilte ich die Lage. Ich wollte Chantal keine Angst machen, sagte dann aber doch: »Pass ein bisschen auf, wer hier ums Haus schleicht. Ich möchte nicht, dass dir was passiert. Und die Arschlöcher sind noch unterwegs. Ja?«

»Mach ich.« Sie nickte mir ernst zu und schloss die Haustür auf.

Ich ging nach Hause, schwang mich aufs Rad und fuhr in die Budengasse. Ich wollte mir pädophile Porno-Sites angucken. Was heißt »wollte«. Ich hatte das vor Jahren alles schon mal gemacht und mir geschworen, dieses Thema nie mehr aufzugreifen. Ich bin hart im Nehmen, aber ich habe meine Grenzen. Zu Hause hatte ich bei Google zuerst »geile Kinder Asien« eingegeben, war aber zum Glück auf nichts Einschlägiges gestoßen. Oder ich hatte es nicht erkannt. Oder ich hatte nicht lange genug weitergescrollt. Dann hatte ich »geile Kinder« eingegeben und jede Menge Links bekommen. Unter anderem zu der Seite »kleine geile kinder« mit Angeboten wie »Inzest. Unsere kleine geile Tochter eingeritten«. Mit Highspeed-Download. Ich hatte es dann noch mit *»horny kids asia«* probiert und war nach ein paar Klicks beim Download-Angebot *»Daddy joins the horny kids«* gelandet.

Diese Varianten menschlichen Verhaltes stellen meine buddhistischen Grundüberzeugungen auf eine harte Probe. Ich tue mich ausgesprochen schwer, auch solchen Leuten zu wünschen, sie mögen frei sein von Leid und den Ursachen des Leidens. Obwohl ich weiß: Wenn sie frei wären von Unwissenheit, Gier und Aggression – den drei Ursachen den Leidens –, dann würden sie anderen kein Leid zufügen. Und schon gar keinen Kindern. Aber das sind eher langfristige Überlegungen. Kurzfristig würde ich lieber Bomben schmeißen.

Auf jeden Fall wollte ich mir den Dreck nicht auf meinen PC herunterladen. Deshalb hatte ich Ina, meine Lieblingsredakteurin, gebeten, mich in der Redaktion an einen Rechner setzen zu dürfen.

Ina schaute mir über die Schulter, las die Titel der Links und verließ das Zimmer. Als ich fertig war, verschleppte ich sie auf einen Kaffee. Ich musste raus. Wir ergatterten in der Espressobar an der Ecke einen freien Tisch auf der Terrasse und saßen uns eine Zeit lang schweigend gegenüber. Dann brachte ich sie auf Stand.

»Und du hast diese Frau vom Jugendamt wirklich als O-Ton?«, staunte sie. Aber dann sagte sie nichts mehr, bis ich zu Ende geredet hatte. Schließlich meinte sie mit heiserer Stimme: »Lass es mich bitte wissen, wenn ich dem Mädchen irgendwie helfen kann.«

Wir tranken bereits den zweiten Espresso, als sie plötzlich ausrief: »Hanna!«

Hanna ist die Redaktionssekretärin, eine liebenswürdige, hilfsbereite und hochgradig kompetente Frau. Ich verstand nur nicht, was sie mit meinem Thema zu tun hatte.

Hannas Mann, klärte Ina mich auf, arbeitete in der Rechtsabteilung der KV, der Kassenärztlichen Vereinigung.

»Dieser van Maarsen muss ja nicht in Köln leben. Und Hannas Mann kann für dich sicher herausfinden, ob es unter den Ärzten in Nordrhein-Westfalen einen van Maarsen gibt.«

Bingo! Wir gingen zurück in die Budengasse, und ich erzählte Hanna, ich müsste für mein nächstes Feature wissen, ob es in Nordrhein-Westfalen einen Arzt namens van Maarsen gab oder ob es mal einen gegeben hatte. Ob ihr Mann das für mich rauskriegen und mir dann dessen Adresse und Telefonnummer geben könnte?

»Willst du den interviewen?«

Ich schwankte mal wieder zwischen Notlüge und Wahrheit. Fragte mich kurz, wie lange ich das noch beibehalten würde. Wozu ich eigentlich jeden Tag meditierte?

Dann sagte ich: »Das weiß ich noch nicht. Es kann sein, dass dieser Mann ein Verbrechen begangen hat. Ich bin einer ziemlich schrecklichen Geschichte auf der Spur.«

Hanna sah irritiert von mir zu Ina. Die bestätigend nickte. »Es war meine Idee, dich darum zu bitten.«

»Na gut«, meinte Hanna schließlich. »Fragen kann ich ihn.«

»Es wäre aber ziemlich dringend«, bat ich.

»Tja«, erwiderte sie, »ein bisschen musst du dich gedulden. Er kommt morgen Abend von einer Tagung zurück.«

Zu Hause hatte ich eine Mail von Jeff mit einem mehrseitigen Anhang. Das war nun gar nicht seine Art, also öffnete ich die Datei sofort. Seinem nepalesischen Freund, schrieb Jeff, hatte mein Verdacht keine Ruhe gelassen. Er war einer der Förderer von Maiti und mit Anuradha Koirala, der Gründerin und Förderin der Einrichtung, entfernt verwandt. Er hatte sich mit ihr in Verbindung gesetzt, und sie hatte ihn an ihre engste Mitarbeiterin verwiesen. Die hatte ihm gesagt, sie betrachteten das angebliche Heim gleichfalls mit größtem Misstrauen und vermuteten Schlimmes. Sie hatten auch schon überlegt, wie sie an die Kinder herankommen könnten. Und dann hatte er mit ihr einen Plan ausgeheckt. Er wollte noch einmal in das Heim gehen und dort andeuten, er sei an einem Kind interessiert.

Was er auch tat. Er wurde weggeschickt, merkte aber, dass einer der Mönche ihm folgte. Also schlenderte er zu Fuß in eine kleine Seitenstraße, nicht weit von dem »Kinderheim«. Hier hängen die Jungs ab, die Feuerzeugbenzin schnüffeln und betteln. Jeffs Freund versprach einem von ihnen hundert Rupies, wenn er mitkam. Er ging mit dem Jungen in eines der heruntergekommenen Hotels, die es hier haufenweise gibt, nahm ein Zimmer, bestellte dem Jungen eine Cola und fragte ihn, ob er und seine Kumpels etwas über die Mönche und die Kinder in dem Heim wüssten. Worauf der Junge sich versteifte und sagte, er müsse jetzt gehen. Jeffs Freund hielt ihn noch ein Weilchen auf, dann gab er ihm die hundert Rupies, und der Junge lief, wie von Furien gehetzt, davon. Als Jeffs Freund aus dem Hotel kam, stand, wie erhofft, der Mönch davor und sprach ihn an. Genauer gesagt: Er bot ihm an, anderntags gegen vier Uhr nachmittags vorbeizuschauen. Er könne sich dann ein Kind aussuchen, das er gern »fördern« würde.

Ich stand auf und lief ein paar Schritte durch das Zimmer. Überlegte, ob ich eine rauchen sollte, ließ es aber sein. Setzte mich wieder an den Rechner und las weiter.

Dann, berichtete Jeff, war alles schiefgelaufen. Als sein Freund um vier Uhr vor dem Heim vorfuhr, rasten von allen Seiten Polizeiautos auf ihn zu. Sie nahmen ihn fest, schleppten ihn auf die Wache und beschuldigten ihn des sexuellen Missbrauchs von Kindern. Erst als der Anwalt seiner Familie und die leitende Sozialarbeiterin von Maiti einschritten und die Situation erklärten, ließ man ihn frei. Aus den Nachrichten erfuhren sie dann: Die Polizei hatte einen Einsatz gegen ein Haus in Tamel vorbereitet, in dem Kinder als Prostituierte an vornehmlich westliche Männer verkauft wurden. Als die Polizei am Einsatzort erschien, hatte sie das Haus jedoch leer vorgefunden. Die Betreiber des Kinderbordells waren offenbar gewarnt worden. Nur einen – einheimischen – Kunden hatte man festnehmen können. Damit war vermutlich Jeffs Freund gemeint.

Jetzt musste ich doch eine rauchen. Ich stellte mich mit der Kippe ans Fenster und fluchte vor mich hin.

Sein Freund, fuhr Jeff fort, war nun erst recht motiviert, der Sache nachzugehen. Nach der freundlichen Überreichung einer gewissen Summe in Dollarnoten war einer der Polizeioffiziere bereit gewesen, mit ihm zu sprechen. Der Mann war nicht nur geldgierig, sondern auch ehrlich frustriert, meinte Jeffs Freund. Er hatte den Einsatz akribisch vorbereitet, nur wenige Kollegen eingeweiht – und dann war doch etwas durchgesickert. Die Kinder, sagte der Polizist, waren zwischen acht und zehn Jahre alt. Und in der Mehrheit Jungen, was eher ungewöhnlich war für Nepal, denn »diese Leute«, hatte der Polizist gemeint, würden sich eher in Kambodscha umsehen.

Er war selbst als Freier dort aufgetreten, berichtete er weiter, und hatte versucht, den kleinen Jungen, den man ihm übergeben hatte, auszufragen. Der Junge habe aber unter Drogen gestanden und sei außerdem vor Angst wie gelähmt gewesen. Der Polizist hatte ihn gebeten, sich auszuziehen. Sein Körper war voller Narben und blauer Flecke gewesen. Der Polizist hatte, so sagte er, daraufhin »eindeutige« Geräusche von sich gegeben und war danach gegangen. Im Foyer hatte ihm einer der Mönche gesagt, er könne den Jungen beim nächsten Mal gern härter rannehmen, das koste dann allerdings mehr. Daraufhin hatte der Polizist in aller Eile den Einsatz vorbereitet. Und die Eile, meinte er, war vielleicht der Fehler gewesen.

Auf jeden Fall aber hatte er das Haus schon eine Weile beschattet, und dabei war ihm ein alter Mann aufgefallen, ein Weißer, sehr arrogant, sehr selbstbewusst, »wie ein General«, hatte der Polizist gemeint. Er war diesem Mann gefolgt, er wohnte in einem der teuren Hotels und hatte sich unter dem Namen Antonio Salieri eingetragen. Nach dem geplatzten Einsatz war der Polizist sofort zu dem Hotel gefahren – Herr Salieri hatte am frühen Morgen ausgecheckt.

Ich druckte den Anhang zweimal aus, legte einen Ausdruck in der »WDR«-Mappe ab und steckte den zweiten in einen Umschlag für Tina. Dann leitete ich die Mail an Mary weiter mit der Bitte, sie ihrem *cousin George* zu schicken. Sie war ohnehin auf Englisch, denn Jeff spricht zwar perfekt Deutsch, schreibt es aber nicht gern.

Dann googelte ich Antonio Salieri. Bekam, wie erwartet, endlos Links zum Komponisten. Als ich gerade aufgeben wollte, stieß ich auf den Link zu F.I.C. in Kambodscha. Also nahm ich einen neuen Anlauf, aber nun ging es wirklich nur noch um den historischen Salieri und die offenbar ungezählten Aufführungen und Einspielungen seiner Werke.

Ich lief eine Runde durch das Nippeser Tälchen und versuchte, die Bilder loszuwerden, die ich im Kopf hatte. Bilder von kleinen Jungen voller Narben und Hämatome. Bilder von Marcos malträtiertem Körper. Ich war frustriert und wusste nicht mehr weiter. Ich drehte mich ständig im Kreis. Egal, welche Recherche ich anfing, ich landete bei Salieri oder im Nichts. Tina hatte sich nicht mehr gemeldet. Hannas Mann kam erst morgen Abend zurück, so lange hatte ich nicht Zeit.

Ich ging über die Neusser Straße zurück und checkte im Internetshop meine web.de-Mails. Bingo! Tina hatte mir eine Nachricht geschrieben: »Guck mal, meine neue Mail-Adresse. Herzlich Lara.« Ich hatte nicht gewusst, dass sie Lara-Croft-Fan war. Es passte aber zu ihr. Ich schrieb zurück: »Kannst du an die Personalakte von deinem liebsten Freund kommen? Und hast du etwas von T gefunden?«

Ich loggte mich aus und warf mein Handy an, das ich in der Redaktion ausgestellt hatte. Fand eine SMS von Bruderherz: »Sei um 18.00 Uhr bei mir!«

Aye, aye, Sir.

Dann tat ich, was ich die ganze Zeit vor mir hergeschoben hatte. Läutete bei Hotte. Er war da. Chantal, erzählte er, war im Kung-Fu-Kurs. Na denn, Leichter, dachte ich, jetzt oder nie.

»Hast du über meinen Vorschlag nachgedacht?«

»Vorschlag? Ich dachte, das wär 'ne Bitte gewesen.«

»Hotte!«

»Wenn ich wieder einfahre, muss die Chantal ins Heim. Haste das auch bedacht?«

Hatte ich. Und mir war deswegen mehr als mulmig zumute.

»Ich habe Tina Gruber gefragt, ob sie noch mal in die Wohnung reinkann, um irgendetwas von Tamara zu suchen. Und dann hätte sie sich auch so noch mal genauer umsehen können. Aber dieser Staatsanwalt gibt ihr die Genehmigung nicht.«

»Und was willst du da finden?«

»Klamotten von dem Mädchen, 'ne Haarbürste oder so was, irgendwas mit ihrer DNA. Vielleicht ist noch was da. Und sonst – ich hab keine Ahnung, Hotte. Vielleicht gibt es da noch ein Notizbuch oder eine CD mit irgendwelchen Infos, oder – ich weiß es nicht.«

»Also mach ich mit dir 'n Bruch in dem Scheiß-Lindenthal und riskier Knast für – ›ich weiß es nicht‹«, äffte er mich nach.

»Ich will an den Rechner von dem Mann von der Grimme ran. Mal gucken, was der da draufhat.«

»Ah ja, vielleicht sollten wir paar Stullen mitnehmen und 'n lecker Bierchen?«

Ich stand auf. »Okay, vergiss es.«

»Jetzt mach mal halblang.« Er schob mir den Aschenbecher hin und holte zwei Flaschen Bleifrei aus dem Kühlschrank. »Lass mal überlegen.«

Um Viertel vor sechs raste ich zur Florastraße und jumpte in die 12, die zum Glück gerade einfuhr. Um drei nach sechs lief ich bei Paul auf. Aysche fuhr gerade ihren Rechner herunter.

»Die Herren sind oben«, sagte sie mit einem maliziösen Lächeln.

Die Herren?

Ich wünschte Aysche einen schönen Abend und stieg die Treppen zur ersten Etage hoch. An Pauls Besuchertisch saß der ältere Herr von neulich, Oberstaatsanwalt irgendwas.

»Katja Leichter, Dr. Gorowski«, stellte uns Paul noch einmal vor. »Tee? Kaffee?« Er hatte beides da stehen. Und seine edelsten Tassen. Wow, dachte ich, was geht da ab?

»Tee bitte«, sagte ich artig und ließ mir einschenken.

Dr. Gorowski musterte mich mit einem Blick, als müsste er über meine Einstellung entscheiden. Er bekam auch Tee. Paul nahm sich Kaffee. Dann wandte er sich an mich mit einer Höflichkeit, die ich so von meinem älteren Bruder nicht wirklich gewohnt war.

»Katja, würdest du bitte Herrn Dr. Gorowski alles erzählen, was du über Frau Grimme, Marco und dieses Mädchen Tamara weißt?«

»Alles?«, fragte ich entsetzt.

»Ich wäre Ihnen sehr dankbar«, sagte Gorowski mit einem bekümmerten Gesichtsausdruck. Ich versuchte, Pauls Blick einzufangen, aber er blätterte in einer Akte.

»Es tut mir leid«, erwiderte ich und lächelte Gorowski höflich zu, »aber ich habe gerade kein großes Vertrauen zu Staatsanwälten.«

»Das kann ich verstehen. Ihr Verdacht gegen Dr. Völcker ist schwerwiegend, Frau Leichter. Aber ich muss die Gründe dafür kennen.«

Ich starrte Paul so lange an, bis er meinen Blick erwiderte. Er nickte kaum merklich. Jetzt war ich in der Bredouille. Wenn dieser Gorowski koscher war – super. Wenn nicht, gnade Gott uns allen. Warum vertraute ihm Paul? Mein großer Bruder hat Häuser besetzt, sich in Straßenschlachten mit den Bullen geprügelt, jede Menge Radikalinskis verteidigt, er vertritt Asylbewerber und illegale Flüchtige – wenn er jetzt mit einem Oberstaatsanwalt klüngelte, dann musste er dafür handfeste Gründe haben. Trotzdem. Alle meine Versuche, den Mördern von Marco und Tamara das Handwerk zu legen, waren hinfällig, wenn Paul sich in dem Mann täuschte.

Ich sah, wie die beiden Blicke tauschten. Gorowski nickte.

»Katja«, sagte Paul leise, »ich habe Dr. Gorowskis Tochter verteidigt.«

»Meine Tochter«, ergriff Gorowski nun das Wort, »hat Drogen genommen. Und … schreckliche Dinge angestellt. Bis man sie verhaftet und Anklage erhoben hat. Die Anwälte, an die ich mich gewandt habe, wollten ein forensisches Gutachten erstellen lassen und sie für psychisch krank erklären. Sie war aber nicht psychisch krank. Oder nur in dem Sinne, dass sie süchtig war. Ihr Bruder hat schließlich ihre Verteidigung übernommen. Und eine Bewährungsstrafe für sie erreicht. Und« – er sah zu Paul hin, der eine abwehrende Bewegung machte – »Ihr Bruder hat sich geweigert, aus dem Fall Geld zu schlagen. Ein Boulevardblatt bot ihm einiges für die Geschichte an. Und er hat abgelehnt.«

»Ja, klar«, rutschte es mir heraus.

»Für *Sie* ist das vielleicht klar«, erwiderte Gorowski. »Jedenfalls hat Ihr Bruder etwas gut bei mir. Aber das ist nicht der Hauptgrund, warum ich mich für diesen Fall interessiere. Denn wenn Dr. Völcker tatsächlich in etwas Übles verstrickt ist, dann muss man sofort etwas unternehmen.«

Ganz wurde ich aus seiner Geschichte nicht schlau, aber irgendwie klang es plausibel. Also holte ich tief Luft und fing ganz von vorn an: damit, wie mich Marco am Bahnhof angesprochen hatte. Als ich gerade erzählte, wie ich Grimmes Notizbuch gefunden hatte, klingelte mein Handy. Ich wollte es ausstellen, sah aber, dass Stefan dran war. Bat ihn, schon mal in meine Wohnung zu kommen und auf mich zu warten.

»Dann gehe ich lieber zu Hertha«, erwiderte er, »da kriege ich wenigstens etwas zu essen.«

Sei dir da mal nicht so sicher, dachte ich. Hertha baute gerade ziemlich ab. Ich machte mir ernsthafte Sorgen um sie.

»Grimmes Notizbuch«, holte mich Paul ins Hier und Jetzt zurück.

Ich berichtete weiter. Gorowski machte sich Notizen. Zwischendurch hörte er auf zu schreiben und starrte mich schockiert an. Als ich fertig war, lehnte er sich erschöpft zurück.

»Danke, Frau Leichter. Vielen Dank.«

»Und jetzt?«, fragte ich.

»Jetzt werde ich sehen, ob ich auf – äh – informellem Weg – Einsicht in die Personalakte von Dr. Völcker nehmen kann. Und dann würde ich gerne die Dienstaufsicht beim Leitenden Oberstaatsanwalt informieren. Dafür brauche ich aber noch mehr … Handfestes.«

Wer sagt's denn. Ich würde demnächst einen Einbruch im Auftrag eines Oberstaatsanwalts machen. Cool, ey.

Wir tauschten unsere Karten aus. Als Gorowski ging, sah er um Jahre älter aus. Ich fragte Paul, warum er diesem Mann – einem Staatsanwalt! – so blind vertraute.

»Das ist kein blindes Vertrauen, Katja«, erwiderte er. »Ich habe mit Gorowski schon öfter als Nebenkläger in Missbrauchsfällen zusammengearbeitet. Da war der knallhart. Die Typen hatten nichts zu lachen.« Er nickte anerkennend. »Ihre Verteidiger auch nicht. Und Gorowski ist mit seiner Klage immer durchgekommen. Und mit dem Strafmaß, das nicht grade ohne war.«

»Das heißt also, er wird sich ernsthaft dahinterklemmen?«

»Also ich«, antwortete Paul mit einem süffisanten Gesichtsausdruck, »möchte jetzt nicht in Herrn Dr. Völckers Schuhen stecken.«

Stefan lag auf meinem Sofa, meine Kopfhörer an den Ohren, meine Katze auf dem Bauch und eine Tüte mit meinem kostbaren Dope in der Hand.

Ich rüttelte ihn unsanft und zog ihm die Phones vom Kopf. »Schön, dass du dich so zu Hause fühlst.«

Er blinzelte mich irritiert an. »Auch schon da?«

»Werd bloß nicht frech!« Ich stieß ihn in die Seite und versuchte, mich neben ihn zu legen. Seit ich Rückendeckung von Mr. Oberstaatsanwalt hatte, besserte sich meine Laune deutlich.

»Huuuuunger!«

»Das kommt vom Kiffen.«

»Das kommt, wenn ein Mann den ganzen Tag hart arbeitet und seine Frau am Abend auf Jück ist, anstatt ihm das Essen auf den Tisch zu stellen.«

»Meine Fresse, bist du breit!«

Er setzte sich auf und wurde wieder ernst. »Von wegen breit. Hertha war ziemlich hinüber, als ich vorhin bei ihr geklingelt habe. Sie hat nach Schnaps *und* Dope gestunken.«

»Ich weiß. Seit Nele weg ist, dröhnt sie sich ständig zu. Das tut ihr nicht gut. Und ich hab keine Zeit, mich um sie zu kümmern. Scheiße!«

»Soll ich mal mit ihr reden?«

»Nö, danke. Sie weiß ja, dass du Suchttherapeut bist, und das würde bei ihr jetzt grade gar nicht gut kommen.«

Wir gingen in die Küche, ich legte zehn Knoblauchzehen, vier getrocknete Tomaten, Brett und Messer vor Stefan auf den Tisch, setzte Nudelwasser auf und zupfte eine Handvoll Blätter von meinem Basilikumbäumchen. Von Jeffs Mail und dem Gespräch mit Gorowski wollte ich ihm nach dem Essen erzählen. Jetzt brauchte ich erst mal Ruhe. Rosa strich um meine Beine und maunzte vorwurfsvoll. Ich konnte mich nicht erinnern, ob ich ihr seit dem Morgen schon etwas zu essen gegeben hatte. Dieser Fall muss jetzt bald ein Ende haben, dachte ich, es geht nicht, dass alle meine Lieben ständig darunter zu leiden haben.

Stefan musste allerdings ganz und gar nicht leiden. Zumindest nicht in dieser Nacht. Obwohl wir beide grauenhaft nach Knoblauch stanken.

ACHTZEHN

Tanja Meissner, die Autorin des Films über Kinderprostitution, sprang sofort darauf an, als ich »Antonio Salieri« sagte. Sie hatte diesem Phantom auch schon hinterherrecherchiert – wie ich vergeblich. Aber, sagte sie mir, »dieses F.I.C.-Projekt« – sie sprach es »Fick-Projekt« aus – »gab es wirklich«. Und, fügte sie hinzu, eine Prostituierte, die in einem Bordell in der Nähe arbeite und die eine ihrer wichtigsten Informantinnen sei, habe ihr erzählt, sie hätte öfter einen alten Mann dort ein und aus gehen sehen, einen großen hageren Weißen, der etwas Militärisches an sich hatte.

Okay, dachte ich, jetzt bekommt die Sache langsam Hand und Fuß. Ich berichtete ihr von dem »Heim« in Kathmandu und von dem alten Weißen, der dort gesehen worden und als »Feldwebel« klassifiziert worden war. »Und jetzt raten Sie mal, unter welchem Namen er sich in seinem Hotel angemeldet hat?«

»Sagen Sie nicht, Antonio Salieri!«

»Doch.«

»Wahnsinn!«

Weiter kamen wir dann allerdings auch nicht. Sie würden erst nächste Woche zum Dreh fliegen, ich bat sie aber trotzdem, sich in Phnom Penh nach diesem Mann umzuhören und mir sofort Bescheid zu geben, wenn sie etwas erfuhr. Und, schlug ich vor, sie solle den Namen van Maarsen fallen lassen, wenn sie mit ihren Informanten sprach. Und gucken, wie sie darauf reagierten. Sie versprach es und meinte, wir müssten uns mal kennenlernen. Ganz meine Meinung.

Kaum hatte ich eingehängt, berichtete ich Jeff per Mail von dem Gespräch mit Tanja Meissner. Bat ihn, die Message auch seinem Freund weiterzugeben und alle Kontakte zu aktivieren. Vielleicht befand sich Mr. Salieri ja noch in Nepal. Und er solle sich mal vorsichtig nach einem Deutschen namens van Maarsen umhören.

Hertha sah aus, als wäre sie schwer krank. Meinte, sie hätte jetzt keine Zeit, ich solle später kommen. Ich ließ mich nicht abweisen. Sie schlurfte zum Küchentisch und sah mich herausfordernd an.

»Krieg ich 'n Kaffee?«

»Mach dir welchen. Du weißt ja, wie das geht.«

Ich stellte Wasser auf, schmiss den alten Filter weg, legte einen neuen ein und putzte die Spüle, während ich darauf wartete, dass das Wasser kochte. Von unter der Spüle kam ein fauliger ekliger Geruch. Ich sah nach – es war der Müll. Ich hielt mir mit einer Hand die Nase zu, holte mit der anderen die übervolle stinkende Tüte heraus und brachte sie runter. Dann wusch ich den Mülleimer aus, stellte ihn verkehrt herum auf die Fensterbank und sah mich nach weiteren Jobs um. Hertha sagte kein Wort. Ich holte eine neue Mülltüte aus dem Schrank, hängte sie an den Türgriff und kippte den überquellenden Aschenbecher hinein. Dann öffnete ich den Kühlschrank und sortierte den verschimmelten Käse, die abgelaufene Wurst und die ranzige Butter aus.

»Is dir langweilig? Häste nix ze don?«

»Nö. Ich such bloß die Arschlöcher, die Marco umgebracht haben.« Im Kühlschrank standen vier Flaschen Grappa, im obersten Fach lagen übereinandergestapelt acht Flaschen Kölsch. »Haste Nele schon angerufen?«

»Sollte ich?«

»Weiß ich nicht. Ich denk bloß, sie würd sich drüber freuen.«

»Seh ich anders. Sonst hätt se sich jemeldet.«

»Hertha, wie alt biste grade? Vier? Viereinhalb?«

»Mach dich vom Acker, Mädchen. Bevor ich richtig sauer werd.«

Ich setzte mich ihr gegenüber an den Tisch. »Hertha, die Nele ist nicht in Urlaub. Die ist in der Entgiftung. Die macht Entzug. Da hast du Krämpfe, da kannst du nicht schlafen, da tut dir alles weh, da kriegst du Depressionen, da sitzt du rum mit Leuten, die du zum Teil nicht leiden kannst, und hoffst, dass dich jemand anruft. Jemand, den du magst. Der dich mag.«

Das Wasser kochte. Ich goss den Kaffee auf. Brachte ihn samt zwei Tassen und Zucker an den Tisch. Die Milch hatte ich vorhin weggeschüttet.

»Der Einzige, der sie anruft, ist Hotte. Ich hab keine Zeit, weil ich ständig mit der Horrorgeschichte zugange bin oder mit Chantal. Und du bockst. Und Nele sitzt in Düren und denkt, keiner will mehr was von ihr wissen. Die hängt an dir. Du bist einer der allerwichtigsten Menschen auf der Welt für sie. Und das weißt du ganz genau. Wenn du dir nicht das Hirn mit Grappa und Dope vernebelst.«

»Biste jetzt durch mit deiner Predigt?«

Ich seufzte. Sie sah so zum Gotterbarmen elend aus. »Hertha, ihr hockt beide da, und jede denkt, die andere hat sie vergessen oder will nichts mehr von ihr wissen. Und beiden tut euch das total weh. Nele will zu dir zurückkommen nach der Therapie. Aber wenn sie jetzt nichts mehr von dir hört, dann denkt sie, du willst sie nicht mehr haben. Die ist auf Entzug, Hertha! Der geht's grade echt schlecht. Ruf sie an. Bitte!«

»Laber, laber, laber.«

»Okay, mach, was du meinst.«

Ich stand auf und ging zu mir hinüber. Schrieb die Telefonnummer von Neles Station in Düren auf einen Zettel und brachte ihn Hertha. Sie saß noch immer am Tisch und stierte in ihre Kaffeetasse.

Und jetzt?, dachte ich. Ich fühlte mich wie im sprichwörtlichen Auge des Orkans, um mich herum tobte der Sturm, und ich stand mittendrin völlig gelähmt. Ich hatte mich, dämmerte mir langsam, vollkommen überschätzt. Wenn eine Polizeikommissarin nicht gegen einen Staatsanwalt ankam, wie wollte ich das schaffen? Ich wusste ja nicht einmal mit Sicherheit, ob Mr. Völcker in die Grimme-Geschichte verwickelt oder ob er einfach nur ein ignorantes und inkompetentes Arschloch war. Und wie sollte ich diesen Arzt ausfindig machen? Wenn es überhaupt ein Arzt war. Zusammenflicken hätte Marco auch ein Pfleger können. Oder ein Heilpraktiker. Oder ein Sanitäter. Oder, oder, oder, äffte ich mich im Geiste selber nach.

Ich stellte mich ans Fenster und sah hinüber zu den Nachbarhäusern. Die hatten Balkons und darauf die interessantesten Gewächse. Von Tomaten über Kletterrosen bis zu zarten Cannabispflänzchen. Rosa sprang auf das Fensterbrett, rieb sich an meinem Arm und schnurrte.

»Meine Süße«, flüsterte ich ihr ins Ohr, »meine süße, tolle, wilde Tigerin!« Sie schnurrte lauter. Ich streichelte sie mit einer Innigkeit wie schon lange nicht mehr. Plötzlich stellte sie die Ohren auf und gab ein tiefes Knurren von sich. Ging über zu wütendem Fauchen. Fiel vor Aufregung fast aus dem Fenster. Tief unter uns, unerreichbar für meine wilde Tigerin, spazierte eine fette graue Katze über den Hof. *Unseren* Hof! Ich hob Rosa, die sich mit allen vieren dagegen wehrte, hoch, setzte sie auf dem Boden ab und stellte das Fenster auf Kipp.

Dann setzte ich mich an den Schreibtisch und schrieb alles auf, was seit meiner ersten Begegnung mit Marco passiert war. Alles. Es wurde eine sehr lange Geschichte. Beim Schreiben klärte sich einiges in meinem Kopf. Aber am Ende war ich noch deprimierter als am Anfang. Meine einzige Chance, das war mir jetzt sonnenklar, war der Einbruch in Grimmes Wohnung. Falls ich da etwas fand, das uns weiterhalf. Und diesen Einbruch sollten wir so schnell wie möglich machen. Bloß wann? Es war Sommer, es war bis mindestens halb elf Uhr abends hell, wir konnten vermutlich erst um Mitternacht in das Haus rein. Wie bekamen wir Grimme so lange aus der Wohnung?

Als es an der Tür läutete, schaute ich erst einmal durch den Spion. Ich hatte beim Aufschreiben der Geschehnisse ein Gefühl von Bedrohung empfunden, das mir nun zu allem anderen auch noch zusätzlich Sorgen bereitete.

»Guck mal!«, sagte Chantal statt einer Begrüßung und hielt mir Sunny hin. Er trug ein Halsband mit Hundemarke.

»Wow, jetzt ist er also ganz legal«, erwiderte ich.

»Ja, und grade eben waren wir beim Jugendamt!«

»Und?«

»Ich darf beim Opa bleiben!«

»Super!« Ich führte sie in die Küche, und in dem Moment wusste ich: Das war ein schwerwiegender Fehler. Sunny sprang an Chantal hoch und gab schreckliche kleine Laute von sich. Rosa stand, zu einer Kugel aufgeblasen, auf der Ablage, das Fell in alle Himmelsrichtungen gesträubt, und fauchte wie eine angeschossene Wildkatze. Für zwei unliebsame Überraschungen an einem Tag war sie einfach zu alt. Chantal klammerte den zitternden Sunny an sich und sah mich hilfesuchend an. Ich ging zu Rosa und beugte mich zu ihr vor, soweit ich mich traute.

»Rosa, Röschen, meine Süße, das ist ein gaaanz kleiner Hund, ein Baby, das tut dir nichts! Das musst du beschützen, du bist die Große, du könntest seine Mama sein!«

Auf derlei biologischen Schwachsinn ging sie natürlich nicht ein. Sie hörte auf zu fauchen, fixierte den Eindringling aber weiterhin mit gesträubtem Fell.

Ich zog mich mit Chantal und dem völlig verschreckten Sunny in mein Arbeitszimmer zurück. Sie legte den Welpen auf meinem Schreibtisch ab, streichelte ihn und redete mit Engelszungen auf ihn ein. Langsam beruhigte er sich und begann interessiert an meiner Tastatur zu schnuppern. Dann entdeckte er die Maus. Ich ließ ihn ein wenig damit spielen, dann nahm ich sie ihm wieder weg. Er quittierte diese Grausamkeit mit einem Pups, der stank, als sei dieses Baby bereits ein ausgewachsener Labrador.

»Iiiiiih«, rief Chantal und hielt sich die Nase zu.

Der Sachbearbeiter auf dem Jugendamt, erzählte sie schließlich, war »so weit okay« gewesen. Er hatte sie allein zu sich ins Büro geholt und ihr ein paar Fragen gestellt: Warum sie bei Hotte bleiben wollte, ob sie nicht doch zurück ins Heim wollte, ob Hotte ihr Frühstück machen würde »und so 'n Quatsch« – und dann hatte sie draußen warten müssen.

»Und jetzt soll aber so 'ne Tusse dreimal die Woche kommen und gucken, ob ich noch lebe oder so«, meinte sie abfällig.

Ich sagte ihr, dass ich das gar nicht so verkehrt fände, und erklärte ihr, was eine Familienhelferin war und was sie alles für sie tun konnte. »Weißte, der Hotte kann ein paar Sachen einfach nicht, die hat er als Mann nie machen müssen, der hat keine Erfahrung mit Kindern ...«

»Ich aber!«, fiel sie mir ins Wort.

Wohl wahr. Chantal hatte sich um Marco gekümmert, wenn ihre Mutter auf dem Strich gewesen war und wenn sie mal wieder voll breit auf dem Teppich gelegen hatte. Wir unterschätzen dieses Mädchen, dachte ich. Und gleichzeitig überschätzen wir sie. Und dann sagte ich ihr genau das.

»Du hast schon viel Verantwortung getragen, Chantal, zu viel. Du sollst jetzt auch einfach mal nur auf dich gucken, weißte? Kung-Fu machen, mit Sunny spielen, für die Schule lernen ... Und Hotte soll lernen, wie man einen Haushalt führt. Das tut ihm gut. Der ist jetzt immer da und – äh – arbeitslos, ne?« Ich grinste anzüglich, und sie musste kurz lächeln. »Da ist dem langweilig. Und so hat er etwas zu tun. Und die Familienhelferin kann ihm beibringen, wie man was am geschicktesten macht. Okay?«

Sie war nicht ganz einverstanden, das konnte ich ihr ansehen. Aber sie sagte auch nichts dagegen.

»Wie ist das Kung-Fu?«

»Cool. Ich geh jeden Tag zur Mary zum Training. Dann kann ich im September direkt in den Kurs einsteigen.«

»Super! Hat Hotte schon versucht, dich an der Peter-Ustinov-Schule anzumelden?

»Keine Ahnung.«

Okay, Schule war grade kein Thema für Prinzessin Chan-Tal. Ich beließ es erst mal dabei.

Chantal war noch nicht ganz aus der Tür, als sich die Ereignisse überschlugen. Als Erstes rief Tina an: Sie hatte bei den Asservaten einen kleinen Kamm und ein Plüschküken aus dem Grimme'schen Kinderzimmer gefunden und in die Rechtsmedizin gebracht. Und soeben den Befund bekommen: »In dem Kamm war noch ein Haar, und an dem Küken dito. Und jetzt halt dich fest, Katja! Die DNA ist nicht die von Marco, sondern identisch mit der des toten Mädchens aus dem Rhein.«

»Ja, klar«, erwiderte ich schnippisch. »Und jetzt?«

»Jetzt sieht mein Vorgesetzter die Dinge etwas anders. Er hat Grimme vorgeladen. Für heute Mittag, also jetzt gleich. Ich melde mich wieder!«

Als Nächste hatte ich Hanna an der Strippe. »Katja? Mein Mann ist gerade nach Hause gekommen. Die Tagung war doch früher zu Ende, ich reiche ihn dir mal weiter.«

»Frau Leichter?« Er hatte eine angenehme Stimme. »Hanna hat mir angedeutet, dass ein van Maarsen in ein Verbrechen verwickelt sein könnte?«

»Ja.«

»Ich bin erst morgen wieder im Büro, vorher kann ich leider nicht nachsehen, ob wir in der KV Nordrhein einen Arzt haben, der van Maarsen heißt. Aber ...« Er zögerte, und ich hielt die Luft an. »Aber«, fuhr er endlich fort, »ich hatte einen Schulkameraden, der van Maarsen hieß. Ich weiß allerdings nicht, was aus ihm geworden ist, dafür habe ich mich auch nie interessiert.«

Das klang nicht so, als sei ihm dieser van Maarsen sympathisch gewesen.

»Wie war der denn? Damals, als Schüler?«

»Nun ja …«

Ich hörte, wie Hanna im Hintergrund flüsterte: »Nun sag's ihr schon!«

Ich langte nach meiner Zigarettenpackung, zog eine heraus, klemmte mir den Hörer zwischen Ohr und Schulter und versuchte, mir die Kippe anzuzünden. Vergeblich.

»Nun, also, Josef, er hieß Josef van Maarsen … er war ein eher unangenehmer Zeitgenosse. Sehr von sich eingenommen. Sein Vater war irgendetwas im Auswärtigen Amt. Die Villa, ich war einmal zu einem Geburtstag dort eingeladen, also, da standen Unmengen von asiatischen Antiquitäten herum. Buddha-Statuen, indische Tempeltänzerinnen, Tempellöwen, alles Mögliche. Mich hat das damals sehr beeindruckt, ich war so um die sechzehn und hatte gerade ›Siddhartha‹ gelesen. Äh, Verzeihung, ich schweife ab.«

Offenbar hatte ihn Hanna ins Schienbein getreten.

»Josef«, fuhr er fort, und seine Stimme klang nun nicht mehr angenehm, sondern gepresst, »hat kleine Kinder gequält. Er wurde deshalb von der Schule relegiert. Er kam dann, soweit ich weiß, in ein privates Institut in der Schweiz.«

»Was genau heißt ›gequält‹?«, fragte ich atemlos.

»Nun, er … Ich habe es selbst nicht gesehen, das sind Informationen aus zweiter Hand.«

»Ja, ich verstehe.«

»Er … er hat wohl, so heißt es, einem kleinen Jungen einen Stock in … in den After gestoßen.«

»Und wo war das? Wo sind Sie zur Schule gegangen? In Köln?«

»Nein, in Bonn.«

»Eine Frage noch: Hatte dieser Josef van Maarsen eine Schwester?«

»Ja, aber die kannte ich kaum. Sie war ein paar Jahre jünger als wir. Sie war ein sehr stilles Mädchen, ich würde fast sagen scheu. Und sie war wohl auch öfter krank.«

Ich dankte ihm. Rief Paul an und gab ihm die Info weiter. Bei Tina erreichte ich nur die Mailbox. Wieder beschlich mich dieses komische Gefühl von Bedrohung. Ich zog mir alle Dateien, die ich zu Marco, Grimme und Co hatte, einschließlich der Mails, auf meine tragbare externe Festplatte und löschte sie auf der Festplatte des Rechners. Löschte den Papierkorb. Fragte mich, ob ich paranoid war. Und wenn schon! Ich ging auf die Neusser in den Copyshop und druckte die Grimme-Datei zweimal aus. Dabei fiel mir ein, dass ich ganz viele »einschlägige« Ausdrucke in der WDR-Mappe und außerdem die Kopie des Grimme-Notizbuchs in meinem Dope-Bunker hatte. Ich lief zurück in die Wohnung und packte alles in meinen Rucksack. Dann ging ich rüber zu Hertha, gab ihr den einen Ausdruck, erzählte ihr von meinen Vorsichtsmaßnahmen, bat sie, den Ausdruck ganz gründlich zu lesen und dann im Klo zu verbrennen. Sie sah mich an, als hätte ich sie nicht mehr alle. Vielleicht war es ja auch so.

»Hertha, du hast den Typen im Hausflur gesehen, ›anal-ohne-Gummi‹, du erinnerst dich?«

»Hörma, wenn ich das alles in meinem Klo verbrenne, dann rufen die Nachbarn die Feuerwehr. Was meinste, wie das qualmt!«

Sie war nüchtern, stellte ich erfreut fest. »Dann bring es irgendwo hin, du darfst es bloß nicht bei dir in der Wohnung lassen.«

»Was steht da denn drin?«

»Ich habe alles aufgeschrieben, was passiert ist, seit ich den Marco zum ersten Mal gesehen habe. Und was ich mir dazu denke. Und was sich andere dazu denken. Und ich möchte, dass du guckst, ob dir irgendetwas auffällt. Etwas, auf das noch keiner von uns gekommen ist. Okay?«

Sie nickte nachdenklich. »Ich soll dir von der Nele bestellen, das ist ihre letzte Entgiftung. Noch eine machtse nicht. Da machtse sich lieber weg.«

»Ja, die ist jetzt in der schlimmsten Phase.« Ich bemühte mich, ihr nicht allzu deutlich zu zeigen, wie sehr ich mich darüber freute, dass sie Nele angerufen hatte.

»Hast du schon was gegessen?«

Hatte ich nicht. Ich musste aber erst meine Unterlagen woanders bunkern. Ich sagte Hertha, wenn sie noch ein Stündchen auf mich warten könnte, würde ich nichts lieber tun als mit ihr essen. Und dann bat ich sie, ihr Telefon benutzen zu dürfen. Ina war da. Ich sagte ihr, ich wäre in einer Viertelstunde bei ihr, und hängte ein, bevor sie nachfragen konnte. Als ich das Rad aufsperrte, nahm ich aus dem rechten Augenwinkel eine Bewegung wahr.

»Junge Frau, nu sagen Sie doch was!« – »Man muss die Ambulanz rufen!« – »Und die Polizei!« – »Hab ich doch längst!« –»Junge Frau!«

Mit wem reden die?, dachte ich. Mein Kopf schmerzte so heftig, dass selbst das Öffnen der Augen eine Qual war. Also machte ich sie wieder zu.

»Sie hat geblinzelt.« – Lalülalülalü ...

»Aufhören«, bettelte ich stumm, »bitte aufhören!«

Es tat so weh! Aber die Sirenen wurden nur noch lauter. Dann Autolärm, Türenknallen.

»Katja, Liebschen!« Das war Herthas Stimme.

»Können Sie mich hören? Können Sie die Augen öffnen? Geben Sie mir bitte ein Zeichen.«

Das war jetzt eine fremde männliche Stimme. Langsam raffte ich es: Ich lag auf dem Boden, und jemand hatte die Ambulanz verständigt. Ich schlug die Augen auf. Aua! Ein Sanitäter kniete neben mir auf dem Boden. Ein Polizist beugte sich zu mir herab.

»Ich hab dat jenau jesehen!«, rief eine ältere Frau, »der hat der eins op de Nuss jejeben, und dann hat der ihr den Rucksack herunterjerissen, und fott wor er.«

Na super. Irgendetwas war mit dem Rucksack. Ich wusste bloß nicht, was.

»Scheiße!« Das war wieder Hertha.

Sie brachten mich ins St.-Vinzenz-Hospital. Irgendwann zwischen Warten, Untersuchung, Warten, Arztgespräch kam Stefan, sah mich an, als wäre ich schon gestorben, und nahm mich vorsichtig in den Arm.

»Was machst du für Sachen!«

»Ich?«, krächzte ich.

Sie entließen mich mit dem Hinweis, ich solle mindestens zwei Tage stillhalten. Der Arzt drückte mir einen Riegel Ibuprofen in die Hand und winkte dem Polizisten, der auf dem Flur saß und den Express las. Er kam zu mir und bot an, mich direkt mitzunehmen, damit ich Anzeige erstatten konnte. Aber gerne! Stefan wich nicht von meiner Seite.

Auf der Wache erzählte ich den Bullen von dem »Anal-ohne-Gummi«-Typen, ohne ihn als solchen zu bezeichnen. Warum ich das Gefühl hätte, ich würde verfolgt werden, fragte der eine. Ich kam mir vor wie in einem schlechten Film. Meine Kopfschmerzen wurden schlimmer, obwohl das eigentlich gar nicht mehr möglich war.

»Frau Leichter und ihre Nachbarin«, meldete sich nun Stefan mit seiner professionellen Therapeutenstimme zu Wort, »haben zweimal beobachtet, dass ein Mann in ihrem Hausflur herumstand. Dieser Mann hat niemanden besucht, er hat nach nichts gefragt, er war einfach nur da. Und jetzt hat ein Mann Frau Leichter vor ihrer Haustür zusammengeschlagen und ihren Rucksack geraubt. Es wäre schön, wenn Sie einfach die Anzeige aufnehmen könnten, ohne Frau Leichters Verstand infrage zu stellen.«

»Wie sah der denn aus?«, wollte der Polizist wissen, der mich aus dem St.-Vinzenz-Hospital auf die Wache gefahren hatte. Ich beschrieb den Typen, so gut es mir gerade gelang. Der Polizist nickte, zog ein Notizbuch aus der Tasche, las darin und nickte erneut.

»Genau so«, sagte er zu seinem Kollegen, »hat eine Passantin, die das Geschehen beobachtet hat, den Täter beschrieben.«

»Na, dann wollen wir mal«, meinte der und setzte sich an den Computer. Ich beschrieb also noch einmal den Mann im Hausflur. Zum Überfall konnte ich ihm beim besten Willen nichts sagen. Dafür war mir wieder eingefallen, was ich im Rucksack gehabt hatte. Aber das wiederum wollte ich den Bullen nicht erzählen. Mir war jetzt noch übler als vorher.

Ich schleppte mich, gestützt von Stefan, aus der Wache. Am Bahnhof stiegen wir in eine Taxe und fuhren zu mir nach Hause. Ich legte mich ins Bett und heulte mir die Seele aus dem Leib. Ich hatte alles vermasselt. Die Arschlöcher hatten jetzt alle meine Unterlagen und mein gesamtes Protokoll. Ich hörte, wie Stefan mit Paul telefonierte.

Als er fertig war, schrieb ich ihm Tinas Privatnummer auf einen Zettel und formte mit den Lippen: »Ruf sie von der Straße aus an.«

Dann warf ich zwei Ibuprofen ein und zog mir die Decke über den Kopf. Rosa sprang auf das Bett, stieg ein paarmal über mich drüber und kuschelte sich schließlich an meinen Bauch. Was einen neuen Schwall Tränen bei mir auslöste.

Als ich wach wurde, saß Tina Gruber an meinem Bett und hielt mir eine Tasse duftenden Assam hin. Auf meinem Nachtkästchen stand ein Tablett mit Kirschkuchen und Mohnstreusel. Tina sah ziemlich besorgt aus.

»Wie geht es dir?«

»Blendend. Ich hab bloß ‘n dicken Kopf.« Sogar das Lachen tat weh.

»Musstest du dich erbrechen?«

»Nö. Keine Gehirnerschütterung. Das haben sie mir schon im Krankenhaus gesagt. Zumindest keine schwere.«

»Glück im Unglück.«

»Wie man’s nimmt.« Ich erzählte ihr, was im Rucksack gewesen war.

Sie stöhnte auf. »Dann wissen sie jetzt alles.«

»Ja.«

Das musste sie erst einmal verdauen. Wir schwiegen ein Ründchen. Dann sagte sie langsam: »Dann reiche ich jetzt eine Dienstaufsichtsbeschwerde gegen Staatsanwalt Völcker ein.«

»Kannst du die begründen?«

»Ich denke, ja. Er hat uns in den Ermittlungen zum Grimme-Mord und in den Ermittlungen zum Mord an den beiden Kindern eindeutig behindert. Ich kann jetzt nachweisen, dass Tamara sich in der Grimme’schen Wohnung aufgehalten hat. Und das war, bevor Marco zu ihr gekommen ist. Er kann also beim besten Willen nicht auch noch Tamara umgebracht haben. Und das hätten wir herausfinden können, wenn Völcker uns nicht so massiv in eine bestimmte Richtung gedrängt und in allem anderen behindert hätte. Und wenn er den Fall nicht einfach für abgeschlossen erklärt hätte.« Sie trommelte mit den Fingern auf dem Tablett herum, bis es ins Schwanken geriet. Sie hielt es fest, nahm sich den Kirschkuchen, biss hinein und sagte mit vollem Mund: »Und außerdem steht jetzt mein Vorgesetzter voll hinter mir.«

»Hilf mir mal hoch.«

»Falls du eine rauchen willst: Ich habe den Auftrag deines ambulanten Betreuers, dir das zu verbieten.«

»Da es sich bei Nikotin nicht um illegale Drogen handelt, könnt ihr mich kreuzweise«, verkündete ich, aber ein Stich, der aus meinem Hinterkopf nach vorn in die Stirn schoss, zwang mich erneut in die Rückenlage. Tina Gruber grinste zufrieden. Ich hasste sie. »Wo ist der überhaupt, mein ›ambulanter Betreuer‹? Warum betreut der mich nicht?«

»Der hat einen wichtigen Termin mit einem Vergabearzt, ich hab den Namen vergessen. Da musste er unbedingt hin. Ich soll dir bestellen, er kommt, sobald er kann, wieder zurück. Und du sollst dich nicht aus dem Bett bewegen.«

»Tina, die Arschlöcher wissen jetzt alles, was wir wissen. Ist dir das klar?«

»Ja.«

»Und was machen wir jetzt?«

»Neu nachdenken.«

Dabei fiel mir ein, was mir Hannas Mann gesagt hatte. Ich erzählte es Tina und bat sie, herauszufinden, ob es irgendwelche van Maarsens in Bonn oder Köln oder sonst wo in Nordrhein-Westfalen gab. Und dann erinnerte ich mich plötzlich daran, dass sie gesagt hatte, ihr Vorgesetzter hätte Grimme vorgeladen. Mein Kopf tat zwar höllisch weh, aber er funktionierte wieder.

»Er ist nicht da«, berichtete Tina. »Er hat einen Vortrag in Zürich, heute Abend. Das heißt, wir können ihn frühestens morgen irgendwann im Laufe des Tages vernehmen.«

Damit war für mich klar, wann Hotte und ich unser Ding durchziehen würden. Wobei ich mich fragte, wie ich das mit meinem lädierten Kopf schaffen sollte.

Kaum war Tina gegangen, rief ich Stefan an und sagte ihm, ich sei total fertig.

»Du brauchst nicht zu kommen, Liebster, ich leg mich jetzt hin, und morgen melde ich mich, sobald ich wach bin.«

»Aber pass auf dich auf, bitte! Ich treffe mich dann mit Martin, habe aber das Handy die ganze Zeit an. Ich lasse es auch über Nacht an, ich bin jederzeit erreichbar, ja?«

Ich dankte ihm und hakte diesen Punkt auf meiner To-do-Liste erleichtert ab. Dann schleppte ich mich in die Merheimer und sagte Hotte, was Sache war. Er hatte schwere Bedenken wegen meines Zustands, sah aber schließlich ein, dass das vermutlich unsere einzige Chance war. Wir verabredeten uns für dreiundzwanzig Uhr vor der Post auf dem Wilhelmplatz. Dann erklärte er mir

Schritt für Schritt, wie wir vorgehen würden. Ich kann nicht behaupten, dass mir leicht ums Herz wurde.

Zu Hause fütterte ich Rosa und fuhr den Rechner herunter. Als ich den Schreibtischstuhl zurückschob, stieß ich auf einen Widerstand. Ich bückte mich – und da lag meine kleine externe Festplatte. Sie war mir offenbar aus dem Rucksack gerutscht. Oder ich hatte sie in der Aufregung daneben- anstatt hineingesteckt. Ich drückte sie an mich wie ein verlorenes Kind und klingelte bei Hertha.

»Hertha, du musst mir ein Alibi geben für heute Abend bis, sagen wir mal, ein Uhr nachts. Da hast du das letzte Mal nach mir geguckt. Ich habe im Bett gelegen, wie schon die ganze Zeit vorher, und fest geschlafen. Wegen der Schlaftablette, die du mir gegeben hast. Oder so die Richtung, ja?«

»Was hast du vor, Leichter?«

»Ich mach mit dem Hotte ‘n Bruch.«

»Du machst was?«

Ich erzählte ihr kurz, was wir vorhatten. Und warum. Sie war ganz und gar nicht damit einverstanden. Nicht etwa, weil sie sich Sorgen um mich machte. Sondern weil Hotte, falls man uns erwischte, Chantal nicht mehr behalten konnte. Ich wusste, dass sie recht hatte. Ich wusste auch, dass ich gerade alles vermasselt hatte. Beschloss, ich würde Hotte anbieten, es allein durchzuziehen, wenn er mir sein Werkzeug dafür lieh. Ich bat Hertha, mit dem Taxi zu Paul zu fahren und ihm oder, falls er nicht da war, Aysche das Ding zu übergeben mit der Bitte, gut darauf aufzupassen. Rief ihr ein Taxi und wartete am Fenster, bis sie eingestiegen war. Dann legte ich mich ins Bett und stellte den Wecker auf zweiundzwanzig Uhr. Bevor ich einschlief, rekapitulierte ich, was sie nun alles doch nicht wussten. Es war einiges. Aber sie wussten trotzdem viel zu viel.

NEUNZEHN

Jeder einzelne Hubbel schoss Stiche in meinen Kopf. Ich hatte mich aber nicht getraut, noch eine Ibu zu schlucken, denn benommen durfte ich nun gar nicht sein. Hotte stand an sein Rennrad gelehnt vor den Briefkästen. Er trug Lederhandschuhe, ich hatte meine in der Jackentasche.

»Schaffste das?«

Ich nickte automatisch, bereute es aber sofort. »Ja.«

»Biste dir da ganz sicher?«

»Ja.« Ich unterbreitete ihm meinen Vorschlag, das Ding allein durchzuziehen.

»Du fährst mal besser nach Merheim und lässt dir die Birne durchleuchten.«

»Hotte!«

»Nix ›Hotte!‹ Jetzt wird gearbeitet. Also, ich hab mir die Hütte angeguckt. Was issen das ›Apsara-Institut‹ in der ersten Etage? Ist da nachts einer?«

»Das was?«

»Jetzt sag nicht, du warst da noch nie?«

»Hotte, wann denn? Ich wollte ja, aber ich bin einfach nicht dazu gekommen.«

»Unten ist die Wohnung von der Grimme. Und obendrüber das Dingens, Apsara-Institut.«

In meinem armen zerschlagenen Kopf ging eine Glühbirne an.

»Das ist die Absteige von ihrem Mann, wetten? Apsaras sind die Göttinnen am Tempel von Angkor Wat.«

»Sprichst du auch Deutsch?«

»Hör mal, das ist jetzt zu kompliziert. Der Mann von Frau Grimme hat beruflich was zu tun mit einem Tempel in Kambodscha. Und da gibt es Statuen, die heißen Apsaras. Deshalb nehme ich an, dass dieses Institut ihm gehört.«

»Also is da jetzt auch keiner?«

»Nö, wenn Grimme in Zürich ist, dann ist das ganze Haus leer. Oder sind da sonst noch Etagen?«

»Nö. Also, ab die Post.«

Er schwang sich auf das Rad, ich fuhr ihm hinterher. Er nahm nicht gerade den direkten Weg. Erst über die Liebigstraße auf die Subbelrather, dann quer durch Ehrenfeld, im Zickzack an Melaten entlang, die Aachener stadteinwärts bis zum Grüngürtel, runter Richtung Uni und schließlich die Dürener wieder stadtauswärts. In der Theresienstraße stellten wir die Räder ab und gingen bis zur Ecke Herderstraße. Hotte legte den Arm um meine Schulter und schlug einen gemächlichen Gang ein. Auf der Höhe eines Gartenzauns zog er etwas Metallisches aus der Jackentasche und öffnete damit das Tor. Ließ mir höflich den Vortritt. Führte mich dann um das Haus herum auf die Rückseite. Sah sich die Fenster der umliegenden Häuser an. Sie waren alle dunkel.

Ich merkte, dass mein Herz raste. Dafür hatte ich kaum noch Kopfschmerzen. Adrenalin wirkt offenbar besser als Schmerztabletten. Ich zog mir die Handschuhe über und sah Hotte fragend an.

Er nickte mir zu und band das Seil mit dem Drillingsanker los, das er um die Taille geschlungen hatte. Das Metall war mit Schaumstoff ummantelt, und als Hotte den Anker auf den Balkon hochwarf, war nur ein leises Plopp zu hören. Hotte hielt einen Moment inne, lauschte, inspizierte erneut die Fenster der umliegenden Häuser. Dann zog er probeweise am Seil und gab mir das Zeichen, hinaufzuklettern. Ich zog mich erst nur mit den Händen hoch, das hatte ich schon im Turnunterricht gut gekonnt. Dann tastete ich mit den Füßen nach dem Knoten im Seil. Hangelte mich, Knoten für Knoten, hinauf bis zum Balkongeländer. Hievte mich darüber und trat zurück bis an die Balkontür. Fixierte mit einem ziemlich flauen Gefühl im Magen die umliegenden Fenster. Sie waren immer noch dunkel.

Hotte stellte sich neben mich, holte eine Tube Klebstoff und einen Saugnapf aus seinem Rucksack, bestrich den Saugnapf an den Rändern mit dem Spezialkleber und ließ den in aller Seelenruhe einziehen. Dann drückte er den Saugnapf an die Scheibe. Gefühlte Stunden später schnitt er mit dem Glasschneider darum herum einen etwa bierdeckelgroßen Kreis in die Scheibe und zog den ausgeschnittenen Teil mit dem Saugnapf heraus. Ich war so fasziniert, dass ich vergaß, dass ich eigentlich Schiss hatte.

Hotte griff durch das Loch und entriegelte die Tür. Wir kletterten in die Wohnung oder das Institut, wie es sich nannte. Landeten in der Küche. Dahinter lag der Flur, und von hier gingen die Zimmer zur Straße hin ab. Hotte drückte eine der beiden Türen auf. Hier war es stockdunkel. Dann tanzte ein dünner Lichtstrahl vor meinen Augen herum. Hotte, sah ich, hielt eine Taschenlampe in der Hand, die vorn bis auf Punktstrahlergröße mit Klebeband abgedichtet war. Der Raum war jetzt in Umrissen erkennbar. Die Fenster standen auf Kipp und waren mit Holzjalousien abgesichert. Wir befanden uns offenbar im Arbeitszimmer, es gab hier Bücherregale, Musikanlage, Schreibtisch. Kein Notebook, stellte ich mit Bedauern fest. Das hatte Grimme vermutlich mitgenommen. Hotte checkte den anderen Raum, kam zurück, schüttelte den Kopf und flüsterte: »Schlafzimmer.«

Er gab mir die Lampe. Ich schaute mich um. Öffnete die Schubladen, fand den üblichen Kram darin. Tastete sie untenherum ab – es war nichts aufgeklebt. In einem der Bücherregale stapelten sich DVDs. Wenn ich die alle durchsehen würde, wären wir morgen früh noch hier. Das Gleiche in dem Regal unter der Stereoanlage – Hunderte CDs. Im CD-Fach der Anlage lag Schuberts »Winterreise«. Das Etikett sah echt aus. Ich wusste nicht weiter. Was hatte ich erwartet? Ein Manuskript oder eine DVD mit dem Titel »Mein Leben als Kinderschänder«? Ich stemmte mich aus der Hocke hoch und geriet leicht ins Schwanken. Stieß gegen einen Stapel CDs, der neben der Anlage auf dem Boden lag. Lauter Klassik. Ich legte sie wieder aufeinander und hielt plötzlich eine mit dem Titel »Antonio Salieri: Kinderlieder« in der Hand.

Hotte packte mich an Schulter, ich schrie vor Schreck auf. Er hielt mir den Mund zu. Auf der Straße, direkt vor dem Haus hielt ein Wagen. Der Motor wurde abgestellt, die Autotür geöffnet, zugeworfen. Ich erstarrte. Zürich war eine Lüge gewesen. Grimme war gar nicht verreist. Und jetzt kam er nach Hause. Hotte zog mich hoch und schob mich Richtung Flur. Wir hörten ein Klatschen, Schritte, noch ein Klatschen, die Geräusche entfernten sich. Dann kamen die Schritte zurück, der Motor wurde angelassen, das Auto fuhr ab.

Ich war mit den Nerven am Ende. Griff mir die Salieri-CD, packte sie in Hottes Rucksack und flüsterte: »Nichts wie weg hier!« Ich stieg über das Seil ab, dann löste Hotte den Drillingsanker vom Geländer und rutschte über die Regenrinne nach unten.

Wickelte sich sorgfältig das Seil um den Bauch, als hätten wir keine Eile. Mach voran, betete ich, ich war schweißgebadet und musste dringend aufs Klo. Vor dem Haus und vor allen anderen Häusern lagen nun kleine Packen in Plastik verschweißter Reklamebroschüren. Die vorher nicht da gewesen waren. Wir sahen uns an und mussten grinsen. Gingen zurück in die Theresienstraße und schwangen uns auf die Räder. Wobei ich mich weniger schwang als bleisackartig auf den Sattel hievte.

In der Sechzigstraße trennten wir uns. Mein Adrenalinspiegel war offenbar im Absinken begriffen, denn der Kopfschmerz hatte mich wieder. Voll und ganz. Ich umarmte Hotte und dankte ihm. Er gab mir die CD und meinte, für eine Anfängerin hätte ich mich gut gehalten.

Ich schlich die Treppe hoch, öffnete meine Wohnungstür, so leise ich konnte, ging erst mal auf die Toilette und ließ mich dann aufs Sofa fallen. Ich war fix und fertig. Mein Körper und meine Seele schrien im Duett: »Ich kann nicht mehr!« Ich musste aber trotzdem noch ein paar Sachen erledigen. Also schob ich die CD, die sich als DVD herausstellte, in den Rechner und grabbte sie. Legte sie im Ordner »Moderationstexte« unter dem Titel »Krimi-Besprechung« ab. Keine Ahnung, warum mir gerade das einfiel. Ich lief unter Autopilot. Dann nahm ich all meinen Mut zusammen und klickte das File an. Sah ein leeres Zimmer mit weißen Wänden und einer Matratze. Die Kamera war irgendwo rechts oben fixiert. Marco taumelte ins Bild, er war nackt und schlang verzweifelt seine Arme um den Körper.

Ich drückte die Stopptaste und klammerte mich an den Schreibtisch. Silberne Punkte blitzten hinter meinen geschlossenen Augenlidern. Reiß dich zusammen, ermahnte ich mich. Brannte mir das File herunter. Dachte eine Weile nach. Dann hatte ich eine Idee. Ich holte die Werbebeilage aus dem Stadtanzeiger aus dem Mülleimer, legte die Original-DVD hinein, schlich die Treppe wieder hinunter und warf die Broschüre in Herthas Briefkasten. Die Kopie legte ich unter meine Fußmatte. Da hatten bei meiner letzten Hausdurchsuchung noch nicht mal die Bullen nachgesehen.

Ich setzte Wasser auf und sah nach, ob ich noch Kräutertee hatte. Fand einen Rest »Milder Abend« und schüttete ihn ins Teesieb.

Schrieb Tina Gruber eine SMS: »9 Campi«. Sprach Paul auf die Mailbox, er und sein Kumpel von der Gegenseite sollten unbedingt um neun Uhr vor dem Campi sein. Es gehe um Leben und Tod. »Und«, fügte ich sicherheitshalber hinzu, »auch wenn es melodramatisch klingt: Es ist sehr ernst!« Dann kippte ich das kochende Wasser in die Spüle und den Teerest in den Mülleimer, zog mich aus, stellte den Wecker auf sieben und sank in die Kissen.

Rosa weckte mich, indem sie mir ihren frühmorgendlichen Pestatem ins Gesicht hauchte. Ich setzte mich vorsichtig auf, der Kopfschmerz hielt sich freundlicherweise in Grenzen. Ich gab Rosa zu fressen und frisches Wasser, machte mir einen Tee und aß dazu eine Scheibe Brot mit Marmelade. Margarine war keine mehr im Kühlschrank. Und sonst auch nicht viel. Ich verzichtete auf eine Kippe, setzte mich stattdessen vor meinen Tara-Altar und meditierte so konzentriert wie schon lange nicht mehr. Um acht rief ich Ina an. Ich erwartete den AB, aber sie ging selber dran.

»Was machst du denn so früh schon in der Redaktion?«, fragte ich verblüfft.

»Birgit hätte Sendung, sie ist aber krank, und ich springe ein. Und was kann ich für *dich* tun um diese Zeit?«

Ich sagte ihr, dass ich einen Raum brauchte, in dem ich mir mit ein paar Leuten ungestört eine DVD ansehen konnte.

»Hat das mit deiner Recherche zu tun?«

»Ja.«

Da sie mich so einsilbig nicht kennt, ahnte sie wohl, dass ich nicht mehr dazu sagen konnte oder wollte. Sie würde sich darum kümmern, versprach sie, ich müsste nur bis kurz vor neun kommen, denn danach sei sie bereits im Funkhaus. Ich beglückwünschte mich mal wieder zu meinen Redakteurinnen im Allgemeinen und zu ihr ganz im Besonderen.

Stefan war gleichfalls schon wach. Ich sagte ihm, ich sei ab neun im WDR in der Budengasse. Wenn er bei der Produktion dabei sein wolle, könne er sich an der Pforte mit mir treffen.

»Hä?«

»Um neun in der Budengasse. An der Pforte. Ich liebe dich!« Bevor er nachfragen konnte, hängte ich ein.

Ich steckte die DVD ein, die ich unter meinem Türvorleger gebunkert hatte, und klingelte bei Hertha, die gerade Kaffee machte. Konnte nicht widerstehen und setzte mich kurz an den Tisch. Sie stellte mir eine Tasse und den Aschenbecher hin.

»Und, wie isses gelaufen?«

»Picobello. Ein Profi ist eben ein Profi.«

»Und hat's was gebracht?« Sie schenkte mir ein, ich zündete mir eine Kippe an und trank erst mal genüsslich einen Schluck Kaffee.

»Ja. Ist in deinem Briefkasten. Lass es bitte einfach drin, okay? Fass es nicht an, sonst sind deine Fingerabdrücke drauf.«

»Wieso hab ich nur Kriminelle als Freunde?«

»Muss an dir liegen.«

Sie stieß mich in die Seite, worauf mein Kopf protestierte. Sie bemerkte es und fragte, wie es mir ging.

»Besser«, erwiderte ich knapp, drückte ihr einen Kuss auf die Wange und trabte los. Guckte kurz in den Briefkasten – alles noch da. Das Rad ließ ich stehen, dafür tat mir mein edles Haupt doch noch zu weh.

Um Viertel vor acht stand ich bei Ina auf der Matte. Sie führte mich in das Büro ihrer kranken Kollegin und fuhr deren Rechner für mich hoch. Schrieb mir zur Sicherheit das Passwort auf, falls er zwischendrin den Geist aufgab.

»Ich bin im Funkhaus«, meinte sie noch, »Hanna weiß Bescheid, dass du hier mit ein paar Leuten arbeitest. Falls jemand fragt. Viel Glück!«

Unten an der Pforte wartete schon Stefan auf mich. Ich fiel ihm um den Hals.

»Tut's noch sehr weh?«, wollte er wissen. Er klang ehrlich besorgt. Es tut so gut, wenn es jemanden gibt, der sich Sorgen um einen macht. Und dabei so verdammt cool aussieht.

»Geht so«, erwiderte ich, die Tapferkeit in Person. Auf dem Weg zum Campi erzählte ich ihm von dem Einbruch und, bevor er hysterisch reagieren konnte, von der DVD. Was ihn, wie erwartet, zum Verstummen brachte. »Ich wollte«, murmelte ich verlegen, »dass du dabei bist, wenn wir uns die ansehen. Du musst nicht hingucken, ich ertrage es bloß eher, wenn ich weiß, dass du da bist.«

»Ja, klar«, erwiderte er mit rauer Stimme. Er hatte, merkte ich, genauso viel Schiss davor wie ich. Ich nahm seine Hand. Er zog mich an sich. »Du machst immer Sachen!«

Vor dem Campi sammelte ich meinen Bruder, Tina und den Herrn Oberstaatsanwalt ein, die mich alle drei mit bohrend-fragenden Blicken durchlöcherten.

»Gleich«, sagte ich. »Ich erkläre gleich, worum es geht. Nur nicht hier auf der Straße.«

Sie folgten mir schweigend und widerwillig in die Budengasse. Ich sagte der Pförtnerin, ich würde mit meinen Begleitern ein Interview machen. Sie ließ sie anstandslos durch. Im Büro von Inas Kollegin gab es nur zwei Stühle, einen nahm ich mir, den anderen bot ich Gorowski an. Paul, Stefan und Tina mussten stehen. Man konnte sich in dem kleinen Raum so schon kaum noch bewegen, und da ich einen Hang zur Klaustrophobie habe, begann ich zu schwitzen, und in meiner rechten Schläfe ging ein beunruhigendes Pochen los.

Ich quetschte mich an den Schreibtisch, legte die DVD ein und wandte mich an mein Publikum. »Ich habe Sie, euch hierher gebeten, weil ich euch etwas zeigen will. Ich bin an eine DVD geraten, auf der man höchstwahrscheinlich sehen kann, was ein Mann oder mehrere Männer, an die Frau Grimme Marco verkauft hat, mit Marco gemacht haben. Und ich hoffe, man kann den Mann oder die Männer darauf erkennen.«

»Woher haben Sie diese DVD?«, blaffte mich Gorowski an.

»Das sage ich nicht«, erwiderte ich freundlich, aber bestimmt. »Und bevor Sie mir mit irgendetwas drohen – schauen Sie sie sich doch einfach mal an.«

Ich ging auf Start und drehte zur Sicherheit die Lautstärke herunter. Musste ja keiner in der Redaktion mitbekommen, was hier abging.

Sie waren zu dritt. Auf dem ersten Take sah man sie nur von hinten. Ich ging auf Schnelldurchlauf. Im Raum herrschte ein atemloses Schweigen. Manchmal stöhnte einer von uns gequält auf. Für die nächste Aufnahme war die Kameraposition verändert worden. Man sah nun Marco von hinten oben. Ich ließ den Film in Normalgeschwindigkeit weiterlaufen. Zwei Männer betraten den Raum, sie waren nackt und trugen Gesichtsmasken. »Scheiße!«, entfuhr es Tina. Ich ging wieder in den *fast-forward*-Modus, da kam ein dritter Mann ins Bild, ohne Gesichtsmaske, grinsend und mit erigiertem Schwanz. Ich hielt den Film an.

»Gut!«, knurrte Tina.

Ich ließ den Film wieder anlaufen und wechselte nach einer Weile in den Schnelldurchlauf. Dann kam ein Schnitt, man sah noch einmal den leeren Raum, darauf folgten ein paar Sekunden Schwarzfilm und schließlich noch circa eine Minute lang Bilder von stark verschwommenen und verzerrten Figuren. Dann war der Film zu Ende. Wir rührten uns nicht und sprachen kein Wort. Schließlich holte ich die DVD aus dem Fach und schob sie in die Hülle.

Tina streckte die Hand danach aus. »Das ist nicht das Original«, erklärte ich.

Sie nickte nur. Wir waren alle irgendwie beschädigt vom Ansehen dieser Bilder.

»Können wir irgendwo anders hingehen?«, schlug Stefan vor.

»Zu mir«, entschied Paul.

Gorowski erhob sich schwerfällig aus dem Stuhl und stützte sich an der Schreibtischkante ab. Er sah völlig fertig aus.

»Ich bin mit dem Wagen da«, sagte er, »möchte jemand mitfahren?«

Tina packte mich am Arm und flüsterte: »Du kommst mit mir!«

Wir gingen zusammen ins Parkhaus, Paul fuhr mit Gorowski, Stefan und ich stiegen bei Tina ein. Wir waren noch nicht ganz auf der Straße, da fuhr sie mich an: »Wo hast du die verdammte DVD her?«

»Aus Grimmes Institut. Er hat ein sogenanntes Institut in der Etage über der Wohnung.«

»Was heißt das?«

»Ich bin da eingebrochen. Gestern Nacht, als er in Zürich war.«

»Du bist was?«

»Schluck's einfach.«

»Das heißt im Klartext, Hotte Schulz ist da eingestiegen und hat das Ding für dich rausgeholt?«

»Das heißt im Klartext, ich bin da eingeflogen und hab das Ding rausgeholt. Ende der Durchsage.«

»Du glaubst ja wohl nicht, du kannst mich verscheißern? Du

bist durch und durch kriminell, Leichter, das ist mir klar, aber ich bezweifle sehr stark, dass du weißt, wie man in ein Haus einbricht.«

»Hört auf«, ging Stefan nun dazwischen. »Der Film hat uns alle aggressiv gemacht, aber es bringt nichts, das jetzt so auszuleben.«

Mir lag eine gehässige Bemerkung auf der Zunge, aber irgendwo im hintersten Hinterkopf wusste ich, er hatte recht. Aber dann setzte Tina noch einen drauf.

»Und was, wenn ihn einer gesehen hat?«

Ich spürte, wie die Wut heiß in mir hochkochte, und ich hatte keinen Nerv mehr, mich zu beherrschen. »Jetzt hör mir mal gut zu, Tina Gruber. Ihr habt in dieser ganzen verdammten Horrorgeschichte nur Scheiße gebaut. Scheiße, Scheiße und noch mal Scheiße. Ihr habt einen zehnjährigen gefolterten Jungen vom Opfer zum Täter gemacht. Ihr habt ihn zum Stricher erklärt und ihm einen Mord angehängt! Ihr habt einen unschuldigen alten Mann dazu gebracht, dass er sich im Knast den Strick gibt, weil ihr ihn zum Kinderschänder erklärt und ihm gleich noch zwei Morde angehängt habt. Dafür habt ihr die echten Kinderficker und die echten Mörder munter weitermachen lassen. Und ich werde nicht zulassen«, ich merkte, dass ich schrie, und senkte die Stimme, »ich werde nicht zulassen, dass ihr jetzt Hotte einen Bruch anhängt. Und ich werde nicht zulassen, dass Chantal wieder ins Heim kommt, weil ihr Hotte an den Karren fahrt. Hast du mich gehört?«

Ich sank in meinem Sitz zurück und fühlte mich zu Tode erschöpft. Das Pochen hinter der rechten Schläfe war wieder da und dröhnte durch den ganzen Kopf. Ich hätte am liebsten nur noch geheult und mir die Seele aus dem Leib gekotzt. Und mir die ganze Pädo-Horrorgeschichte aus dem Kopf geschnitten. Eine leise Stimme in mir sagte: Vermutlich geht es Tina genauso. Ich sah zu ihr hin. Sie war kreidebleich, umklammerte das Lenkrad und starrte durch die Windschutzscheibe. Ich berührte sie leicht am Arm und murmelte: »Sorry.« Sie sah zu mir her und konzentrierte sich dann wieder auf die Straße. Auf der Maastrichter fuhr sie in das Parkhaus. In der ersten Etage sahen wir Paul und Gorowski aus dem Auto steigen. Tina suchte einen freien Platz, stellte den Motor aus und ließ sich in ihren Sitz zurücksinken.

»Sag mir, was deine Version ist. Und bei der musst du dann bleiben.«

Ich schluckte. Eigentlich hatte ich mir noch gar keine »Version« überlegt. Also improvisierte ich.

»Ich habe Hotte gesagt, ich würde ein Hörspiel schreiben, in dem es um einen Einbrecher geht. Und da soll es eine Szene geben, in der dieser Typ in ein Haus einbricht. Und dafür soll er mir genau beschreiben, wie das geht. Und welches Werkzeug man dafür braucht. Und, und, und. Ja, und das hat er gemacht. Und dann habe ich ihn noch gebeten, ob er mir seine alte Ausrüstung für ein, zwei Tage leiht, damit ich die, wenn ich die Szene schreibe, auch wirklich realistisch beschreiben kann. Und dann hab ich die Sachen genommen und bin bei Grimme eingestiegen.«

Tina wiegte zweifelnd den Kopf. »Ich bin nicht sicher, dass dir mein Vorgesetzter das abnimmt. Oder Gorowski.«

»Und wenn ich sage, ich hab in meiner Jugend schon mal Brüche gemacht? Wären die dann jetzt verjährt?«

»Wenn das in deiner Jugend war, ja.«

Stefan tippte mir von hinten auf die Schulter. »Wir sollten jetzt zu Paul gehen. Die warten auf uns.«

»Ja, gleich«, erwiderte Tina. Dann wandte sie sich wieder an mich. »Ist dieser Gorowski okay?«

»Ich glaube schon. Paul ist sich jedenfalls sicher.«

Wir versammelten uns im Konferenzraum. Als Axel Meyer, Tinas Vorgesetzter, eintrudelte, stellte Tina uns alle einander vor, und Paul bot an, sie könne ihrem Chef die DVD in seinem Büro vorführen.

»Welche DVD?«, fragte Meyer. »Worum geht es hier überhaupt?« Und an Tina gewandt: »Kann mich mal einer aufklären?«

»Ja«, sagte sie trocken und führte ihn nach oben.

Während Meyer mit dem Sichten der DVD beschäftigt war, rief Tina eine Kollegin bei der Sitte an. Sagte ihr, sie müssten quasi auf der Stelle eine Hausdurchsuchung und Beschlagnahme durchführen, nein, eine staatsanwaltliche Genehmigung habe sie nicht, ob ihr Staatsanwalt …? Und wenn nicht, dann sei eben Gefahr in Verzug. Keine zehn Minuten später rief die Frau von der Sitte zurück: Alles geregelt.

»Tja, auf Nikki ist Verlass«, meinte Tina zufrieden.

Dann kam Meyer blass um die Nase zurück in das Konferenzzimmer. Billigte Tinas Vorschlag, mit zwei Kollegen von der Sitte eine sofortige Hausdurchsuchung bei Grimme zu machen, ohne mit der Wimper zu zucken.

»Diese DVD«, überlegte Tina laut, »beweist schon mal unzweifelhaft, dass Marco missbraucht wurde. Und dazu haben wir Spuren von dem toten Mädchen in der Grimme'schen Wohnung. Das muss erst mal reichen. Und wenn wir Glück haben, finden wir bei der Durchsuchung weiteres Beweismaterial.« Sie wandte sich mit einem entschuldigenden Lächeln an ihren Vorgesetzten: »Diese DVD zum Beispiel.«

»Wo kommt die überhaupt her?«, fragte der drohend. Offenbar hatte er sich wieder gefasst.

Ich erzählte ihm meine Einbruchsstory. Paul fiel der Kiefer runter, Gorowski schüttelte fassungslos den Kopf.

»Das glaube ich Ihnen nicht, Frau Leichter«, meinte Meyer, als ich fertig war.

»Das müssen Sie mir auch nicht glauben, Herr Meyer«, gab ich zurück. »Aber Tatsache ist, dass *Sie* den Fall abgeschlossen haben. Und dass Frau Gruber jetzt nur deshalb wieder aktiv werden kann, weil Sie grade diese DVD gesehen haben.«

Er fuhr hoch, es lag ihm ganz offensichtlich eine scharfe Zurechtweisung auf der Zunge, aber dann dämmerte ihm wohl, dass ich recht hatte. Und dass es nicht den geringsten Sinn hatte, das abzustreiten.

»Tun Sie, was immer nötig ist«, meldete sich nun Gorowski zu Wort. »Ich werde eine Dienstaufsichtsbeschwerde gegen Dr. Völcker einreichen. Und Anzeige gegen ihn erstatten wegen Strafvereitelung.«

»Gibt es in diesem Aspa-Dingsbums-Institut irgendetwas, das ich mir genauer vornehmen sollte?«, wandte sich Tina an mich.

»Ja, unzählige DVDs und CDs. Und wenn auf einer davon irgendwas mit A. oder Antonio Salieri steht, dann hast du die richtige.«

»Ich werde alle mitnehmen und den Rechner sowieso.«

»Rechner ist da keiner. Er hat vermutlich ein Notebook, und das hat er dabei.«

»Okay, dann werde ich ihm das abnehmen, sobald er aus Zürich zurück ist.«

ZWANZIG

Ich lief zu Fuß zurück. Paul hatte Stefan und mich noch an den Aachener Weiher auf einen Kaffee verschleppt, dann hatte sich Stefan auf den Weg in die Praxis gemacht, und Paul war zurück in die Kanzlei gegangen. Als wir am Aachener Weiher gesessen hatten, war mein Kopf ganz leer gewesen, ich hatte das Gefühl gehabt, ich könnte ein bisschen loslassen, nun würden Tina Gruber und Co übernehmen. Aber jetzt tobten wieder die Gedanken durch meinen Kopf. Wer waren die beiden anderen Männer? Was war Grimmes Rolle in dem Spiel? Nahm er »nur« auf oder machte er mit? Wer war der Typ, der mich überfallen hatte? Wer hatte Marco, Tamara und Frau Grimme umgebracht? War es ein und derselbe oder waren es mehrere? Wie würde Völcker reagieren, konnte er die Ermittlungen noch mal behindern, kannte er die Mörder, konnte er sie oder ihn nun warnen? Oder war er womöglich einer der Männer auf dem Film? Vor ein paar Wochen hatte ein Prozess gegen einen Staatsanwalt stattgefunden, der sich Kinderpornos heruntergeladen hatte. Eine Prostituierte hatte mir einmal gesagt: »Die perversesten Schweine sind Staatsanwälte, Frauenärzte und Politiker.« War der Mann, der Marco »zusammengeflickt« hatte, womöglich ein Frauenarzt?

Das Karussell in meinem Kopf drehte und drehte sich. Am Mediapark wurde ich plötzlich unruhig. Das Gefühl, bedroht zu sein, kam wieder in mir hoch, ich beschloss, jetzt doch die Bahn zu nehmen. Dann musste ich an der Haltestelle Christophstraße eine geschlagene Viertelstunde warten. Es kam natürlich wieder keine Ansage, und immer wenn ich dachte, ich gehe doch besser zu Fuß, überlegte ich gleichzeitig: Und wenn sie genau in dem Moment einfährt, in dem ich auf der Rolltreppe nach oben stehe? Ich fluchte vor mich hin, eine Frau, die neben mir stand, lächelte solidarisch.

»Sie wissen, was KVB heißt?«, fragte ich sie.

»Kölner Verkehrs-Betriebe«, entgegnete sie irritiert.

»Nö: Komme Vielleicht Bald.« Sie lachte, und prompt fuhr die Bahn ein.

Vor meiner Tür lag etwas. Ich näherte mich vorsichtig, und dann wurde mir schlecht. Ich lehnte mich an die Wand und schloss die Augen. Als ich sie öffnete, lag es immer noch da. Es war eine gehäutete Katze ohne Kopf. Unter ihr lag ein Zettel so, dass ich die Mitteilung lesen konnte, ohne den Kadaver zu bewegen. »Als Nächstes ist das Mädchen dran.«

Ich will nicht mehr, dachte ich. Ich will das alles nicht mehr. Ich kann nicht mehr. Mein Blick fiel auf Herthas Wohnungstür, und der nächste Schrecken fuhr mir in die Glieder. Ich läutete. Noch mal. Ein drittes Mal. Dann schloss ich die Tür auf. Hertha hat meinen Schlüssel, und ich habe den ihren. Für Notfälle. Und das war einer. Sie war nicht zu Hause. Und alles sah völlig normal aus. Ich schloss wieder ab und rief Tina an. Sagte ihr auf die Mailbox, was geschehen war. Danach versuchte ich es bei Hotte. Er ging dran.

»Wo ist Chantal?«

»Hä?«

»Hotte, wo ist Chantal?«

»Bei der Mary. Wieso?«

Ich sagte ihm kurz, warum. Bat ihn, Chantal bei Mary zu lassen. Sicherer als bei einer Kung-Fu-Meisterin konnte sie in ganz Köln nicht sein. Dann erzählte ich ihm von dem Kadaver und dem Zettel.

»Mensch, Katja, Scheiße! Biste sicher, dass das deine Katze is? Der Sack könnte ja auch irgendein' Kadaver da hingelegt haben. Is dein Schloss aufgebrochen? Guck doch mal!«

Meine Tür war abgeschlossen. Ich sperrte sie auf.

»Bleib dran, Hotte, ja?«

Ich schlich auf Zehenspitzen in die Wohnung. »Rosa?« Inspizierte die Küche. Nichts. »Röschen, meine Süße, wo steckst du?« Fand sie weder im Schlaf- noch im Arbeitszimmer. »Röschen?« Ging zurück in die Küche und schüttete Brekkies in eine Schale.

»Hotte, biste noch dran?«

»Ja, klar.«

Ein neuer Schrecken fuhr mir durch die Glieder. »Hotte, ist Sunny bei dir?«

»Ja.«

»Pass gut auf ihn auf, ja?«

»Mach ich.«

Ein leises Maunzen. »Rosa!« Sie stolzierte in die Küche, inspizierte die Brekkies, sah kurz zu mir hoch, als wollte sie sagen: »Was ist denn mit dir los?«, langte sich eines mit der rechten Vorderpfote, spielte ein wenig damit herum und verdrückte sich wieder.

»Isse da?«

»Ja, danke!« Ich spürte, wie mir die Tränen hochkamen, mein Hals war zugeschnürt, ich musste mich hinsetzen. »Hör mal, Hotte, lass Chantal aber trotzdem bei Mary.«

»Ja klar. Und den Sunny drück ihr auch aufs Auge.«

Kaum hatte ich eingehängt, klingelte mein Handy.

»Katja«, sagte Tina, »das tut mir so schrecklich ...«

»Es ist nicht Rosa!«, unterbrach ich sie. »Sie ist in der Wohnung, ich hab sie gerade gefunden.«

»Gott sei Dank!«, seufzte Tina. »Hör mal, Katja, wir sind bei Grimme, ich kann jetzt hier nicht weg. Aber ich schicke dir die Spusi und einen von meinen Kollegen, der ist heute aus dem Urlaub gekommen, ich habe ihn kurz gebrieft. Fass bitte nichts an. Ich melde mich wieder.«

Ich machte mir einen starken Tee, legte mich aufs Sofa und zündete mir eine Zigarette an. Dachte darüber nach, was ich tun beziehungsweise womit ich mein Geld verdienen könnte, wenn ich aufhörte, journalistisch zu arbeiten. Oder worüber ich arbeiten könnte, wenn ich die »harten« Themen aufgab, die meine Spezialität waren. Mir fiel nichts ein. *Niente. Nada.*

Das Handy riss mich aus meinen Überlegungen.

»Die Chantal is fott!«

Ich schoss hoch. »Wie fott?«

»Die is nie bei der Mary angekommen. Hörma, wir müssen die finden!« Hotte keuchte vor Aufregung.

»Ich ruf sofort Tina Gruber an, wann sollte Chantal bei Mary sein?«

»Um elf.« Ich sah auf die Uhr, es war kurz vor halb zwölf. »Okay, ich informiere Tina, die soll die Suche anleiern. Ich muss hier auf die Bullen warten wegen der toten Katze, danach komme ich zu dir.«

Schweigen.

»Hotte, wir finden sie.«

»Mhm.«

Tina hatte wieder nur die Mailbox an. Ich ging über die Vermittlung und verlangte Polizeioberkommissar Meyer von der Mordkommission. Er war nicht da. Oder nicht zu sprechen. Ich wählte die 110 und sagte der Polizistin, die den Hörer abnahm, ein Mädchen sei in Lebensgefahr, sie müssten sie sofort suchen. Sie wollte wissen, seit wann Chantal abgängig war. Seit einer halben Stunde, sagte ich, aber ... Sie unterbrach mich und meinte leicht genervt, dann sei es für eine Suchaktion noch zu früh.

»Geht's noch?« Ich schrie so laut, dass Rosa, die es sich auf dem Sofa gemütlich gemacht hatte, fluchtartig das Zimmer verließ. »Das Mädchen ist entführt worden!«

»Haben Sie eine Nachricht von den Entführern?«, fragte sie im Tonfall eines Pflegers auf der Geschlossenen.

Ich hängte ein, zitternd vor Wut. Und Angst. Als es klingelte, riss ich die Tür auf und wollte gerade loslegen. Aber da standen nicht Tinas Kollege und die Spurensicherung. Da stand der Typ vom Hausflur. Und vor ihm Chantal.

»Mach Platz«, wies er mich an und schob Chantal in meinen Flur. Er hielt eine Pistole in ihren Rücken gedrückt. Chantal sah mich konzentriert an, so als wollte sie mir etwas vermitteln. Ich begriff bloß nicht, was. Der Typ stieß mit dem Fuß die angelehnte Tür zu meinem Arbeitszimmer auf. Schubste Chantal aufs Sofa und blaffte: »Ausziehen!«

»Fick dich!«

Er schlug ihr ins Gesicht. Sie zuckte zurück und biss sich auf die Lippen. Blut lief ihr aus der Nase. Sie sah mich wieder mit diesem Blick an, den ich nicht deuten konnte. Der Typ wandte sich jetzt mir zu. Chantal machte kurz ein Handzeichen, es war das Zeichen für Telefonieren. Ich verstand immer noch nicht.

»Ich fange mit ihr an«, sagte der Typ und strich mit der Hand über Chantals noch kaum vorhandene Brüste. »Dann bist du dran.« Er musterte mich von oben bis unten und grinste abfällig. »Vielleicht. Vielleicht bist du mir aber auch zu alt und ausgeleiert. Dann nehme ich den Besen. Magst du es mit dem Besen?«

Er hatte einen leichten osteuropäischen Akzent. Das kurzärmlige T-Shirt, das er trug, ließ jede Menge anabolikagedüngte Muckis zur Geltung kommen. Er war um die dreißig, vom Typ her eine Mischung aus Rapper und Security, hatte ein hübsches, verlebtes Gesicht und trug Glitzerohrringe. Und war entweder auf Koks oder auf Speed. Ich tippte eher auf Koks.

Chantal saß aufrecht auf dem Sofa und hielt die Hände vor dem Bauch gefaltet. Ich begriff plötzlich, dass sie in ihr Tan T'ien atmete, das Zentrum des Chi, der Energie. Mary hatte mir diese Atmung einmal beigebracht, als ich einen Breakdown gehabt hatte. Ich hoffte inständig, dass Chantal sich nicht überschätzte und versuchte, mit ihrem bisschen Anfängerinnen-Kung-Fu gegen einen zugekoksten Brutalo mit Pistole anzugehen. Und dass Tinas Kollege und die Leute von der Spurensicherung, wenn ich ihnen gleich nicht aufmachte, dranblieben und nicht weggingen.

»Zieh dich aus«, blaffte der Typ erneut Chantal an.

Sie lächelte plötzlich verführerisch. »Soll ich dir einen blasen?«

Er lachte amüsiert. »Mit dir hab ich was Besseres vor.«

Er fuhr ihr mit der Hand unter das T-Shirt. Ich sprang ihn von hinten an, er schwang herum und rammte mir den Ellenbogen in den Solarplexus. Als ich wieder zu mir kam, stand Hertha vor mir. Ich versuchte, mich hochzurappeln, und bekam einen Tritt an die Schulter. Chantal deutete auf seine Beine. Aber so schnell war ich nicht. Ich konnte mich vor Schmerzen nicht bewegen und kaum noch den Brechreiz beherrschen.

Der Typ stand jetzt mit dem Rücken zu Chantal und fuchtelte mit der Pistole abwechselnd in meine und in Herthas Richtung. »Hinlegen!«, befahl er Hertha.

»Wohin dann?«, fragte sie. »Ich leg mich nit op de Äd.«

»Hinlegen!« Er holte mit der Pistole aus, Hertha duckte sich, und Chantal trat ihm in die Kniekehlen. Er knickte ein, fuhr herum und griff nach Chantals Hals. Sie riss die Arme hoch und schlug ihm mit einem Faustschlag die Pistole aus der Hand. Das brachte ihn sichtbar aus dem Konzept. Er suchte mit dem Blick nach seiner Pistole, und in diesem Moment stürmten Tina, ihr Chef und mindestens zehn weitere Bullen in meine Wohnung. Sie richteten ihre gesammelten Knarren auf den Typen auf dem Boden.

»Hinlegen!«

Er überlegte offenbar kurz, ob er noch eine Chance hatte, dann gab er auf. Meyer zog ihm, nicht gerade sanft, die Arme nach hinten und legte ihm Handschellen an.

»Aufstehen!«

Der Typ hievte sich hoch. Chantal stand vor ihm, Nase, Mund und Kinn mit Blut verkrustet, den blanken Hass in den Augen. Sie hob den Fuß und trat ihm mit aller Kraft in die Eier. Er ging auf sie los, aber zwei von den Polizisten rissen ihn zurück.

»Das reicht«, sagte Tina sanft, aber bestimmt zu Chantal, die gerade erneut den Fuß hob.

»Da bin ich mir nit eso sicher«, murmelte Hertha.

Meyer bestand darauf, dass Chantal und ich uns von einem Arzt untersuchen ließen. Dann fuhr uns ein Streifenwagen ins Präsidium. Hotte war bereits da, nahm Chantal in den Arm und drückte sie an sich.

»Sie hat den Typen außer Gefecht gesetzt!«, verkündete ich stolz wie Oskar.

Meyer führte uns in ein Zimmer, in dem es einen Tisch und mehrere halbwegs bequem aussehende Sessel gab. Vermutlich eine Art Konferenzraum. Eine Polizistin kam mit einem großen Tablett und sagte anerkennend zu Chantal: »Bist du das Kung-Fu-Mädchen?«

»Mhm«, erwiderte Chantal, »kann ich 'ne Cola haben?«

»Aber klar doch!« Die Polizistin lächelte und schenkte Chantal ein Glas Cola ein. Ich bekam Apfelschorle, Hotte dito. »Bedienen Sie sich bitte«, die Polizistin wies auf das Kuchentablett, »was Besseres gab's in der Kantine leider nicht. Die andern sind gleich da.«

Als Erste kam Tina herein, lächelte mir zu, blieb vor Chantal stehen und streckte ihr die Hand hin: »Hochachtung!«

Chantal wurde tatsächlich rot. Dann setzte sich Tina und las, mehr Hotte als Chantal, eine Belehrung vor. Hotte nickte. Sein Gesicht war faltiger als je zuvor, die Haare hatten sich zum Teil aus dem Pferdeschwanz gelöst und hingen ihm ins Gesicht, er streifte sie immer wieder nervös hinter die Ohren. Ab und zu griff er nach Chantals Arm und hielt ihn fest. Die Tür ging auf, und Meyer und eine ältere Polizistin kamen herein.

»Nicola Sabatini«, stellte sie sich vor, »Sexualdelikte.«

»Du bist ein sehr kluges und tapferes Mädchen«, sagte Meyer zu Chantal. Die stopfte sich gerade Kuchen rein und nickte bloß.

»Sie hat das Handy angestellt. Sie hat meine Nummer gewählt, und wir konnten alles mithören«, erklärte Tina Hotte und mir mit unverhohlener Bewunderung in der Stimme.

»Wow«, sagte ich ergriffen.

»Boah!«, fügte Hotte hinzu und drückte Chantals Arm noch fester.

Meyer baute einen Rekorder vor Chantal auf und stellte ihn an. »Wann und wo hat der Mann dich entführt, Chantal?«

»Ja, aufm Ebertplatz, wie ich da in der langen Unterführung war, wo man hochgeht zum Eigelstein. Ich hab nix gemerkt. Weil ich dauernd überlegt hab, ob die Mary mich jetzt noch nimmt, wenn ich so zu spät bin. Weil die Scheißbahn mal wieder nicht gekommen is. Ey, ich hab da gestanden, Florastraße, ja? Viertelstunde oder keine Ahnung, ewig!«

Sie blickte wütend in die Runde.

Ich nickte. »Ja, mir ging's vorhin an der Christophstraße genauso.«

»Und ich konnte die nicht anrufen, die Mary, weil ich der ihre Nummer nicht hab. Wir haben uns immer verabredet, wenn ich da war, fürs nächste Mal. Ne?«

»Klar«, meinte Tina beschwichtigend. »Und was ist dann passiert am Ebertplatz, in der Unterführung?«

»Ja, da hat der mich von hinten gepackt und gesagt: ›Halt's Maul, ich hab 'ne Knarre.‹ Und dann hat der mir was in 'n Rücken gedrückt, und dann hab ich gedacht, boah, Scheiße, das is echt. So. Und dann bin ich halt mitgegangen, ne.« Sie sah Hotte an. Er nickte.

»Und dann is der mit mir runter zum Rhein und inne Straße da rechts rein, und da war sein Auto. Ne? Ja, und dann is der mit mir losgefahren, und ich hab die ganze Zeit überlegt, wie ich dem die Knarre abnehme.«

Tina stöhnte auf.

»Ging aber irgendwie nich. Der hat dann irgendwann gesagt: ›Bau kein Scheiß, sonst geht's dir wie deinem Bruder.‹ Und da hab ich gewusst, das is der Mörder vom Marco. Ne. Und dann is mir eingefallen, dass ich ja das Handy hab, in der Jeanstasche. Das hat mir der Opa geschenkt. Und da hat der mir die Nummer von der Tina« – Blick zu Tina – »als ›a‹ eingespeichert. ›b‹«, fügte sie erklärend hinzu, »is der Opa und ›c‹ die Katja.«

Tina warf Hotte einen anerkennenden Blick zu.

»Aber ich hab doch dauernd versucht, dich anzurufen«, wandte der sich an Chantal, »wieso hat der Arsch das dann nicht gehört?«

Chantal grinste zufrieden. »Ja, weil die Mary mir gesagt hat, ich darf das Handy nicht anhaben beim Training. Und du hast mir aber gesagt, ich soll das Handy immer anhaben. Dann hab ich das auf Vibrationston gestellt, ne, dass die Mary das nicht hören kann, wenn's mal klingelt. Ne?« Sie griff nach dem nächsten Stück Kuchen. Biss die Hälfte davon ab und brauchte eine Weile, bis sie weiterreden konnte.

»Ich hab dich ja gehört, Opa. Also, ich hab das gespürt, wie das vibriert hat. Aber ich konnt ja nicht drangehen, ne?«

Wir nickten einstimmig.

»Ja, und dann hab ich den genervt«, fuhr Chantal fort, »so Fragen gestellt die ganze Zeit, laber, laber, als Ablenkung, ne. Dabei hab ich die Tastatur von dem Handy abgetastet. Also so getan, wie wenn ich 'n Tempotuch suchen würd, ne, ich hab den gefragt: ›Haste 'n Tempotuch für mich?‹ und so, und dabei hab ich dann ›a‹ gedrückt und Start. Und dann guckt der mich so an und sagt: Hast du 'n Handy dabei? Sag ich: Wenn ich 'n Handy hätt, dann würd ich mir 'n Klingelton von Lady Gaga runterladen. Und dann meinte der, wieso ich denn keins hätte. Und dann hab ich gesagt: ›Wie denn, mein Opa is doch auf Stütze.‹«

Sie blickte uns triumphierend an. Hotte sah aus, als würde er gleich vor Stolz platzen.

»Und von da an«, sagte Tina, »konnten wir alles mithören. Wir haben dich geortet, und dann konnten wir den Zugriff organisieren.«

»Wie ist denn dann Hertha dazugekommen?«, fragte ich Chantal.

»Ja, die hat 'n paarmal angeklopft. Und dann is die reingekommen, die Tür war ja auf.«

Meyer stellte das Aufnahmegerät aus und verabschiedete sich, gefolgt von Sabatini, die Chantal zulächelte und den Daumen hob. Als auch Hotte und Chantal gegangen waren, brachte mich Tina auf Stand. Von sich aus, ich musste noch nicht mal darum bitten. Sie hatten bei Grimme zu Hause beziehungsweise in seinem angeblichen Institut »alles abgeräumt«. Er selbst war aber noch nicht aufgetaucht. Die Fahndung nach ihm lief, Tina und Sabatini wollten sich gleich anschließend durch den Haufen der beschlagnahmten DVDs wühlen.

»Und Herr Dr. Völcker«, ätzte Tina zufrieden, »hat sich schon gestern krankgemeldet.«

»Tina«, erwiderte ich, »ich bin mir inzwischen sicher, dass Völcker nicht nur ein Arschloch ist. Er kann auch einer der Männer auf dem Video sein. Und dann kann er auch Marco und Tamara umgebracht haben. Und Maria Grimme.«

»Bei Grimme«, sagte Tina nachdenklich, »tippe ich eher auf ihren Mann. Aber ich habe mir das mit Völcker auch schon überlegt. Wir müssen es nur beweisen können, Katja.«

»Und wie geht's jetzt weiter?

»Jetzt nehmen wir uns den Anabolika-Heini vor.«

Ich stand auf und umarmte sie kurz. »Halt mich auf dem Laufenden, ja?«

»Mach ich. Und, äh, Katja?«

»Ja?«

»Halt dich jetzt bitte raus. Du hast schon genug abbekommen. Wir machen das jetzt, okay? Alex ist ja wieder voll einsatzfähig, der eine Kollege ist aus dem Urlaub zurück, und wir haben Verstärkung bekommen.«

»Apropos Alex Meyer!« Ich setzte mich wieder hin. »Ich wüsste jetzt doch noch gerne, warum der so dermaßen alles vergeigt hat. Wie kann so einer dein Vorgesetzter sein?«

Tina schob die Tassen über den Tisch und wieder zurück. »Du siehst das nur aus deiner Warte, Katja.«

»Ach ja? Gibt es noch 'ne andere?«

»Ja. Wir können von Vermutungen nicht leben. Wir brauchen Beweise.«

»Und dass Marco auf den Strich gegangen ist und die Grimme ermordet hat, das war keine Vermutung? Dafür hattet ihr Beweise?« Meine ganze Wut kochte wieder hoch, und ich konnte sie nicht im Zaum halten, Dharma hin, Dharma her.

»Für das Strichen hatten wir einen Zeugen.«

»Hä?!«

Sie senkte den Blick. »Das habe ich vergessen, dir zu sagen. Es gab einen Anruf. Auf die 110. Da hat einer ausgesagt, er habe ›den Jungen aus der Zeitung‹ wiedererkannt, also Marco. Der Kollege meinte darauf, er solle die Nummer anrufen, die wir in die Zeitung gesetzt haben, aber der Typ hat erwidert, er würde das jetzt ihm sagen, und dann wär das für ihn gegessen. Also hat der Kollege ihn weiterreden lassen. Der Typ hat dann erklärt, er hätte gesehen, wie ›der Pico aus dem Express am Strichen‹ war. Der Kollege hat ihn noch gefragt, wie er darauf käme, dass es sich um ›Strichen‹ gehandelt hätte, und da meinte der Anrufer, er könne das beurteilen, er sei von Fach.« Sie nahm einen Schluck Kaffee und setzte die Tasse angewidert ab. »Ich hab mir das Band zigmal angehört. Das war eine junge Stimme. Deshalb sind wir davon ausgegangen, dass der Anrufer ein Stricher war.«

»Marco war zehn, Tina. Er war verdammte zehn Jahre alt!«

»Ich weiß. Ich hab die Story auch nicht geglaubt, aber sie war bei den Akten. Völcker kannte sie. Und hat sie natürlich verwendet. Wenn er sie nicht sogar initiiert hat.«

»Tina, ich rede gerade von deinem Chef. Nicht von Völcker. Dass das Grimme-Notizbuch aus den Asservaten verschwunden ist, hat ihn das nicht misstrauisch gemacht?«

»Doch, klar. Aber zu dem Zeitpunkt war Alex nicht mehr er selbst. Katja, er ist ein anständiger Mensch und ein guter Polizist. Ich habe jahrelang mit ihm gearbeitet, ich weiß das. Aber er ist von Völcker in einem Ausmaß gemobbt worden, das ich so nicht mitbekommen habe. Der hat ihn ständig angegriffen, wie er, als Schwuler, einen Fall von mutmaßlicher Pädophilie bearbeiten könne, warum er sich da so drauf stürzen würde, warum er nicht einsehen würde, dass der ›kleine Stricher‹, so hat er Marco immer genannt, die Grimme umgebracht hat. Das ging jeden Tag ein paarmal so, in allen Varianten. Alex hat sich schließlich an den Personalrat gewandt, er wollte den Fall auch abgeben, aber das war nur Munition für Völcker. ›Haben Sie Gründe dafür‹, hat er ihn dann gefragt, ›sind Sie in die Geschichte verwickelt?‹ Das hat Alex den letzten Nerv gezogen. Der war fertig, Katja, voll fertig.« Sie holte tief Luft und lehnte sich erschöpft zurück.

»Das nennt man, glaube ich, Psychoterror«, fuhr sie schließlich fort. »Und wie gesagt, wir konnten Völckers Argumente auch nicht wirklich widerlegen, wir hatten null Beweise. Und dazu noch die Überarbeitung, wir waren zu dritt mit drei Morden!«

Ich war noch nicht ganz zu Hause, da klingelte mein Handy. Nele wollte, dass ich auf der Stelle nach Düren kam. Da sei eine Frau, die müsse mir etwas erzählen. Also machte ich kehrt und fuhr nach Düren.

Am Bahnhof Düren nahm ich ein Taxi, Nele hatte sehr aufgeregt geklungen, und ich wusste nicht, wie lange die da Besuchszeit hatten. Wenigstens bezahlte ich nur fünf Euro, und die Taxifahrerin fand Station 3D nach nur zweimal falschem Abbiegen. Ich hätte mich auf dem Riesengelände heillos verlaufen. Auf der Station musste ich erst mal durch die Kontrolle, während Nele ungeduldig wartete, dass die Pflegerin endlich mit mir fertig war. Dann führte sie mich in den Aufenthaltsraum. Ich habe schon schönere Zimmer gesehen.

»Kaffee?« Nele wartete meine Antwort nicht ab, ging an eine Art Theke und schenkte mir hastig eine Tasse ein.

Dann verschwand sie in einem Flur und kam mit einer hübschen jungen Frau zurück, die mich verlegen ansah.

»Das ist die Katja, Sylvie«, stellte sie mich vor. Wir setzten uns. Sylvie hatte ihre eigene Tasse und einen Aschenbecher mitgebracht. In einer Ecke lief der Fernseher, ein paar Jungs an einem der Nachbartische spielten Poker. Ich bot Zigaretten an, Nele gab uns allen Feuer, dann saßen wir uns schweigend gegenüber.

»Komm!« Nele sah Sylvie ermutigend an. Die wiederum kurz mich ansah und dann den Blick senkte.

»Also, ich …« Zug an der Zigarette. Tränen in den Augen.

»Soll ich erzählen?«, bot Nele an.

Sylvie nickte erleichtert.

»Also, die Sylvie hat 'n Jungen, ne.« Nele musterte ihre Dürener Freundin prüfend, dann redete sie weiter. »Der ist fünf.«

Sylvies Kopf sank Richtung Tischplatte.

»Und der war dann mal krank. Also ist die Sylvie mit dem zum

Arzt. Ja? Und nach dem Arztbesuch war der Kleine irgendwie durch 'n Wind. Ne?«

Sylvie nickte.

Nele sah mich vielsagend an. »Und wie der dann wieder so krank war, da hat der gesagt, er will da nicht mehr hin, zu dem Arzt. Und da hat die Sylvie den gefragt, was da eigentlich abgegangen ist. Weil sie bei der Untersuchung nicht dabei sein durfte.«

»Das ist aber ungewöhnlich«, platzte ich heraus.

Sylvie sank noch mehr in sich zusammen. »Ich fand's auch komisch«, flüsterte sie so leise, dass ich sie kaum verstehen konnte. »Aber ich war ja wieder drauf. Und ich hab mir gedacht, wenn der mich nur kurz sieht, dann merkt der das nicht. Weil, der hätte ja sonst das Jugendamt verständigt. Oder so. Ne?«

»Und deshalb hast du ihn gar nicht erst gefragt, warum du bei der Untersuchung nicht dabei sein darfst?«

Sie nickte. Inzwischen rannen ihr die Tränen über die Wangen. Ich kramte ein Tempotuch aus der Jeanstasche und reichte es ihr. Sie schnäuzte sich. »'tschuldigung.«

Nele strich ihr über das Haar und murmelte etwas Besänftigendes. Ich ahnte, worauf das alles hinauslief, und wollte es eigentlich gar nicht hören.

»Und was hat er mit deinem Kleinen gemacht?«

Sie schluchzte auf. »Er hat ihm ...« Sie verstummte wieder.

»Er hat ihm seinen Schwanz in den Mund gesteckt, der Drecksack«, sagte Nele an ihrer Stelle.

Sylvie legte den Kopf auf den Tisch und weinte nun hemmungslos. Ein paar Leute sahen zu uns her.

»Alles klar bei euch?«, fragte ein junger Türke, der uns schon die ganze Zeit über im Auge gehabt hatte.

»Alles klar, Kerim«, beschied ihn Nele freundlich. Ich warf ihr einen fragenden Blick zu. »Der ist okay«, meinte sie nur.

Plötzlich richtete sich Sylvie wieder auf. »Haste noch 'n Tempo?«

Ich gab es ihr.

»Haste auch noch 'ne Kippe?« Jetzt musste sie unwillkürlich grinsen.

Ich legte meine Schachtel auf den Tisch. »Hier, könnt ihr behalten.« Sylvies andere Kippe, die im Aschenbecher vor sich hin schwelte, machte ich aus.

Sie bemerkte es gar nicht. Steckte sich die neue an und sagte dann heiser: »Er hat ihm gedroht, wenn er mir was erzählt, dann geht er zum Jugendamt und sagt denen, dass ich wieder drauf bin. Und dann kommt er ins Heim.« Sie warf wütend die Haare zurück. »Überleg mal! Genau deswegen bin ich doch nicht mit reingegangen! Damit das nicht passiert! Und das Schwein hat das voll gecheckt!« Sie starrte mich an, immer noch außer sich über die bittere Erkenntnis.

Ich erklärte ihr, ich würde Tina Gruber zu ihr schicken. Damit sie eine Aussage machen könnte.

»Das ist die, von der ich dir gesagt hab, die ist okay«, warf Nele ein.

»Aber dann nehmen die mir den Kleinen weg!«

»Glaub ich nicht«, widersprach ich auf gut Glück. »Du machst ja jetzt Entgiftung. Wo ist denn der Kleine jetzt?«

»Bei meiner Ma.«

»Und geht's ihm da gut?«

Sie zuckte die Schultern. »Ja, da war der ja schon 'n paarmal.«

Ich fragte Nele, wo hier die Sozialarbeiterin saß. Sie ging mit mir zu ihrem Büro. Ich klopfte und öffnete die Tür. Die Frau telefonierte gerade und winkte mich hinaus. Ich blieb stur stehen.

»Warten Sie bitte draußen!«, fauchte sie ärgerlich.

»Ich muss dringend die Polizei anrufen«, gab ich zurück.

Worauf ihr fast der Hörer aus der Hand fiel. Das sind sie hier nicht gewohnt.

Sie beendete ihr Gespräch und schnappte dann: »Und worum geht es, wenn ich fragen darf?«

»Sie können mir auch mein Handy zurückgeben«, erwiderte ich, »dann kann ich selber telefonieren.«

»Wer sind Sie überhaupt?«

Das Gespräch schaukelte sich hoch, und ich hatte es eilig. Also versuchte ich, zu deeskalieren. »Eine Ihrer Klientinnen hier muss eine Aussage machen in einem aktuellen Fall. Ich kenne die Polizeikommissarin, die diesen Fall bearbeitet, und muss sie sofort verständigen. Es geht um den Mord an den beiden Kindern und der Pflegemutter in Köln, vielleicht haben Sie davon gehört.«

»Und welche Rolle spielen Sie bei dem Ganzen? Und wie heißen Sie überhaupt?«

»Komm«, sagte Nele, »wir nehmen das Patiententelefon.«

»Sie nehmen hier gar nichts!« Sie stand auf, als wollte sie uns physisch daran hindern.

»Ich möchte auf der Stelle den leitenden Arzt sprechen. Sie behindern polizeiliche Ermittlungen, damit machen Sie sich strafbar. Ist Ihnen das klar?«

»Also, wo genau wollen Sie anrufen?«, fragte sie, einen Zentner Hohn in der Stimme.

»Im Polizeipräsidium Köln.«

»Und die Nummer?«

»Ist in meinem Handy eingespeichert. Ich kann sie Ihnen aber auch googeln, wenn Sie mich an Ihren Rechner lassen.«

Nele versuchte vergeblich, sich das Grinsen zu verkneifen.

Sie sah in einem Verzeichnis auf ihrem Schreibtisch nach und wählte eine Nummer. »Und wen wollen Sie da sprechen?«

»Polizeikommissarin Tina Gruber. Wenn sie nicht erreichbar ist, Polizeioberkommissar Axel Meyer. Und wenn der auch nicht da ist, können Sie es bei Oberstaats…«

»Ja, guten Tag, Rheinische Landeskliniken Düren, Station 3D, Schulze mein Name. Moment bitte. – Wie war der Name?«

Ich sagte es ihr. Fügte hinzu: »Mordkommission.«

»Ich hätte gerne Polizeikommissarin Gruber von der Mordkommission gesprochen. Ja, danke schön. Ich bleibe dran.« Inzwischen hatte sie geschnallt, dass sie mich falsch eingeschätzt hatte. Sie reichte mir den Hörer weiter.

»Tina? Pass auf, ich bin in Düren. Da ist eine Frau, die kann dir etwas sehr, sehr Wichtiges erzählen. Es geht möglicherweise um den Arzt, den wir suchen. Kannst du direkt hierherkommen und ihre Aussage aufnehmen?«

Nein, sagte sie, sie könne gerade überhaupt nicht weg. Aber sie würde die Frau mit einem Streifenwagen nach Köln und dann wieder zurückbringen lassen, wenn die damit einverstanden wäre. Ich bat Nele, Sylvie zu holen. Fragte sie, ob sie sich von den Grünen ins Präsidium in Köln und zurückchauffieren lassen würde. Sie zögerte erst, dann stimmte sie zu.

»Okay, Tina«, sagte ich, »die Frau macht das. Sie heißt Sylvie …?«

»Hansen«, flüsterte Sylvie.

»Sylvie Hansen. Und alles Weitere musst du jetzt mit der hiesigen Sozialarbeiterin klären.« Ich hielt der Lady den Hörer hin, nickte Nele und Sylvie zu und rauschte mit ihnen ab.

»Boah, geil«, hauchte Nele.

»Ja, cool, ne?«, meinte sogar Sylvie und musste ein klein wenig lächeln.

Mein Ego blähte sich zufrieden auf. Der Bodhisattva-Azubi in mir signalisierte, dass er meinen Triumph nicht so wahnsinnig toll fand. »Die Frau kennt dich nicht«, stellte er nüchtern fest. »Du hast dich ihr nicht vorgestellt. Du bist unaufgefordert bei ihr reingeplatzt und hast ihr Anweisungen gegeben. Möchtest du, dass jemand so mit dir umspringt?«

Möchte ich nicht. Ich bockte noch ein Weilchen, dann ging ich zurück in ihr Büro. Klopfte höflich an.

»Darf ich noch mal kurz reinkommen?«

»Bitte.« Freundlich klang das nicht gerade.

»Ich möchte mich entschuldigen«, sagte ich. »Ich heiße Katja Leichter, ich bin Journalistin, und ich habe durch meine Recherchen ein Verbrechen aufgedeckt. Und jetzt habe ich von einer Ihrer Klientinnen einen sehr wichtigen Hinweis bekommen, den ich der Polizei sofort weitergeben musste.«

Sie sah mich an, ohne eine Miene zu verziehen.

»Sofort hieß in dem Fall wirklich sofort. Deshalb bin ich so bei Ihnen reingeplatzt. Tut mir leid.«

Sie guckte ein wenig freundlicher. »Ist schon gut. Hat Frau Hansen etwas mit dem Fall zu tun?«

»Nein, gar nicht. Sie kennt nur möglicherweise einen Mann, den die Polizei als Täter sucht. Ohne dass sie selbst das weiß.«

Sie nickte. Sah mich an, zögerte und sagte schließlich: »Frau Hansen ist auf einem guten Weg. Es wäre schade, wenn jetzt …«

»Keine Sorge«, erwiderte ich und strahlte sie an. »Frau Hansen ist, wenn überhaupt, wirklich nur Zeugin.«

Die Grünen nahmen mich netterweise mit und brachten mich zur Ecke Innere Kanalstraße/Neusser Straße. Ich ging in den chinesisch-vietnamesischen Imbiss und gönnte mir eine große Portion Tofu mit Gemüse. Dann holte ich mir nebenan noch zwei Kugeln Eis zum Nachtisch und schleppte mich nach Hause. Mir tat alles weh, ich hatte nur noch ein einziges, überwältigendes Bedürfnis: Mich ins Bett legen, mir die Decke über den Kopf ziehen und schlafen. Schlafen, schlafen, schlafen.

Stattdessen setzte ich mich an den Rechner und rief meine Mails auf. Fand eine von Stefan, der wissen wollte, wie es mir ging. Mir fiel ein, dass er von den Ereignissen des heutigen Tages gar nichts wusste. Ich schrieb ihm zurück, ich wäre ihm unendlich dankbar, wenn er am Abend zu mir kommen und bei mir schlafen könnte. Die nächste Mail war von Mary. Hotte hatte sie offenbar informiert, denn sie erwähnte Chantals Entführung nicht, sondern schrieb mir stattdessen, im Anhang sei ein Bericht ihres *cousin George*. Ich öffnete die Datei, begann zu lesen und verschluckte mich vor Aufregung an meinem eigenen Speichel.

Gregor van Maarsen, schrieb Marys Cousin, sei ein höherer Beamter im Auswärtigen Amt gewesen, sein Zuständigkeitsgebiet Südostasien – Thailand, Laos, Kambodscha, die Philippinen. In den neunziger Jahren habe er sich frühpensionieren lassen. An dieser Frühpensionierung sei etwas faul, vermutete *cousin George*, was, könne er aber noch nicht sagen, das Auswärtige Amt blocke seine Anfragen ab. Ende der Neunziger sei van Maarsen in Zusammenhang mit Kinderhilfsaktionen aufgetaucht, die jedoch alle sehr kurzlebig waren. In Thailand hätten Mitarbeiter von UNESCO Anzeige gegen ihn erstattet wegen des Verdachts der Pädophilie. Die Anzeige sei niedergeschlagen worden, van Maarsen habe Thailand verlassen und sei wenig später von einem UNESCO-Mitarbeiter, der vor Jahren in Manila mit ihm zu tun gehabt hatte, in Phnom Penh gesehen worden. Dort habe van Maarsen zusammen mit einem Hans Grimme eine Hilfsaktion für Kinder aufgebaut, die in die Prostitution verkauft worden waren.

Wow, dachte ich. Kopierte die Datei und schickte sie Tina. Sie hatte mir einmal von einem New-York-Urlaub erzählt, also ging ich davon aus, dass sie Englisch konnte.

Hertha!, fiel mir plötzlich ein. Ich musste sie auf Stand bringen. Bloß heute nicht mehr. Heute ging gar nichts mehr. Ich läutete bei ihr an, bedankte mich bei ihr für ihren heldinnenhaften Einsatz und bat sie, am Morgen zum Frühstück zu kommen. »Dann erzähl ich dir alles. Aber jetzt muss ich ins Bett, okay?«

Ich putzte noch den Hausflur vor meiner Wohnungstür, wo

die Spurensicherung ihre Spuren hinterlassen hatte. Sah wieder die gehäutete kopflose Katze vor mir. Und bekam schon wieder Angst. Aber wovor, was sollte mir jetzt noch passieren? Du bist mit den Nerven runter, Leichter, sagte ich mir. War ja auch alles ein bisschen viel. Also geh jetzt ins Bett. – Was ich dann auch endlich tat.

EINUNDZWANZIG

Als ich wach wurde, war es zehn Uhr morgens. Irgendwann hatte Stefan geläutet, ich hatte ihm aufgemacht, war ins Bett zurückgetaumelt und hatte weitergeschlafen. Jetzt wollte ich aufstehen, aber so einfach war das nicht. Mir tat noch immer alles weh. Der Platz neben mir war leer, aber in der Ecke lag Stefans Rucksack. Der Mann meiner Träume war also noch da. Fragte sich nur, wo. Ich quälte mich aus den Kissen und schlurfte in die Küche. Auf dem Boden stand Rosas Teller, halb gefüllt mit frischer Leber, die *ich* nicht eingekauft hatte. Der Frühstückstisch war für drei Personen gedeckt, auf dem Stövchen stand meine japanische Teekanne, die ich nur zu festlichen Anlässen verwende, daneben eine Thermoskanne. Mit Kaffee, vermutete ich. Ansonsten lagen da noch Margarine, der Emmentaler, den ich neulich gekauft hatte, und ein Zettel: »Guten Morgen, meine Liebste! Bin gleich wieder da, Stefan.«

»Ach, du Wonne meines Herzens«, seufzte ich theatralisch, als ich die Tür öffnete, und blickte in Herthas weit aufgerissene Augen.

»Oh«, sagte ich.

Sie grinste. »Du hast doch gestern gemeint, ich soll rüberkommen zum Frühstück.«

Als es erneut schellte, sah ich vorsichtshalber erst mal nach, wer vor der Tür stand. Doch nun war es tatsächlich Stefan, der mir den Express entgegenhielt.

»Massaker in Lindenthal«, verkündete die Hauptschlagzeile. Und darunter: »Jetzt auch noch der Ehemann!«

Vor Verblüffung gab ich Stefan weder den verdienten Kuss, noch wünschte ich ihm einen schönen Morgen. Ich riss ihm die Zeitung aus der Hand und suchte nach dem Artikel. Ein Jogger, erfuhr ich, hatte den Leichnam von Hans Grimme im Stadtwald gefunden. »Es war eine regelrechte Hinrichtung«, hatte ein Polizeikommissar der Presse erklärt. Ich reichte das Blatt an Hertha weiter und nahm Stefan in den Arm.

»Ich liebe dich«, flüsterte ich. »Ich liebe dich mehr, als du ahnst. Und vor allem mehr, als ich zu erkennen gebe.« Dann drückte ich mein Gesicht an sein T-Shirt und sagte gar nichts mehr. Stefan hielt mich fest und küsste mein Haar.

»Wenn ihr fertig seid, würde ich gerne frühstücken«, rief Hertha vom Tisch her.

Stefan begrüßte sie, und ich ging widerwillig ans Telefon. Es war Mary.

»Katja«, legte sie los, bevor ich noch guten Tag sagen konnte, »ich war gestern Abend am Telefon sehr hart zu Chantal, ich habe alles ganz falsch gemacht! Kannst du ihr sagen, ich würde mich sehr freuen, wenn sie heute Nachmittag zum Training kommt? So gegen halb sechs, sechs Uhr? Und kannst du ihr ausrichten, sie hat sich ansonsten perfekt verhalten? *She was great!*«

»Was hast du denn mit ihr gemacht?«, fragte ich alarmiert.

»Ach, Katja, sie hat mir alles so stolz erzählt, und sie hatte recht, stolz zu sein! Aber dann hat sie noch gesagt, sie hat den Mann, als er schon gefesselt war, in die Eier getreten. Und da habe ich ihr erklärt, so etwas tut man nicht, wenn man Kampfsport macht. Das ist unwürdig. Sagt man so? Und sie war so enttäuscht. Sie hat gesagt: ›Ja, okay‹, und hat eingehängt. Und dann ist sie nicht mehr drangegangen. Mir tut das so leid, Katja! Du musst ihr sagen, ich bin sehr beeindruckt von ihr!«

Ich versprach ihr, Chantal das alles auszurichten. Hoffte inständig, diese nicht nur schrecklich tapfere, sondern auch schrecklich verletzte Zwölfjährige würde zu allem anderen nun auch noch den Rüffel ihrer verehrten Lehrerin verkraften.

Auf dem Tisch lagen frische Brötchen, Croissants, Marmelade, Honig und jede Menge Käse. Stefan und Hertha hatten schon mit dem Frühstück angefangen, ich schenkte mir Tee ein, bestrich mir ein Croissant dick mit Marmelade, schlang es hinunter, und dann legte ich los.

»Siehste«, sagte Hertha, als ich fertig war, »So sinse. Und der Oberverbrecher ist der Staatsanwalt, das riech ich. Und dem fährt keiner an ‘n Karren.«

»Doch, Hertha«, wandte ich ein, »die Tina wohl. Die braucht bloß noch eindeutige Beweise.«

»Bis dahin ist der jwd. Glaub mir, Mädchen. Den kriegen die nicht.«

Nach dem Frühstück setzte ich mich an den PC und versuchte, mein Material zu sortieren. Schrieb eine Mail, in der ich die gestrigen Ereignisse in Kurzfassung schilderte, und schickte sie an Paul, Mary und Ina. Hotte rief an, erklärte, Chantal habe zwölf Stunden durchgeschlafen, jetzt würden sie mit Sunny in den Park gehen …

»Gib sie mir mal!«, unterbrach ich ihn. Dann erzählte ich Chantal wortwörtlich, was Mary mir gerade gesagt hatte. Sie hörte schweigend zu.

»Machste das dann? Gehst du heute um halb sechs zu ihr zum Training?«

Erst bekam ich lange keine Antwort. Dann kam ein sehr leises »Mhm«. Und dann: »Ey, Katja, warte, der Opa will dich noch mal!«

»Hörma …«, begann Hotte. Pause. »Ich hab da mal 'ne Frage …« Erneute Pause.

»Hotte, spuck's aus!«

»Ja, der Stefan, meinste, der könnte mit mir und der Chantal mal zum Wohnungsamt gehen? Ich wollte 'ne größere Wohnung beantragen, weil wir doch jetzt zu zweit sind, und die Kleine hat ja kein Zimmer, ne. Und der Stefan, der kennt da doch sicher Leute?«

»Stefan sitzt neben mir, Hotte, ich reich dich mal weiter.«

Ich gab Stefan den Hörer. Wenn die Leute über den Kölner Klüngel reden, dann meinen sie meistens die Vetternwirtschaft zwischen denen, die an der Macht sind oder an die Macht wollen. Egal, ob wirtschaftlich oder politisch. Klüngel funktioniert aber auch weiter unten auf der gesellschaftlichen Stufenleiter.

»Wer ist denn dein Sachbearbeiter bei der Arge?«, hörte ich Stefan fragen.

Hertha und ich sahen uns an und grinsten.

»Hörma«, flüsterte sie, »wenn ich dem Stefan sage, ich bin haschischsüchtig, könnt ich den dann als Betreuer haben?«

Wir kicherten wie die Schulmädchen.

Am späten Nachmittag rief Tina Gruber an. »Bist du zu Hause? Dann komme ich jetzt vorbei.«

Ich setzte Wasser auf und machte Kaffee. Tina hielt einen Strauß orangefarbener Rosen in der Hand und streckte ihn mir entgegen.

»Für deine Hilfe bei den Ermittlungen.«

Ich nahm ihr die Blumen ab, schnitt sie an und stellte sie in die Vase. Tina legte die Bäckereitüte, die sie in der anderen Hand gehalten hatte, auf den Tisch und packte den Inhalt aus, eine Schnitte Mohnkuchen.

»Der ist für dich.«

»Und du?«, fragte ich verblüfft. Sie schüttelte nur abwehrend den Kopf.

Ich goss den Kaffee auf und brachte ihn an den Tisch.

»Was willst du zuerst hören? Die gute oder die schlechte Nachricht?«

»Egal. Schieß los.«

»Chantals Entführer ist beziehungsweise war der Hiwi von unserem geschätzten Herrn Staatsanwalt Dr. Völcker. Er heißt Eduard Richter und ...«

»Richter?«, fiel ich ihr ins Wort. »Und woher kommt dann sein osteuropäischer Akzent?«

»Tarnung. Völcker hat ihm dazu geraten.« Sie gab sich einen zusätzlichen Löffel Zucker in den Kaffee und rührte um. »Eigentlich keine schlechte Idee«, meinte sie nachdenklich. »Wenn du sagt: ›Es war ein Russe‹, dann wundert sich keiner, weil alle die Russen für kriminell halten. Und wir suchen dann nach einem Russen. Und kommen gar nicht auf die Idee, es könnte Hänschen Maier sein. Oder eben ein Eduard Richter.«

»Völcker«, riss ich sie aus ihren Betrachtungen.

»Ja. Also, Richter hat erst mal den Helden gespielt: ›Ich sage nichts!‹ Dann habe ich ihn warten lassen. ‘ne ganze Weile. Bis die Wirkung von seiner letzten Line verflogen war. Dann habe ich ihm gesteckt – das ist übrigens die schlechte Nachricht –, dass Völcker sich abgesetzt hat.«

»Nein!«

»Doch. Da komm ich noch drauf. Jedenfalls, als unser Mucki-Mann das gehört hat, ist er ausgerastet. ›Das Schwein, ich muss noch meine Kohle kriegen, der kann nicht einfach abhauen, der schuldet mir noch tausend Tacken!‹«

Ich langte nach meinen Zigaretten, beherrschte mich dann aber.

»Und danach«, fuhr Tina fort, »hat der sich so richtig ausgekotzt. Er hat die Drecksarbeit für Völcker gemacht. Ihm die Jungs rangeschafft, je jünger, desto lieber. Und in letzter Zeit auch ›so Schlitzaugen-Babys‹, wie er sich auszudrücken beliebte. Er hat für Völcker ausfindig gemacht, wo Marco sich versteckt hielt. Dann hat er Marco zusammengeschlagen und im Nordpark an Völcker übergeben. Und ihn anschließend entsorgt. Dabei ist ihm allerdings ein Pulk Jungs dazwischengekommen, die offenbar auf dem Heimweg noch einen durchziehen wollten. Da hat er Panik gekriegt und ist laufen gegangen. Sonst hätten wir Marco vermutlich auch als verkohlte Leiche mit ausgebrochenen Zähnen im Rhein gefunden.«

»Das heißt, Richter hat Tamara für Völcker entsorgt?«

»Nein, warte. Er selber, das hat er immer wieder betont, hat es nicht mit kleinen Jungs. Dafür hat ihm Völcker Tamara überlassen. Als Belohnung für seine Dienste. Ich nehme an, Tamara ist für die Grimme zum Problem geworden, und sie wollten sie loswerden. Also haben sie sie Richter zum Fraß vorgeworfen. Damit konnten sie zwei Fliegen mit einer Klappe schlagen. Richter hat sie vergewaltigt, bis sie halb tot war. Dann hat er sie erwürgt. Da steht er drauf. Und danach hat er sie entsorgt. In ihrem Fall ist ihm leider niemand dazwischengekommen.«

Jetzt zündete ich mir doch eine an. Stellte mich an das offene Fenster. »Woher weißt du das, Tina? Das hat er doch sicher nicht alles gestanden.«

»Komm ich gleich zu.« Tina hatte einen bitteren Zug um den Mund, den ich bisher nicht an ihr bemerkt hatte. »Die tote Katze und Chantals Entführung waren Richters eigene Idee. Er hat dir erst den Rucksack abgenommen. Dann hat Völcker sich das Material, das du da drinhattest, angesehen und Richter den Auftrag erteilt, dich auszuschalten. Wie, war wohl egal. Dafür sollte er die tausend Euro bekommen. Und Chantal als Draufgabe.«

Ich drehte mich um und schaute aus dem Fenster. Eine Taube beobachtete mich vom gegenüberliegenden Balkon. Zumindest schien es mir so. Nach einer Weile flog sie auf und ließ sich auf einem Ast der Birke in unserem Hof nieder. Ich wandte mich wieder Tina zu.

»Hans Grimme«, berichtete sie weiter, »hat Völcker eigenhändig erledigt. Mit einem aufgesetzten Kopfschuss. Wo, das müssen wir noch herausfinden. Im Stadtwald hat er ihn nur abgelegt. Richter war zur Tatzeit mit euch beschäftigt, also kann er es nicht gewesen sein. Grimmes Notebook haben wir ein paar Meter weiter im Gebüsch gefunden. Leer sozusagen, es war alles gelöscht. Und zwar so, dass wir auch nichts wiederherstellen können.« Jetzt heiterte sich ihr Gesicht zum ersten Mal auf. »Aber das müssen wir auch nicht.«

Sie hatten in Grimmes rechtem Socken einen Schlüssel zu einem Bankfach gefunden. Und in dem Bankfach einen Brief, adressiert »an die Polizei im Falle meines gewaltsamen Todes«, und drei DVDs mit Hans Grimmes gesammelten Werken. Alle in einem Raum aufgenommen, den sie im Keller des Grimme-Hauses gefunden hatten: Tamaras Vergewaltigung und Ermordung durch Richter, die Grimme zu einem Snuff-Porno zusammengeschnitten hatte. Die Vergewaltigung und Folterung von vier kleinen Jungen, einschließlich Marco. Die drei anderen Jungen sahen asiatisch aus und waren nicht älter als drei oder vier Jahre. Auf zwei der Videos war Völcker allein zugange und trug keine Maske. Auf einem der anderen waren zwei Männer zu erkennen, die nicht identifiziert werden konnten.

»Aber die kriegen wir noch«, sagte Tina. »Wir haben eine Sonderkommission gebildet.«

»Und was ist mit dem Arzt, der Sylvies Jungen missbraucht hat? Ist der auf einem der Videos?«

»Nein«, erwiderte Tina. »Der hat mit dieser Geschichte wohl nichts zu tun. Den knöpft sich jetzt aber Nikki vor, meine Kollegin von der Sitte.«

Sie hielt inne. Trank einen Schluck Kaffe. »Ich habe Richter die DVD vorgespielt, auf der er mit Tamara zu sehen ist. Bis dahin hat er uns nur das erzählt, was in erster Linie Völcker belastet. Dann habe ich ihm gesagt, ich würde dafür sorgen, dass die DVD im Knast kursiert, wenn er drin ist. Und dass viele von den Männern dort Mädchen wie Tamara haben, die jetzt im Heim sind oder in einer Pflegefamilie, weil ihr Papa im Knast ist.«

Sie sah mich an. Ich erwiderte ihren Blick.

»Ich habe so etwas noch nie getan. Wenn es herauskommt, schadet es uns und nützt Richter. Es widerspricht auch meinen eigenen Überzeugungen. Aber ich hab mir das alles angesehen, Katja, diesen ganzen Horror, und dann sitzt mir der Typ gegenüber und hat noch nicht mal einen Funken von Reue. Der ist noch nicht mal verunsichert. Der ...« Sie wischte mit der Hand über den Tisch.

Ich setzte mich wieder zu ihr. Legte kurz meine Hand auf ihre.

»Und daraufhin hat er alles ausgespuckt. Zwischendurch hat er gedacht, er könnte mich austricksten, dann musste ich ihn wieder dran erinnern, welchen Effekt die DVD auf die Jungs im Knast haben würde. Er hat natürlich versucht, das meiste auf Völcker zu schieben, aber es bleibt doch einiges auch für ihn.«

Sie lächelte schief und räusperte sich. »Der Brief, den Grimme hinterlassen hat, ist ein elendes wehleidiges Gejammer, du kannst es nicht ertragen. Grimme stammt aus kleinen Verhältnissen, hatte einen tierischen Ehrgeiz, hat es aber zu nichts gebracht. Er wollte zum Beispiel eine Professur, hat sie aber nicht gekriegt. Er war auch kein Archäologe, sondern Kunsthistoriker. Sie, also Maria Grimme, war 'ne Studienkollegin. Als sie geheiratet haben, hat er wohl gedacht, jetzt wäre er was Besseres. Sie hatte die Kohle, nicht er. Er hat von ihr gelebt. Und dafür hat er ihre ›psychische Krankheit ertragen‹, so drückt er sich aus. Und dann hat er irgendwann begriffen, was sein Herr Schwiegervater und sein Schwager so treiben.«

»Also van Maarsen senior und junior«, warf ich ein.

»Genau. Wir haben jetzt auch Völckers Personalakte. Er ist Josef van Maarsen, Maria Grimmes Bruder. Er hat den Namen seiner Frau angenommen – Völcker. Und ist danach von Bonn nach Wuppertal gezogen. Da kannte ihn niemand, also hat ihn niemand mehr mit van Maarsen in Verbindung gebracht. Und in Köln dann auch nicht.«

»Was ist das denn für eine Frau, die Völcker geheiratet hat?«

»Da sind wir noch dran. Das mit der Namensänderung hat er machen lassen, als sein Vater in Thailand aufgefallen ist. Ich habe mich mit Marys Cousin in Verbindung gesetzt, er hat mir das Datum gemailt. Und ein halbes Jahr später ist Völckers/van Maarsens Frau bei einem Autounfall ums Leben gekommen. Die Unfallakten sehen wir uns jetzt genauer an.«

»Und als Grimme den van Maarsens auf die Schliche gekommen ist, hat er Völcker alias van Maarsen angeboten, er dreht die Filme für ihn?«

»Nein. Er hat ihn damit erpresst. In dem Brief beklagt er sich, dass Völcker ihm ständig vorhielt: Du bist nichts, du hast nichts, du kannst nichts. Er und seine Schwester haben Grimme wohl so richtig schön gedemütigt. Als der dann gecheckt hat, was für ein Ding diese Kinderhilfsorganisation des alten van Maarsen in Kambodscha war, ist er sofort aus dem Vorstand ausgetreten. Und als er dann später auch noch gerafft hat, was im Keller seines Hauses abging, wollte er sich scheiden lassen und die ganze Mischpoche anzeigen. Schreibt er zumindest in dem Brief. Dann hat er aber doch lieber Kameras angebracht und Völcker samt Schwesterchen mit den Aufnahmen erpresst. Er nennt das: ›Ich ließ sie meine Forschungsarbeit finanzieren.‹«

»Und wer hat Frau Grimme umgebracht?«

»Ich nehme an, Völcker, ihr liebes Brüderlein. Der war garantiert schon schwer beunruhigt, als Marco abgehauen ist und Richter ihn nicht sofort finden und ihm apportieren konnte. Und dann ist die Grimme möglicherweise durchgedreht, weil sie dachte, jetzt fliegt alles auf, sie inklusive. Und dann hat Völcker die Nerven verloren. Ihr Tod sieht nicht nach einem geplanten Mord aus, sondern eher nach einer Affekttat. Zumindest der erste Stich. Und die anderen Stiche hat er ihr verpasst, um den Verdacht auf Marco zu lenken.«

Tina stand auf und ging hinüber zum Fenster. Ich ahnte, jetzt kam noch etwas. Sie blieb eine Weile schweigend mit dem Rücken zu mir stehen und sah hinunter in den Hof. Oder wohin auch immer. Dann drehte sie sich um.

»Katja … Marco ist erstickt. In seiner Speiseröhre und in seiner Luftröhre wurde bei der Obduktion Sperma gefunden. Völckers Sperma.«

Wir fuhren hinunter an den Rhein. Fanden eine Parklücke auf dem Theodor-Heuss-Ring. Gingen Richtung Niehler Hafen. Irgendwann setzten wir uns erschöpft auf eine Parkbank.

»Woher weißt du, dass es Völckers Sperma ist?«, fragte ich. »So eine DNA-Untersuchung dauert doch.«

»Ich kenne einen der Rechtsmediziner. Der hat mir schon mal

geholfen. Auf – äh – dem kleinen Dienstweg.« Sie lächelte versonnen. »Er ist schwul. Bekennender Schwuler. Was vermutlich auch nicht einfach für ihn ist in dem Job. Jedenfalls hab ich ihm von dem Fall erzählt. Von meinen Vermutungen. Und dass mir die Hände gebunden sind, weil Völcker uns behindert und Alex gezielt wegen seiner Homosexualität mobbt. Und dass Völcker Marco unterstellt, er habe als Stricher gearbeitet. Daraufhin ist er, also mein Freund bei der Rechtsmedizin, erst mal hochgegangen. ›Und wenn?‹, hat er gemeint. ›Darf man einen Stricher misshandeln und umbringen?‹« Tina sah mich beschämt an. »Da hat er ja völlig recht. Darf man natürlich nicht. Und dann wollte er wissen, wie er mir helfen könnte.«

Ich begann langsam zu ahnen, worauf diese Geschichte hinauslief. Und leistete Tina jetzt schon innerlich Abbitte.

»Also«, fuhr sie fort, »bin ich mit irgendeiner Ausrede bei Völcker vorstellig geworden. Und habe ihm einen Becher Kaffee mitgebracht. Das hat den noch nicht mal erstaunt, das ist einer, der denkt, alle anderen sind nur dazu da, ihn zu bedienen. Ja, und nachdem er daraus getrunken hat, habe ich den Becher meinem Rechtsmediziner gebracht. Die Gewebeprobe von Marco konnte er sich selber besorgen, er sitzt ja an der Quelle.« Sie strich mit der Hand über die Bank und wischte sich anschließend den Schmutz an der Hose ab. »Das Ergebnis habe ich heute früh bekommen. Und jetzt wird halt der offizielle Abgleich nachgeholt.«

Ich schwieg lange. Dann murmelte ich: »Ich hab dir unrecht getan. Es tut mir leid. Wirklich leid.«

»Du konntest es ja nicht wissen, Katja. Und ich konnte dir nichts davon sagen.« Sie sah mich an und fügte mit einem schiefen Lächeln hinzu: »Ganz trauen wir uns offenbar gegenseitig nicht.«

»Das kann sich ja noch ändern.«

»Wohl wahr.«

Auf dem Rückweg erzählte Tina, dass sie Völckers Haus leer vorgefunden hatten. »Seinen Pass hat er dagelassen, offenbar hat er noch einen anderen. Wir gehen davon aus, dass er sich nach Südostasien abgesetzt hat. Zu seinem Erzeuger. Interpool ist benachrichtigt.«

»Aber?«

»Aber es wäre schon großes Glück, wenn wir ihn noch kriegen würden. Nikki sagt, sie haben aktuell drei Deutsche auf der Liste, die sie wegen Sexualverbrechen an kleinen Kindern suchen. Sie *wissen*, dass die sich in Kambodscha aufhalten. Aber sie kommen nicht an sie ran.«

Als Tina vor meiner Haustür hielt, kamen uns Hotte, Chantal und Sunny entgegen. Tina stieg aus, um sie zu begrüßen und Sunny zu bewundern.

»Ich kann auf die Peter-Ustinov-Realschule gehen!«, verkündete Chantal.

»Und danach kannst du direkt bei uns anfangen«, schlug Tina vor. »Möchtest du Polizistin werden?«

»Nä!«

»Was möchtest du denn werden?«, fragte Tina lächelnd.

»Ich werde Kung-Fu-Meisterin«, erklärte Chantal.

Danksagung

Viele Menschen haben dazu beigetragen, dass dieses Buch gelingen konnte. Ihnen allen danke ich von Herzen. Und ganz besonders danke ich: Georg, der mir sein Wissen als (ehemaliger) Einbrecher zur Verfügung stellte; Polizeioberkommissarin Nicole Metzinger, die meine Darstellung der Polizeiarbeit überprüfte (und korrigierte); Dorothee Plass, die mich als Kung-Fu-Lehrerin in Aspekte ihrer Kunst einweihte; J., der mir Einblick gewährte in die Arbeit und Arbeitsbedingungen der Mitarbeiterinnen und Mitarbeiter von Jugendämtern; Ingrid König und meinem Mann Gert Levy, die das Manuskript kritisch durchlasen; und last but not least Marion Heister, die es wie gewohnt sorgfältig und inspirierend lektorierte, und Christel Steinmetz vom Emons Verlag, die mich ermutigte, aus meinem ersten Krimi eine Serie zu machen …

Ingrid Strobl
TÖDLICHES KARMA
Broschur, 256 Seiten
ISBN 978-3-89705 551-3

»Die hervorragend recherchierte Geschichte einer Drogensüchtigen, die ihre Dealer erledigt haben soll, transportiert Wissenswertes über das Milieu.« StadtRevue

»Statt eines reißerischen Action-Krimis entwirft Strobl in locker-humorvollem Schreibstil glaubwürdige Milieustudien über Drogensüchtige, Prostituierte und Therapeuten, ohne die Krimi-Handlung zu vernachlässigen.«
Rheinische Post Leverkusen